JN164604

共謀

トランプとロシアをつなぐ黒い人脈とカネ

目次

ルーク・ハーディング　Luke Harding

記者、著述家。英紙『ガーディアン』海外特派員として高い評価を受ける。2007年から2011年まで同紙モスクワ支局長を務めた。冷戦終結以降、ソ連・ロシア政府が国外退去処分を下した最初の人物でもある。

本書のほか、ノンフィクション分野で以下5作の著書がある。『A Very Expensive Poison The Assassination of Alexander Litvinenko and Putin's War with the West（非常に高価な毒　アレクサンドル・リトヴィネンコ暗殺とプーチンの西側との戦争）』、『スノーデンファイル　地球上で最も追われている男の真実』（日経BP社）、『Mafia State: How One Reporter Became an Enemy of the Brutal New Russia（マフィア国家　記者はいかにして冷酷な新生ロシアの敵となったか）』（以上、単著）、『ウィキリークス アサンジの戦争』（デヴィッド・リーとの共著、講談社）『The Liar: The Fall of Jonathan Aitken（嘘つき　ジョナサン・エイトケンの失墜）』（デヴィッド・リー、デヴィッド・パリスターとの共著）。

このうち2作はハリウッドで映画化された。『ウィキリークス』を原作の一つとするドリームワークスの『フィフス・エステート／世界から狙われた男』は2013年（日本未上映）に、『スノーデンファイル』を原作としたオリバー・ストーン監督による伝記映画『スノーデン』は2016年（日本では2017年）にそれぞれ公開された。また『A Very Expensive Poison』の舞台版が近く上演される予定。著書は30言語に翻訳されている。フリーランス記者である妻のフィービー・タプリンと、二人の子どもとともにロンドン近郊在住。

高取芳彦　Yoshihiko Takatori

翻訳者。法政大学人間環境学部卒。ニュース記事の翻訳・編集も手がける。訳書に『熱狂の王　ドナルド・トランプ』（共訳、クロスメディア・パブリッシング）、『ビジネス・フォー・パンクス』（日経BP社）、『くそったれバッキー・デント』（小学館）などがある。

米津篤八　Tokuya Yonezu

英語・朝鮮語翻訳家。早稲田大学政治経済学部卒。朝日新聞社勤務を経て、ソウル大学大学院国史学科修了。訳書に、『チェ・ゲバラ名言集』（共訳、原書房）、『激情回路』（共訳、春秋社）『朱蒙』（朝日新聞出版）、『チャングム』（早川書房）など。

井上大剛　Hirotaka Inoue

翻訳者。大正大学文学部、国際基督教大学教養学部卒。訳書に、『インダストリーX.0』（日経BP社）、『アメリカを動かす「ホワイト・ワーキング・クラス」という人々』（共訳、集英社）など。

前嶋和弘　Kazuhiro Maeshima

上智大学外国語学部英語学科卒。ジョージタウン大学大学院政治学部修士課程修了。メリーランド大学大学院政治学部博士課程修了。上智大学総合グローバル学部教授。アメリカ現代政治、外交を研究。主な著作は『アメリカ政治とメディア』（北樹出版）など。

装丁／篠田直樹（bright light）
翻訳協力／株式会社 リベル

元イギリス諜報員、クリストファー・スティール。MI6に所属し、ロンドン、モスクワ、パリで任務に就いたのち、2009年に退職。企業情報コンサルタント「オービス・ビジネス・インテリジェンス」を設立する。この写真は2017年3月、潜伏期間を経て仕事に復帰した際に撮影されたもの。*Courtesy of AP Images*

若手諜報員時代のスティール。1990年4月から1993年4月までの3年間をモスクワで過ごし、歴史を最前列で目撃する。1991年8月にKGB主導のクーデターが起こった際にも、任務をこなした。市街地まで歩いた彼は、ボリス・エリツィンが戦車の上にのぼり、首謀者たちを非難する姿を50メートルほどの距離から観察した。*Courtesy of Anatoly Andronov*

スティールはモスクワのイギリス大使館を拠点としていた。彼はソ連各地で外国人の立ち入りが新たに認められた土地に足を運び、スターリンの秘密の地下壕を訪れた最初の外国人となった。写真は1991年初め、タタールスタン共和国の都市カザンで新聞編集者らと会った際に撮影されたもの。
Courtesy of Anatoly Andronov

CONFIDENTIAL/SENSITIVE SOURCE

COMPANY INTELLIGENCE REPORT 2016/080

US PRESIDENTIAL ELECTION: REPUBLICAN CANDIDATE DONALD TRUMP'S ACTIVITIES IN RUSSIA AND COMPROMISING RELATIONSHIP WITH THE KREMLIN

Summary

- Russian regime has been cultivating, supporting and assisting TRUMP for at least 5 years. Aim, endorsed by PUTIN, has been to encourage splits and divisions in western alliance

- So far TRUMP has declined various sweetener real estate business deals offered him in Russia in order to further the Kremlin's cultivation of him. However he and his inner circle have accepted a regular flow of intelligence from the Kremlin, including on his Democratic and other political rivals

- Former top Russian intelligence officer claims FSB has compromised TRUMP through his activities in Moscow sufficiently to be able to blackmail him. According to several knowledgeable sources, his conduct in Moscow has included perverted sexual acts which have been arranged/monitored by the FSB

- A dossier of compromising material on Hillary CLINTON has been collated by the Russian Intelligence Services over many years and mainly comprises bugged conversations she had on various visits to Russia and intercepted phone calls rather than any embarrassing conduct. The dossier is controlled by Kremlin spokesman, PESKOV, directly on PUTIN's orders. However it has not as yet been distributed abroad, including to TRUMP. Russian intentions for its deployment still unclear

Detail

1. Speaking to a trusted compatriot in June 2016 sources A and B, a senior Russian Foreign Ministry figure and a former top level Russian intelligence officer still active inside the Kremlin respectively, the Russian authorities had been cultivating and supporting US Republican presidential candidate, Donald TRUMP for at least 5 years. Source B asserted that the TRUMP operation was both supported and directed by Russian President Vladimir PUTIN. Its aim was to sow discord and

CONFIDENTIAL/SENSITIVE SOURCE

MI6独自の書式で作成されたスティールの有名な報告書。分量は35ページに及ぶ。2016年6月から12月にかけて書かれた。彼はこの報告書で、極秘ルートで入手した情報を元に、トランプが大統領選の対立候補だったヒラリー・クリントンをめぐる機密情報をロシア政府から受け取っていたと主張。ロシア政府は「少なくとも5年前からトランプを開拓、支援、援助」していたと記した。*Courtesy of BuzzFeed via DocumentCloud*

1987年夏、トランプは妻のイヴァナとともに初めてモスクワを訪れた。写真はレニングラード（現サンクトペテルブルク）での様子。訪問はソ連政府と国営旅行会社インツーリストの招きで行われたが、同社はKGBの一部局だった。赤の広場に隣接するホテルの部屋は盗聴されていたと思われる。*Courtesy of Maxim Blokhin/TASS*

KGBの対外諜報部門を率いたウラジーミル・クリュチコフ将軍。クリュチコフは1984年、KGBの国外拠点の本部長たちに極秘メモを送り、アメリカ人を取り込むことに一層力を注ぐよう指示した。その内容は、個人の弱みに付け込むことや、「物質的刺激」を含む「クリエイティブ」な方法を使うことを求めるものだった。*Courtesy of TASS/TASS/Getty Images*

ミス・ユニバースの2013年大会のためモスクワを再訪したトランプ。アゼルバイジャン出身の不動産王、アラス・アガラロフ（中央。向かって右は息子のエミン・アガラロフ）の招きだった。両者はモスクワでのトランプ・タワー建設について話し合った。プロジェクトは実現しなかったが、2015～16年の大統領選期間中も秘密裏に商談が続いていた。*Courtesy of Victor Boyko/Getty Images Entertainment/Getty Images*

モスクワ、トゥヴェルスカヤ通りの端にある、きらびやかなリッツ・カールトン。スティール報告によれば、トランプは最高級スイートで２人の売春婦による下品な行為を見物した。スパイ機関であるFSBはすべてを記録した。ただしトランプはこれを否定している。*Courtesy of Alex Shprintsen*

アラス・アガラロフの息子でポップスターのエミン（左）はミス・ユニバースの大会で歌い、トランプと親しくなった。中央に写っているのは、エミンの広報を担当するイギリス人のロブ・ゴールドストーン。2016年６月、ゴールドストーンはドナルド・トランプ・ジュニアにメールを送り、ロシア政府が持つヒラリー・クリントンの「罪を示す」資料を提供すると申し出た。*Courtesy of Aaron Davidson/Getty Images Entertainment/Getty Images*

ドナルド・トランプ・ジュニアはロシア人たちと会ったことを数カ月にわたり否定した。実際は、ゴールドストーンのメールに「素晴らしい」と返信し、申し出を受け入れた。2016年６月にトランプ・タワーで密談が行われ、１年後にその詳細がリークされた。*Courtesy of John Moore/Getty Images News/Getty Images*

ロシアの中堅弁護士ナタリア・ヴェセルニツカヤは、モスクワからニューヨークに飛び、トランプ・タワーでドナルド・トランプ・ジュニアと会った。会合にはポール・マナフォート、ジャレッド・クシュナー、ロビイストのリナト・アフメトシンが同席した。アフメトシンにはソ連の防諜部門で働いていた過去がある。*Courtesy of Yury Martyanov / AFP/ Getty Images*

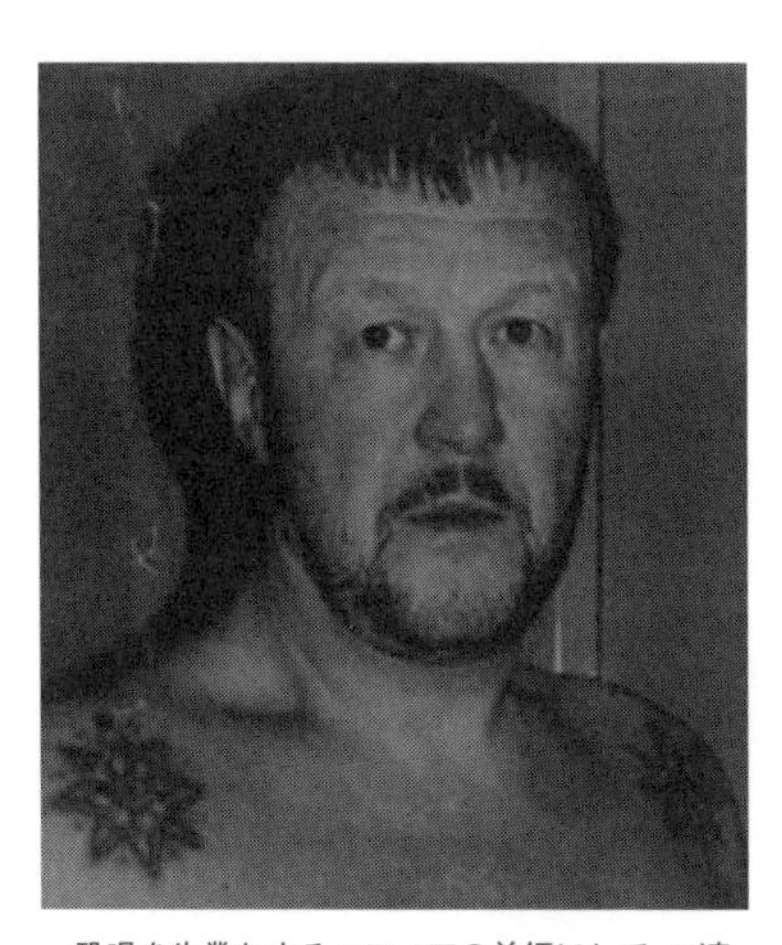

恐喝を生業とするマフィアの首領にして、ソ連・ロシア裏社会の伝説的人物、ヴャチェスラフ・イヴァニコフ。1992年、イヴァニコフは新たな活動の舞台、アメリカに居を移した。FBIは3年がかりでその行方を追い、ついに潜伏先を突き止めた。それがトランプ・タワーである。

ロシアのセルゲイ・キスリャク駐米大使がトランプとホワイトハウスの大統領執務室で会談した際の写真。ロシア外務省が撮影した。キスリャクの父、イワンはKGB屈指の諜報員で、アテネ、パリといった欧州諸国の首都に赴任していた。パリでは1970年代に「レジデント」(KGBの海外拠点を率いる諜報員)を務めた。*Courtesy of Alexander Shcherbak / TASS / Getty Images*

トランプは大統領選挙期間中、ロシア大統領のプーチンを繰り返し称賛した。2017年7月、両者はドイツ・ハンブルクでのG20サミットでついに対面を果たす。トランプはその後の晩餐会で、通訳抜きでプーチンに話しかけた。会話の内容はわかっていない。*Courtesy of REUTERS / Carlos Barria*

プーチンの隣に座るマイケル・フリン。フリンはその後、トランプ政権で国家安全保障担当大統領補佐官に就任する。写真は2015年に行われたテレビ局RT創設10周年の祝賀ディナーで撮影されたもの。RTはロシア政府のプロパガンダ機関。フリンはこれ以前に行ったモスクワ訪問で、ロシア軍の諜報機関GRUの本部を訪れていた。*Courtesy of AP Images*

弁護士であり、ロビイストであり、独裁者たちの顧問でもあるポール・マナフォートは、2016年春にトランプ陣営に加わった。マナフォートはソ連時代に台頭したオリガルヒたちと密接な関係にあった。プーチンの盟友であるオレグ・デリパスカもそのひとりである。2017年7月、FBIは共謀容疑をめぐる捜査の一環でマナフォートのアパートを捜索した。*Courtesy of AP Images*

トランプの外交政策顧問だったカーター・ペイジ。ペイジは過去にモスクワで働き、あるロシアの工作員によれば、そこで「ガスプロムに入れ込んだ」。スティール報告はペイジが密会した相手として、プーチンの事実上の副官であるイーゴリ・セチンと、セチンの側近の政府当局者を挙げた。ペイジはこれを否定している。*Courtesy of REUTERS / Sergei Karpukhin*

トランプは疑惑を「ロシアのこと」と呼び、いら立ちを募らせた。彼は2017年5月、疑惑を葬らなかったFBI長官、ジェームズ・コミーを解任する。コミーが上院で行った証言は政治史のなかでも一際目を引く出来事となった。解任は、トランプがコミーに「忠誠心」を求め、コミーがそれを断ったあとのことだった。*Courtesy of Chip Somodevilla / Getty Images News / Getty Images*

特別検察官に着任したロバート・モラー。コミーの解任後、彼の前任のFBI長官だったモラーが特別検察官に任命された。その権限は、トランプ陣営とロシアが「連携」していたという疑惑を捜査すること。モラー率いる強力な捜査班は情報を漏らさなかった。どうやら、資金の流れを追っているようだった。*Courtesy of AP Images*

トランプにとって切っても切れない関係にある娘婿のジャレッド・クシュナー。彼は2016年12月にキスリャク駐米大使と会い、ロシア政府とのあいだに秘密の接触ルートをつくれないかと持ちかけた。ほかにもクシュナーは、銀行家でスパイのセルゲイ・ゴルコフとトランプ・タワーで会っている。*Courtesy of AP Images*

2008年、オリガルヒのドミトリー・リボロフレフはトランプが所有するフロリダの海辺の豪邸を9500万ドルで購入した。これは2004年にトランプが購入した際の金額を約5000万ドル上回る。リボロフレフはその邸宅を一度も住むことなく取り壊した。アメリカ大統領選挙期間中、空港で2人の自家用機が隣り合って駐機しているところが目撃されたが、リボロフレフは偶然だと言っている。*Courtesy of REUTERS / Eric Gaillard*

プーチンの強面の門番にして、石油生産ロシア最大手であるロスネフチの会長を務めるイーゴリ・セチン。スティール報告によれば、セチンはペイジに対し、アメリカがロシア政府に科した制裁を解除する見返りに、数十億ドル相当の政府保有株売り出しの「仲介」を提供する取引を持ちかけた。ペイジはこれを否定している。*Courtesy of Sasha Mordovets / Getty Images News / Getty Images*

ロシアの対外諜報機関はマンハッタンで秘密のスパイネットワークを運用していた。FBIはこれを壊滅させた。ロシア工作員のうち2人には外交特権があったが、3人目のエフゲニー・ブリヤコフは違った。2015年、ブリヤコフはスパイ行為をした罪を認め、2年半の禁錮刑判決を受けた。*Courtesy of AP Images*

プロローグ
対面

2016年12月
ロンドンSW1、グロブナー・ガーデンズ

ロンドン、ビクトリア駅。古くささと優雅さが混じり合った場所だ。駅舎とバスターミナルを抜けて少し行くと、三角形の公園がある。そこに一体の騎馬像が置かれている。第一次世界大戦のフランスの英雄、フェルディナン・フォッシュ元帥の像だ。台座には「私は母国に仕えるのと同じようにイングランドに仕えたつもりだ」というフォッシュの言葉が刻まれている。さらに、誰かが書き足したらしく、黒いペンで「何千人も殺すことによって」とある。

ここは到着と出発が交錯する場所でもある。フォッシュ像の周りには、鳩のフンが白い斑点になった茶色いベンチと、背の高い木々が見える。旅行者や通勤客の姿も。それから、怪しい髭もじゃのホームレスが、缶入りのラガーをすすりながら、ぶつぶつと何かつぶやいている。この一等地の所有者はウェストミンスター公爵。イギリスで最も裕福な貴族だ。

そのまま進むと、フランス・ルネサンス様式で設計された新古典主義の住宅建築が立ち並んでいる。通りの名前はグロブナー・ガーデンズ。世界にその名を知られた大邸宅、バッキンガム宮殿の裏塀に接している。ちょっとの大胆さと長梯子があれば、女王陛下の秘密の裏庭にお邪魔できるかもしれない。ロンドンの灰色のスカイラインへと突き出したモミの木は、道行く市民からもよく見えるが、女王陛下のお池が目に触れることはない。

並んだ建物のなかには入居者の名前を出しているところもある。ＰＲ企業や日本料理店、語学学校などだ。しかし、ここグロブナー・ガーデンズ九－一一番地には、中に誰がいるのか、何があるのか、手がかりさえない。二本の柱の向こうに、プレートのない黒い玄関扉。その脇に「監視カメラ作動中」の警告板がある。ドア・ブザーの表札も空白だ。

玄関を入ると、右手に向かって部屋が続いている。質素な印象だ。室内はアイボリー・ホワイトを基調としていて、家具がほとんどない。壁に中くらいの大きさのカラー刷りの世界地図が一枚貼られている。外の歩道と同じくらいの高さに大窓があるが、白いブラインドで視線をさえぎっている。ほかに目にとまるのはコンピューターと新聞。タイムズ紙だ。小規模ながら、配慮の行き届いた、プロの仕事場という印象を受ける。

ここはオービス・ビジネス・インテリジェンスというイギリス企業の事務所だ。公式ウェブサイトでは、「一流の企業情報コンサルタント」と謳っている。さらに「当社はハイレベルな意思決定者の皆さまに戦略的知見と情報、調査サービスを提供します。そして、世界中でお客さまの利益を守るための戦略をお客さまとともに実行します」と曖昧な自己紹介をしている。

これは、オービスが非国家セクターで諜報ビジネスを展開しているという意味だ。商業顧客のためにスパイ活動をして、個人や組織、企業、国際機関の秘密を探っているのである。ロンドンは民間インテリジェンスの世界の中心地だ。イギリスの諜報員として一年間働いたのちに大企業の職に落ち着いたある人物は、この世界は「厳しい業界」だと言う。オービスのような企業は一〇社以上あり、その大半が国外でのノウハウを熟知した諜報機関出身者からなる。

オービスを経営しているのは、クリストファー・スティールという男だ。ビジネスパートナーのクリストファー・バローズとともに取締役を務めている。二人ともイギリス人で、年齢はスティールが五二歳、バローズは少し年上の五八歳。ただし、オービスの公式資料には名前も経歴も載っていない。ほかにも会社には頭の切れる大卒の若手が二人いて、四人でチームをつくっている。スティールの事務所を見ても、スパイビジネスをしている形跡はほとんどない。

手がかりは一つだけ。

取締役の机のそばに並んだロシア人形、マトリョーシカだ。モスクワ土産らしい。それぞれトルストイ、ゴーゴリ、レールモントフ、プーシキンといった一九世紀のロシアの文豪たちを模していて、手塗りの胴体の表面に、縦書きにした派手なキリル文字で名前が書いてある。トルストイのTが、ギリシャ文字のパイ（Π、π）をぐるぐる渦巻き状にしたように見える。

二〇一六年の騒がしい日々、スティールが依頼されていた秘密の調査は、まさにマトリョーシカのようだった。このロシア人形のように、最後に真実が現れるまで隠れた秘密を一つ一つ引っ張り出し、ドナルド・J・トランプに関わるロシア政府の機密中の機密を暴くという危険な仕事である。調査結果はアメリカの諜報コミュニティーを揺るがし、リチャード・ニクソン大統領とウォーターゲート事件の暗黒時代以降、類を見ない政治的な激震を引き起こすことになる。

スティールが暴いた事実は衝撃的だった。そして、彼の調査報告書は実質的に、大統領就任を前にしたトランプによる最悪の犯罪、すなわち国外勢力との共謀を告発するものになる。しかも、その国外勢力というのがロシアなのだ。言い換えればこれは（強く否定する者も、反論する者もいるし、重要なところで証明しえない部分はあるが）、反逆容疑である。次期アメリカ大統領は売国奴だ、というささやきが起こった。

ここまで荒唐無稽な謀略はフィクションの世界にしか見当たらない。たとえばリチャード・コンドンの『影なき狙撃者』（早川書房、二〇〇二年）は、ホワイトハウス乗っ取りを画策するソ連と中国の作戦を描いている。また、ほとんど忘れられた作品だが、テッド・オールビュリーの『合衆国を売った男』（東京創元社、一九八四年）では、一九六八年にパリで起きた学生暴動に加わったアメリカ人青年がロシア政府に取り込まれ、重大な任務に就く。ちなみに、著者のオールビュリーもスティールと同じく、イギリスの元諜報員だ。

報告書が大々的な注目を集めるまで、スティールは無名の存在だった。彼の名前は、米英両政府の諜報関係者とロシア専門家からなる狭い世界でしか知られていなかった。本人にとっては、そのほうが都合がよかったのである。

二〇一六年は歴史に残る年だった。まずブレグジット（Brexit）、すなわちイギリスの欧州連合（EU）離脱という衝撃的な決定が下された。そして一一月、ドナルド・J・トランプが第四五代アメリカ大統領に当選するという予想外の出来事に、世界の人々はもとより、多くのアメリカ人が驚き、失望することになる。

トランプを大統領の座に導いた選挙戦は、憎悪と分断、偏狭さに満ちたものだった。そんな選挙戦のさなか、ある信じがたい告発が行われた。長年アメリカ合衆国の敵と見なされてきた外国の指導者が、大統領選挙で下馬評を覆そうとするトランプを秘密裏に支援したというのである。しかも、そのことが勝敗を分けた可能性すらある、と。その告発は、トランプはロシア政府が擁立した候補者だとまで言っている。共和党の重鎮たちはロシア大統領ウラジーミル・プーチンをKGB（旧ソ連国家保安委員会）の冷酷な悪党と見なしてきたが、トランプはその傀儡（かいらい）だということだ。アリゾナ州選出の共和党上院議員、ジョン・マケインに言わせれば、プーチンは「殺人犯であり、殺し屋」である。端的に言って、アメリカの不運を願ってきた人物だ。

ただ当初は、トランプがロシア政府と共謀したという非難は広がりを見せなかった。理由は二つ。一つ目は、選挙戦中のトランプ自身の奇行だ。ロシアが民主党の電子メールを盗み出し、対立候補であるヒラリー・クリントンの不利になるようリークしたとの声が上がるなか、トランプは公の場で、ロシア政府にハッキングを続けるよう促したのである。

二〇一六年七月、フロリダでの記者会見で彼はこう言った。

「ロシアよ、聞いているかはわからないが、(クリントン候補が) 紛失した三万通のメールを見つけられるよう願っている。こちらのマスコミが気前よく礼をするはずだ。どうなるか楽しみだ」

クリントンの側近は、この発言は自分の政敵をスパイするよう国外勢力に訴えるあからさまなアピールだと指摘した。はたして、これはトランプらしい場当たり的な発言だったのだろうか。それとも、もっと謀略的なものだったのだろうか。

問題の電子メールは、二〇一六年六月と一〇月に内部告発サイト、ウィキリークスを通じて公表された。これがクリントンの痛手になることはまず間違いなかった。メールそのものはそれほど物議をかもす内容ではない。しかし、トランプのように節操のない相手に対して、メディアを席巻し、「いかさまヒラリー」という言葉をまき散らす絶好のチャンスを与えてしまった。この件に関して、ロシア政府にメールを盗まれていたのは共和党全国委員会(RNC)も同じだった。違っていたのは、ロシアが公表しなかったことだけだ。

共謀批判が広がらなかった二つ目の理由は、トランプが一貫してプーチンを褒めたたえる道理がわからないことだった。二〇一六年一一月八日の投票まで続いた熱狂の日々にトランプが罵倒した相手は、クリントンやオバマはもとより、共和党内の政敵やバラエティー番組のサタデー・ナイト・ライブ、それから「落ち目」とこき下ろしたニューヨーク・タイムズ紙、お気に入りの敵である国内メディア全般、さらには女優のメリル・ストリープなど、枚挙にいとまがない。

一方、トランプはプーチンのことを「非常に聡明（そうめい）」だと称賛している。プーチンは事実上、この地球で唯一、トランプから罵倒されることのない人物だった。トランプはまともな人なら寝ている時間帯に、ほぼ解読不能な「！」だらけの悪口雑言をツイッターを通じて方々に送りつけた。自分の言動に疑問を投げかける人がいれば、相手が誰であれ、勇んで舌戦を仕掛けていた。しかし、友であるプーチンは例外だった。

トランプとプーチンに芽生えた友情の絆は、個人的に馬が合うということだけでは説明がつかなかった。なにしろ、二人は会ったこともなかった（と思われていた）のだから。国連などの国際機関を軽視し、欧州連合を嫌っていることなど、思想・信条が似ているのは確かだ。キリスト教の影響を受けた白人民族主義者だということも、共通点に加えられるかもしれない。しかし、それだけでは根拠が足りない。二人の関係には、奇妙な忠誠心のような、まだ説明されていない何かがありそうだった。見えざる手、あるいは失われたパズルのピースと言ってもいい。トランプがあれほどまで、あるいは、あれほど頻繁に称賛した外国の指導者はほかにいない。そして、彼のプーチンに対する恭順の姿勢は大統領就任後も続くことになる。

ロシアにメールのハッキングを促したことと、プーチンを称賛したこと、この二つの事実から、重要な疑問が浮かび上がる。プーチンは何らかの方法でアメリカの大統領候補を脅迫したのか？　脅迫がなかったのなら、トランプがあそこまでプーチンに心酔しているのはなぜだ？　逆にあったのなら、具体的にどうやったんだ？

当然、噂はいくらでもあったし、一部は私が勤める英紙ガーディアンにも届いていた。選挙期間中も、その後の狂騒と驚愕の日々にも、大西洋の両側で調査報道記者たちがいくつもの手がかりを追っていた。困難で、もどかしく、それでいて興味の尽きない取材だった。疑わしい情報源もあった。クリントン陣営に近い、つまりトランプを陥れたい面々から彼の醜聞が届くこともあった。

それでも、この取材が過去数十年のアメリカ政治をめぐる報道のなかで、最も重要な仕事になりうることはわかっていた。トランプが公の場でプーチンを称賛するだけでなく、私たちの知らない裏のルートを通じて、隠れたところでロシアと共謀していたという話が本当なら、事態は反逆罪の様相を呈してくる。これは第二のウォーターゲート疑惑だった。

しかし今回の「侵入犯」はニクソンの下っ端工作員ではない。アメリカ人ですらない。ＣＩＡ（アメリカ中央情報局）とＦＢＩ（アメリカ連邦捜査局）によれば、プーチンの諜報機関で働く匿名のハッカーたちだ。その連中の給料はロシアが支払った金で、もしかしたらアメリカの金も混ざっているかもしれない。また、一九七二年にウォーターゲート・ビルに忍び込んだ犯人たちと違い、今回の「侵入犯」たちはピッキングツールや手袋、盗聴器を持って民主党全国委員会（ＤＮＣ）に乗り込んだわけではない。

代わりに、ハッカーたちは何千通ものフィッシング・メールを使った力ずくの攻撃で、ＤＮＣのコンピューター・ネットワークに侵入した。ＦＢＩの結論によれば、この作戦は単純で安上がりなものだった。そして、凄まじく効果的でもあった。さらにこの事件は、アメリカの政治システムが、得体の知れない電子部隊に対して思いのほか脆弱なことを示している可能性もある。

しかし、事実を確かめようとする私たちに対して、トランプは協力的とは言えなかった。彼はあらゆる前例を破り、納税申告書の公開を拒否した。しかも、世界にまたがるトランプの不動産帝国は、数百の不透明な関連企業のネットワークに隠されている。会社の株式保有状況は、さながら胞子を吹き出す寸前の巨大なホコリタケのようだった。

トランプの資産総額は本人が吹聴するとおり数十億ドルもあるのだろうか。実際は破産していて、レバレッジをかけすぎたせいで国外の銀行に巨額の借金があるというのが本当ではないのか。外国政府と金銭的な関係はあるのか。それはどのような関係か。のちに政権に加わる娘婿、ジャレッド・クシュナーをはじめ、トランプの家族たちは一体どういう人物なのか。

二〇一六年一二月、私はガーディアンの同僚、ニック・ホプキンズとともにクリストファー・スティールと会い、いま挙げたものを含めて疑問を投げかけた。ホプキンズはガーディアンの調査報道部長で、スティールと面識があり、彼がロシア事情に精通していることを知っていた。ロシアは私の専門でもあった。私は二〇〇七年から二〇一一年までの四年間、ガーディアンのモスクワ支局長としてロシアで過ごした末に、空港の小部屋に入れられて国外退去処分を受けていた。プーチンにとって気持ちのよくない記事を掲載したせいだ。

スティールと会ったのは、クリスマスの二週間半前、木曜の午後だ。ロンドンの街は買い物客でごった返していた。私たちはキングス・クロス駅近くのガーディアンの社屋から地下鉄で移動した。ビクトリア駅で電車を降り、グロブナー・ガーデンズを少し歩いた。フォッシュ元帥とお付きの鳩たちを横目に見ながら。

オービスの正面玄関でブザーを鳴らすと、中に招かれた。そこでスティールとあいさつを交わした。彼は中肉中背で、以前は黒かったであろう髪はほとんど白髪になっている。人当たりはいい。警戒している様子も見えたが、それは当然の態度だった。

記者とスパイは伝統的に互いを信用しないものだ。情報源を開拓し、情報を集めて精査し、虚構の中から真実を選り分けるという点では、どちらも同じ商売ではある。読み手がいるのも同じだ。ただし、新聞の読み手がインターネットに接続できる人すべてであるのに対し、スパイが書く文章の読み手は、機密情報を扱う資格のあるひと握りの当局者たちだ。想像するに、多くの場合、記者もスパイも同じようなものを書いている。しかし、彼らには有利なことが一つある。それは、国が盗聴した情報や秘密のルートからの情報が手に入ることだ。

スティールとは四時のお茶を飲みながら話をすることになっていた。当時はまだ、彼の調査結果が世界中で報じられる前だった。人目を避ける必要はなかったので、三人で通りに出て、お茶の場所を探した。最初はローワー・グロブナー・ガーデンズの脇にあるボールズ・ブラザーズという緑のひさしのカフェ・ワインバーに入ろうとしたが、ウェイトレスに席がないと言われた。どこかの会社がクリスマス・パーティーのために予約を入れていたからだ。それで、通りをうろついた末に、金色の看板に黒い文字で〝THE SHAKESPEARE〟と店名が書かれたパブに入った。入り口にはシェイクスピアその人の肖像画が吊るされている。

人目につかないテーブルを見つけて、バーカウンターで飲み物を買ってきた。スティールにはビール、ニックにはコーラ、自分はホットティーにした。店内の装飾は鉄道をテーマにしたものだった。グレート・ウェスタン鉄道の宣伝だ。古い白黒写真には、車内で何か読んでいるハンチング帽

2016年12月　ロンドンSW1、グロブナー・ガーデンズ

の男たちと、海岸で海に飛び込もうとする若い女たちが写っている。

スティールは、注目を浴びたり、騒ぎに近づいたりせず、光の当たらない場所にいるのを好むタイプだった。企業諜報の世界では、自分の仕事を知られていないほうが都合がいい。人の目に映らないのが正解なのだ。となれば、記者たち（物事を知ってはいるが、ときに軽率で、場合によっては裏切ることもある連中）は必然的に邪魔な存在になる。

「私のことを知っていたんですか？」とスティール。

私は正直に知らなかったと答えた。

ロンドンのロシア専門家ならたいてい頭に入っていたが、スティールは別だった。

「よかった」とスティール。「そのほうがいい」

スティールの口の堅さは、プロの習性だった。彼は元諜報員であるだけでなく、顧客との守秘義務にも縛られている。そのため依頼主のことは少しも話そうとせず、過去数十年で最も重大な調査に関わっていることはおくびにも出さなかった。それに加えて、プーチンを調べたり、批判したり、裏切ったりした者の多くが悲惨な最期を迎えていた。

そうした批判者の一人が、アレクサンドル・リトヴィネンコである。リトヴィネンコはロシア連邦保安庁（ＦＳＢ）の元工作員で、ＦＳＢ上層部の汚職を告発したあと、二〇〇〇年に亡命した（一九九八年に彼をクビにしたのは、プーチンその人だ）。リトヴィネンコは亡命先のイギリス、ロンドンで本や記事を書き、プーチンを非難した。友人はまずいことになると警告していた。

リトヴィネンコは二〇〇三年、ロシアの組織犯罪に関する非常勤専門家としてＭＩ６（イギリス情報局秘密情報部。ＳＩＳ）に採用された。彼の助言はイギリスとスペインの諜報機関に提供され、

のちに漏洩したマドリード発の外交公電にも彼の論文が引用されている。豊富な資源を持つロシア政府の諜報機関はマフィアと一体化し、事実上、単一の犯罪集団、あるいはマフィア国家を形成しているという内容だった。

リトヴィネンコは放射性物質入りの紅茶という形で返礼を受け取った。ロンドンのホテルのバーで二人のロシア人から飲まされたものだ。そのホテルはミレニアムという名前で、グロブナー広場(スクエア)にあるアメリカ大使館の隣、ロシア工作員たちにとって馴染みの地区にある。もし大使館付きのCIA職員が二〇〇六年一一月一日に四階の窓を開けていたら、リトヴィネンコを暗殺したドミトリー・コフトゥンとアンドレイ・ルゴボイがホテルの回転ドアを通るのが見えたかもしれない。イギリス当局による捜査の結果、この暗殺作戦はプーチンが「承認した可能性が高い」ことが判明した。

私は一〇年にわたりリトヴィネンコ暗殺のことを調べていたし、スティールも事件を注視していた。リトヴィネンコとの面識はなかったが、この前代未聞の殺害事件のあと、スティールはMI6による捜査を率いることになった。彼の結論によれば、計画はロシア政府の最高レベルで承認されたものだ。使われた毒物はポロニウム。希少で、致死性が高く、強い放射性を持つ物質だ。一度摂取してしまうと死は避けられない。リトヴィネンコは三週間余り苦しんだのちに命を落とした。

私たちはスティールが火薬で満杯の樽(たる)の上に座っていることを知らないまま、アメリカ大統領選以降、静かに進めていたトランプとロシアの関係をめぐる調査について話を聞きに来たのだった。調査の糸口は二つ。一つはロシアが密かにトランプ陣営に資金を渡していたという疑惑だ。ただ、面白い線ではあったが、この時点では憶測の域を出ていなかった。細かい話はいくつも聞いていたものの証拠がなく、一次資料が欠けていた。仮に存在するとしても、巧妙に隠されていたのである。

もう一つの糸口は、もっと確かなものだった。私たちは、ロシアの高官や要人とつながりのある内部関係者たちが二〇〇億ドルの資金を洗浄したという証拠書類を手に入れていた。からくりは巧妙で、イギリスの弁護士、モルドバの裁判官、ラトビアの銀行、ロンドンで登記された有限責任会社が関与した痕跡があった。資金はあちこちへ動かされ、ＪＰモルガン・チェースやウェルズ・ファーゴのような銀行のアメリカ国内の口座を通過していることもあった。しかし、その金が誰の懐に入ったのかは、わからずじまいだった。

資金はオフショアに隠されていた。また、このからくりは国外での政略にも使われていた。アメリカの銀行システムが穴だらけで、ロシアの資金がそこを通り抜けていたということだ。洗浄した資金をニューヨークに送れるのであれば、その金を秘密のハッキング作戦に使うこともできる。それどころか、望めばどんな目的に使うこともできる。

スティールは自分ではあまり話さず、こちらの話を聞いていた。私たちの推測が正しいと明言することは決してなかったが、方向性が正しいことをほのめかしていた。

彼は間接的な言い方で調査の道筋を示してくれた。

「トランプが取引したホテルや土地の契約を確かめる必要がある。契約額とトランプが調達した融資の額を突き合わせなければならない」

どうやらトランプがフロリダに構えていた前の家について言っているらしかった。その豪邸は、トランプが二〇〇四年に四一〇〇万ドルで購入し、四年後に九五〇〇万ドルでロシアのオリガルヒ（ロシアの資本主義化の過程で台頭した有力資本家）に売却していた。インフレや、塗り直しをしたというトランプの説明や、トランプ・ブランドの価値を考慮したうえで、アメリカに投資したがっている大富豪が気まぐれを起こしたのだと仮定しても、この儲けは尋常ではない。

「その差こそ、重要なところだ」とスティールは言っている。

ロシアのほかに選挙戦で問題となったのが、女性をめぐるトランプの言動だった。二〇〇五年の録画映像が公開されたことで取り上げられるようになった問題だ。トランプはこの映像で「スター」の特権を自慢していた。たとえば、美人に会ったときに「アソコをまさぐる」ことなど簡単だ、と。彼はこの発言を謝罪した。その一方、セクシャルハラスメントの被害を訴える女性は嘘つきで、正義のためではなく、政治的な目的で行動している悪女だと言い張った。

驚いたことに、スティールは、トランプとセックスを追うことは調査の筋として悪くないと考えているようだった。とはいえ、彼から詳しい話は聞けなかった。

スティールは多くを語ろうとしなかった。それでも彼は、私たちがよそから入手した情報が事実かどうかは教えてくれているように見えた。調査記者にとって、これはありがたかった。

四五分間が経ち、約束の時間になった。

状況はあきらかにウォーターゲートと似ている。進む道は見えた。セックスと金を追え、である。私とホプキンズは別々に店を出た。調査を続けるという決意とともに。その後、この仕事はとてつもなく大きなものになった。

インタビューから二日後、スティールの報告書はオバマの机に届く。だが、それが書かれる発端は、数十年前にあった。

第1章
歴史の終わり、ではない

1990 ~ 2016年
モスクワ－ロンドン－ワシントン

「20世紀最大の地政学的大破局だった」
——ウラジーミル・プーチン
ソビエト連邦崩壊について

一九九一年夏、モスクワ。ソ連大統領がミハイル・ゴルバチョフだった頃の話だ。西側との関係は表向き軟化したかもしれないが、ＫＧＢはまだ、西側諸国の大使館員はすべて工作員だと考えていた。

ＫＧＢのならず者たちが西側諸国の外交官に張り付いていることは、簡単にわかった。それがＫＧＢ流のやり方だからだ。監視役の工作員たちはときには歩きで、ときには車で対象を尾行した。気配を消そうとすることはなかった。

ＫＧＢの監視チームは、モスクワ市内のアパートに侵入するのを得意としていた。もちろん、実行するのは家の主がいない間だ。連中は室内から靴を盗んだり、女性のストッキングを結んだり、煙草を床で踏み消して、これ見よがしに吸い殻を放置したりと、侵入の痕跡をいくつも残していった。トイレで大便をして流さず、帰った住人を不意打ちすることもあった。こうした行為に込められた意味は、おおむね「ここは俺たちのシマだ！　何だってできるんだからな！」というものだった。

ＫＧＢは、アメリカ人、イギリス人をはじめ、すべての外国人を監視していた。それも、モスクワ駐在のイギリスの外交使節に対しては特に重点的だった。在ロシア・イギリス大使館は、裕福な砂糖商人が一八九〇年代にモスクワ川南岸に建てた豪邸に入居していた。クレムリン宮殿が真向かいに見える場所だ。眺めは壮観で、大宮殿や、大聖堂の金のドーム、中世様式の尖塔から突き出す革命の赤い星が望める。

KGBが日常的に監視していた人物に、二七歳の外交官がいた。妻のローラと結婚したばかりで、初めての海外駐在でロシアに赴任し、大使館の事務局で二等書記官として働いていた。

しかし、彼の正体はKGBの見立てどおりだった。

その「外交官」はイギリスの諜報員だったのだ。職場は華やかだった。天井からはシャンデリア。応接室の壁はマホガニーの板で覆われ、金メッキの額縁に入った女王や王族たちの肖像画が掛けられていた。だが、彼の席は大使館の図書室に置かれ、古びた本に囲まれていた。机を並べる同僚は三人。彼の本当の仕事は、イギリス政府の極秘機関SIS（イギリス情報局秘密情報部）の工作員だった。

その工作員こそ、クリストファー・スティールである。モスクワ赴任前のスティールの経歴は、将来有望なイギリス諜報員のそれだった。彼はケンブリッジ大学出身だ。ケンブリッジは冷戦下において最も優秀なMI6工作員たちを輩出していた。ただし、そのうち数人がKGBと内通していたことは、大きな不名誉となる。MI6内部には、ソ連に亡命したがるのは行ったことのない連中だけ、などという冗談があるにはあったのだが。

スティールはケンブリッジ大学のガートン・カレッジで社会政治学を学んだ。大学に進んだのは自分と姉が最初という家系で育ち、政治的な立場は中道左派だった。父方の祖父はウェールズ南部ポンティプリーズの炭鉱作業員で、大叔父は鉱山事故で死んだ。マーガレット・サッチャー首相が炭鉱労働者のストライキをはね退け、炭鉱業を死に追いやった時代だ。スティールはバーシティーという学生新聞に記事を書いていた。また、名門ディベートクラブ、ケンブリッジ・ユニオン・ソサエティの会長にもなった。育ちがよく、人脈に恵まれた若い男女が集まるクラブだ。

誰がスティールをSISに入れたのかはわからない。ただ、ケンブリッジの個人指導教員のなかに有望な候補者を品定めしている者がいるというのは、かねてからの噂だった。ともかく、経緯はどうあれスティールはいい時期にソ連に赴任した。ベルリンの壁が崩壊し、東欧の共産圏が瓦解した直後の一九九〇年四月、MI6に入って三年後のことだった。

激動の時代。スティールは歴史を最前列の席で目の当たりにする。ボリシェヴィキ革命から七〇年余りが経ち、赤の帝国は崩れ落ちようとしていた。また、バルト三国はソビエトの支配に反旗を翻し、各国政府による統治と、モスクワの連邦政府による統治が並存していた。そんななか、ソ連構成国の一つであるロシア共和国が民主派のボリス・エリツィンを大統領に選出する。食糧の供給が不足し、町には行列ができていた。

一方、楽しみもまだたくさんあった。スティールも一般的なモスクワ在留外国人のように、イズマイロフスキー公園の隣にある工芸品市を訪れた。この公園は、ピョートル大帝の父アレクセイが模範農場を設置した場所だ。ここに来れば、ラッカー塗りの箱やロシアキルト、毛皮の帽子など、諸々のソビエト産工芸品が手に入った。そのときに買ったサモワール（スラブ地域などで伝統的に使われてきた紅茶用の湯沸かし器）と中央アジア産の絨毯、張り子のスターリンの面、文豪の人形セット、合計一五〇ドルの土産物は、のちに彼の事務所を飾ることになる。

ソ連には外交官の立ち入りが禁止されている土地が多かった。スティールはイギリス大使館の「国内旅行者」として、新たに行けるようになった都市を訪れていた。サマーラもその一つだ。戦時中に臨時の首都とされた都市である。そこで彼は、スターリンの地下壕を目にした最初の外国人になる。地下壕にあった肖像画はレーニンではなく、ピョートル大帝と帝政時代の軍司令官ミハイル・クトゥーゾフのものだった。スターリンはマルクス主義者というより、民族主義者だったという証拠だろう。

スティールはほかの駐在外国人たちとサッカーチームをつくり、週末にロシア・リーグの試合に出た。ソ連サッカー界のレジェンド、オレグ・ブロヒンと対戦し、ハーフウェーラインからゴールを決められたこともある。

当時の雰囲気は楽観的だった。スティールの目には、この国は正しい方向に進んでいるように見えた。かつて外の人間と触れ合うことを恐れていた市民たちは、喜んで話をした。しかしKGBにとって、ソ連が自由と改革へと傾くことは少しも嬉しいことではなかった。そして、その年の八月、ゴルバチョフがクリミア半島で休暇を過ごしているあいだに政権の主要幹部たちがクーデターを起こす。

近場にイギリスの大使館員はほとんどいなかった。一方、スティールは、グルジンスキー通りのアパートの二階にある自宅にいた。彼はそこから家を出て右に向かい、市街地へと一〇分ほど歩いた。連邦政府庁舎ベールイ・ドーム（「白い建物」の意）の外には群衆が集まっていたが、軍は手出ししていなかった。

五〇メートル近く離れたところから、戦車の屋根に登ったスーツ姿の白髪の男が見えた。風に飛ばされそうになるメモを読み上げ、クーデターを愚かで不法な行為だと非難している。強気のエリツィンの姿だった。スティールが耳を傾けるなか、エリツィンはゼネストを呼び掛け、拳を握りしめて支持者を鼓舞した。

クーデターは失敗に終わり、ゴルバチョフは影響力を弱めながらも生き延びた。計画に加わった者たちは逮捕された。それはつまり、ソビエトの主要な党組織や国家機関のすべてで主流派が逮捕されたということだった。西側諸国、とりわけアメリカでは、アメリカ政府が冷戦に勝ち、数十年にわたるイデオロギー闘争の末、自由民主主義が勝利したのだという見方が大勢を占めた。

しかし、スティールには状況がよくわかっていた。クーデター未遂の三日後に監視が再開されたのである。ハンガリーやチェコスロバキアにいた同僚たちは、両国での革命後、秘密警察は消え去り、戻っていないと報告していた。しかし、自分の周囲にはKGBの見慣れた顔ぶれがいる。盗聴、住居侵入、嫌がらせという昔ながらのお決まりの仕事に戻ったのだ。

政権は変わった。しかし体制は変わっていなかった。

一九九三年四月、スティールがモスクワを離れる頃にはソビエト連邦は姿を消し、エリツィン率いる新国家、ロシア連邦があとを継いでいた。また、KGBもすでに解体されていた。しかし、KGBの工作員たちは消えたとは言えなかった。相変わらずアメリカを嫌い、ひたすら時機を待っていたのである。

こうした情勢に不満を持っていたKGBの中堅幹部が、ウラジーミル・プーチンだ。プーチンはゴルバチョフが示した改革案、つまりペレストロイカ（再構築）とグラスノスチ（情報公開）への未練を抱え、遠く離れた東ドイツ、ドレスデンから帰国していた。当時は、レニングラードから改称したばかりのサンクトペテルブルクで政治家としての道を切り開こうという時期だった。プーチンはいまは亡きソ連を嘆き、その崩壊は「二〇世紀最大の地政学的大破局」だと語っている。

KGBの主要機能は、ポスト共産主義時代の諜報機関であるロシア連邦保安庁（FSB）が引き継いだ。一方、帰国後のスティールはすぐさまMI6の新たな専用庁舎に異動した。テムズ川を見渡す場所に建った、ひときわ目を引くポストモダンの大建築物だ。ど派手な神殿のような建物が人の目にとまらないはずがない。イギリス政府は一九九四年、MI6の存在を認めた。内部での通称は「ヴォクソール・クロス」。そのMI6にとって、FSBは憎き宿敵となる。

スティールはロンドンから新生ロシアに関する仕事を続けた。野心的で、貪欲に成功を目指し、有望な人材だと認められようとした。彼はSISのチームの一員だった。

スティールは育ちのいい同僚たちほど洗練されていなかったかもしれない。彼が育ったのはブルーカラーの家庭だった。父のペリスと母のジャネットはロンドン出身で、イギリス気象庁で働いているときに出会った。ペリスは予報士として陸軍と空軍に出向していて、スティールが生まれたときには一家はアデン保護領（現イエメン領）のイギリス軍基地に住んでいた。シェトランド諸島で暮らしたこともあったし、キプロスに住んだことも二回ある。スティールは多彩な教育を受けた。キプロスにあるイギリス軍の学校に通ったのち、第六学年（中等教育のうち十六～十八歳の二年間）ではバークシャー州のカレッジに通った。その後、「第七学年」、つまり追加の学期を私立の名門寄宿学校であるウェリントン・カレッジで過ごし、そこでケンブリッジ大学の入試を受けた。

モスクワから帰国したスティールは、ロシア政治の専門家からなる小さな世界に入った。オックスフォードのような大学都市での会議やセミナーがあった。接点をつくるべき相手もいた。会って食事をともにし、味方に引き入れなければならない亡命者もいた。一九九八年、彼は新たな役職を授かり、パリのイギリス大使館に異動する。フランスでは家族も一緒だった。息子二人を連れて赴任し、現地で娘が生まれた。表向きの仕事は「財務担当一等書記官」だった。

ここにきて、スティールのキャリアは壁にぶつかる。一九九九年にＭＩ６諜報員のリストがインターネット上に流出したのだ。彼の名前も、アンドルー・スタッフォードとジェフリー・タンタムの隣に「クリストファー・デイヴィッド・スティール、九〇モスクワ、ｄｏｂ（生年月日）一九六四」と記されていた。この事件はのちにビジネスパートナーになるクリストファー・バローズをも直撃した。バローズの欄には「八二東ベルリン、八七ボン、九三アテネ、ｄｏｂ一九五八」とあった。漏洩（ろうえい）はスティールの失態ではなく、不運なとばっちりだった。しかし、イギリスの諜報員という身元が割れたのだから、もうロシアに戻ることはできない。

モスクワでは工作員たちが復活していた。プーチンは一九九八年にＦＳＢ長官、一九九九年に首相、そして二〇〇〇年に大統領に就任する。そして二〇〇二年にスティールがパリを後にする頃にはプーチンの権力基盤は固まっていた。ロシアにおける本物の抵抗勢力は、すでに議会や公職、報道の中から一掃されていたのである。

ロシアはゆっくりと民主主義に移行しているのかもしれない、あるいは、政治学者のフランシス・フクヤマが言ったように歴史は終わろうとしているのかもしれないという発想は、世紀末の幻想だったことがあきらかになっていた。むしろ、核武装したアメリカの宿敵は、独裁への道を進んでいた。

ジョージ・Ｗ・ブッシュとトニー・ブレアは当初、プーチンを対テロ戦争で十分に協力できる相手だと見なしていた。だが、ロシアの指導者は謎のままだった。スティールは重々承知だったが、ロシア大統領府の内部から情報を取ることは難しかった。

アメリカ国家安全保障会議（ＮＳＣ）にいた経歴のある人物は、プーチンは「ブラックボックス」だと表現している。「イギリスの資産は我々より若干優れている。こちらには何もない。人的諜報が欠けている」のだと。さらに、イスラム過激派との戦いに重点を置くなかで、米英の諜報部門におけるロシアの優先順位は下がっていた。

スティールは二〇〇六年までロンドンでＭＩ６ロシア課の上級職を務めた。当時、プーチンの手でロシアが好戦的な方向に進んでいることを示す不吉な兆候があった。ロシアからの敵性工作員が増加し、冷戦時の水準を超えていたのである。スティールは新たに始まった破壊工作や大衆誘導工作を監視した。

そして、ＦＳＢの暗殺者たちがリトヴィネンコのティーポットに致死性の放射性物質をひとかけら混ぜ込んだ。大胆な作戦だった。これは、のちに起こることを暗示する出来事でもあった。ＭＩ６がスティールに捜査の指揮をとらせたのには理由がある。同僚たちと違って被害者と面識がなく、事件と感情的な関わりがなかったことだ。スティールはプーチン政権下のロシアについて、民主主義を抑圧するだけでなく、国際社会の反発を恐れず修正主義的な立場を取ると悲観していたが、この見通しは正しいと言ってよさそうだった。同僚たちに状況を説明すると、一部には理解されたが、ロンドンの街中でロシアの工作員が殺人事件や騒乱を起こすとは思えないと言う者もいた。

スティールは通算二二年間をイギリスの諜報員として過ごした。本人が準備期間と呼ぶモスクワ赴任時代ののち、全盛期と呼べる時期も、低調な時期もあった。モスクワで席を並べた外交官のうち二人、ティム・バローとデイヴィッド・マニングは、それぞれ駐ＥＵ大使、駐米大使になった。しかし、スティールは競争の激しいMI6のなかで、それほど出世しなかった。スパイ活動というと刺激的に聞こえるかもしれないが、そこで働く公務員たちの給料は平凡だ。二〇〇九年には私生活で悲しい出来事もあった。妻が闘病の末に四三歳で亡くなったのだ。

同じ年、スティールはMI6を去り、オービスを設立した。政府から民間への転身は簡単ではない。スティールとクリストファー・バローズは、以前の職場のように支援を受けることも、同僚からの意見を聞くこともなく、以前と同じ諜報課題を追っている。MI6の安全保障部局では局員に情報源の洗い直しや、報告や所見の書き直しが命じられることが多かった。「興味深い。もっと関連情報が欲しい」と言って。それが情報の質と客観性を保つための方法なのだ。

一方、スティールとバローズにそんな助けはなかった。事の成否は以前にも増して自分たちの才覚次第だった。内部で問い詰められることはない。彼らが満足させなければならないのは企業顧客だ。報酬は相当によかった。

ビクトリア駅周辺の古びた地区は、ワシントンからも熾烈（しれつ）なアメリカ大統領選挙からも遠く離れている。では、そもそもスティールはどうやってトランプの調査を任され、衝撃的な報告を書くに至ったのだろうか。

スティールが民間に転身するのと時を同じくして、民間商業インテリジェンスの世界で仕事を始めた人物がいる。名前をグレン・シンプソンという。元記者だ。

シンプソンは目立つタイプだった。大柄で、背の高い、熊のような体格をしていて、座面の高いバー・スツールにも余裕で腰掛けてビールを飲んだ。ユーモアがあって人当たりがよく、鼻にかかったような訛りで話すのだが、小さな楕円形をした眼鏡のレンズの奥にある目には知性の片鱗が感じられた。まさに、その道のプロにふさわしい人物である。

シンプソンは米経済紙ウォール・ストリート・ジャーナルの著名特派員で、ワシントンとブリュッセルを拠点にソビエト崩壊後の闇を追っていた。彼はロシア語を話さず、ロシアに行くこともなかった。危険すぎると考えたからだ。代わりに、国外から組織犯罪とロシア国家の暗い交わりを探った。ロシアに関しては、組織犯罪を追うのも国家を追うのも、たいてい同じことだった。

シンプソンが追っていたなかに、セミオン・モギレヴィッチという人物がいる。モギレヴィッチはウクライナ系のロシアン・マフィアの親玉で、ＦＢＩの最重要指名手配犯一〇人のリストに入っていた。ウクライナへのシベリア産天然ガスの輸入を仲介していた謎の企業、ロスウクルエネルゴ（ＲＵＥ）の背後にいるとされ、この事業の利益は数十億ドルに上っていた。

モギレヴィッチは実在の男というより架空の存在のような人物で、記者と直接会うなどということとは考えられなかった。居住地はモスクワ。いや、実はブダペストだったのかもしれない。ロシアとＦＳＢに匿われていたらしい。シンプソンはアメリカの捜査関係者に話を聞いた。彼は長年かけてハンガリー、イスラエル、キプロスに人脈を築いていたし、アメリカ国内では、司法省、とりわけ組織犯罪・恐喝課（ＯＣＲＳ）や、財務省などに個人的な知り合いがいた。

二〇〇九年、メディア産業が次々と財務上の問題に見舞われる頃には、シンプソンは記者を辞める決意を固めていた。そして、ワシントンに商業調査・政治情報企業を立ち上げた。会社の名前はフュージョンＧＰＳ。ウェブサイトを見ても、特に何も書いていない。分析チームの拠点については住所どころか街の名前も載せていない。

フュージョンの調査対象は、難しい汚職事件やソ連崩壊後の重要人物による商業活動で、シンプソンの記者時代の仕事に似ていた。公益的な側面があることも共通していたが、報酬は民間の顧客から支払われた。フュージョンの仕事は質が高く、シンプソンが認めるとおり、値段も高かった。

この年、シンプソンはスティールと出会う。FBIに共通の知人がいたうえに、二人ともロシア関連の専門知識の持ち主だった。フュージョンとオービスは専門業務で提携を始めた。両社は敵対するオリガルヒを相手に訴訟を起こそうとする別のオリガルヒから業務を請け負った。おそらく、資金の流れをたどり、何社ものオフショア企業を隠れ蓑にした巨額の隠し資産のありかを突き止めるのも、そうした仕事の一部だっただろう。

スティールはこの年のうちに、それとは別の極秘業務を新たに引き受けた。ロシアの秘密の手口に関する知識が求められる仕事だ。また、この仕事では、モスクワ時代にサッカー選手だった彼の知識も役立った。依頼主はイングランド・サッカー協会（FA）だった。イングランドは当時、二〇一八年サッカー・ワールドカップの開催地に立候補していた。最大のライバルはロシア。また、スペインとポルトガル、オランダとベルギーがそれぞれ共同立候補していた。彼の仕事は、ロシアを中心とするライバル八カ国について報告することだった。

当時、チューリッヒで開かれる国際サッカー連盟（FIFA）理事会での投票に向けてFSBが大がかりな誘導工作をしているという噂があった。また、二〇二二年ワールドカップの開催地を同時に決めるために投票は二回行われる予定で、二二年大会には砂漠の首長国、カタールが立候補していた。

スティールによると、プーチンはワールドカップ招致への後押しに積極的ではなく、二〇一〇年になってようやく、てこ入れに動いた。ロシアが招致に失敗するかもしれないとみられていた頃だ。プーチンはオリガルヒたちを集め、投票権を持つ人物と個人的に取引することを含めて、成功に必要なことは何でもするようにと指示を出した。

プーチンのやり口は目に見えない、とスティールは言う。「何も文字に残さない。『Xさん、これこれの方法でYさんに賄賂を渡してください』と書いた書類を見つけることなど、私を含め、誰にもできない。（プーチンは）そんなやり方はしない」のだと。さらに「プーチンは元諜報員だ。何をするにしても、しらを切り通せるようにしてあるはずだ」と語っている。英紙サンデー・タイムズはスティールの発言として、オリガルヒは、ロシア政府が工作を指示したことを隠すために使われたと書いている。

スティールの友人の言葉を借りれば、彼はもっと大きなものの「導火線に火をつけた」のである。スティールはFIFA絡みの汚職が世界規模で行われていることに気づいた。衝撃的な陰謀である。彼は異例の手順を踏み、アメリカ人の接触相手にローマで事実関係を伝えた。その相手というのが、FBIのユーラシア担当部門のトップだった。結局、ここで伝えた情報がアメリカ連邦検事の捜査と、二〇一五年のFIFA職員七人の逮捕につながる。中南米・カリブ海地域のテレビ放映権契約をめぐる一億五〇〇〇万ドルの贈収賄に関与したとの容疑だった。その後、アメリカは一四人を刑事訴追している。

当然、このときにはもう、ロシアはワールドカップ開催国の座を勝ち取っていた。サッカー発祥の地であるイングランドは、わずか二票しか得られず、投票に敗れたのである。

この事件によって、アメリカ諜報界とFBIの内部におけるスティールの評価に磨きがかかった。

ロシアのスパイ活動と秘密工作の手口を熟知した、プロの、すごい人脈を持ったイギリス人がいる、と。スティールは信頼できる人材とみなされるようになった。

スティールは二〇一四年から二〇一六年にかけて、計一〇〇ページを超えるロシア・ウクライナ関連の報告を書いた。民間の顧客に向けた報告書だったが、アメリカ国務省内で広く共有され、ジョン・ケリー長官や、ウクライナ危機への対応を担当していたビクトリア・ヌーランド次官補にまで上げられた。この報告に用いられた秘密の情報源の多くは、トランプに関する情報をもたらすのと同じ人物だった。

オバマ政権時代に国務省から外国に派遣されていたある外交官は、ロシアに関するスティールの報告を何十本も読んだという。この外交官はスティールのことを、ロシアに関しては「CIAにも誰にも負けない」と評している。

アメリカの諸機関におけるスティールの実力に対する評価が、彼が次に恐ろしい事実を見つけだし、再び導火線に火をつける際に重要な意味を持つのである。

トランプは二〇一五年秋、そして二〇一六年初めに破竹の勢いで政治的伸長を果たした。立候補後のトランプは、まるで解体用の鉄球のように、通り道にあるものを何から何までぺしゃんこにした。恐怖に固まる共和党主流派もそうだ。マルコ・ルビオ、ジェブ・ブッシュ、テッド・クルーズ。誰もが蹴散らされ、なじられ、潰(つぶ)された。並みの大統領候補なら致命的なスキャンダルさえも、トランプは自分の勢いに変えてしまう。メディアはそれをいたく気に入った。そして、有権者もそんなトランプにどんどん惹(ひ)きつけられていった。

彼を止められるものなどあったのだろうか。

共和党の予備選挙でトップを走っていたのは、父と兄を元大統領に持つジェブ・ブッシュだった。しかし、選挙運動が本格的になるにつれ、ブッシュは苦しんだ。トランプはフロリダ州知事も務めた彼を「低エネルギー」と呼んだ。そうした予備選の期間中、ポール・シンガーという金持ちの対立候補が、フュージョンにトランプの調査を依頼した。シンガーはニューヨークのヘッジファンドの億万長者で、共和党に寄付していたほか、ワシントン・フリー・ビーコンという保守系ウェブサイトを援助していた。しかし、トランプが共和党候補に選ばれるとシンガーは選挙戦から姿を消し、調査契約はヒラリー・クリントンの当選を目指す民主党上層部が引き継いだ。この新たな顧客が民主党全国委員会（ＤＮＣ）だ。マーク・Ｅ・エリアスというヒラリー陣営の弁護士がフュージョンを雇い、報告を受け取った。

民間の調査業界は倫理面が曖昧な泥まみれの自由市場だった。トランプ絡みの情報は共和党には用なしになっても、トランプの次なる相手、つまり民主党には価値があるかもしれなかった。

この少し前、二〇一六年初春に、シンプソンはスティールに連絡をしていた。スティールはトランプ陣営の新たな選挙対策本部長に就いたポール・マナフォートを調べ始めた。そして四月から、フュージョンの匿名の顧客、つまりＤＮＣのためにトランプ本人を調べた。スティールは当初、顧客が法律事務所だということしか知らなかったし、調査から何が出てくるのかもわかっていなかった。

彼は米誌マザー・ジョーンズのワシントン支局長、デイヴィッド・コーンに対し「（調査は）大まかな疑問から始まった」と語っている。トランプの会社は世界中に高級ホテルを所有していた。トランプが最初にモスクワで不動産取引をしようとしたのは、一九八七年のことだ。

当然「ロシアと商売上の関係があるのか?」という疑問が浮かぶ。

スティールは時間をかけて情報網を築き上げていた。情報源を人に譲るようなまねは絶対にせず、彼らの身元について語ることは決してなかった。そのため、スティールの情報提供者の人物像を絞ることは不可能だ。外国政府で機密情報を入手できる立場にいる著名な当局者や外交官かもしれない。逆に、五つ星ホテルの最上階にある高級スイートを掃除してごみ箱を空にする客室清掃員のような、まったく無名の一般人かもしれない。

通常なら諜報員は情報源から直接話を聞く。しかし、スティールはもうロシアに入ることができないので、第三者を介するか、第三国で会わなければならない。そのため、彼には仲介者や補助的な情報源、情報源の運用者からなる極秘のネットワークがあった。情報源のうちスティールを知っているのは一人だけだった。

スティールはトランプとロシアとの関係について情報を求め、答えを待った。そして、報告が入り始めた。届いた情報は「身の毛がよだつ」ほどの驚くべきものだった。彼は複数の友人に対し、その報告を読むことは「誰にとっても人生が変わる経験」だと語っている。

スティールは、リトヴィネンコやFIFAの事件に絡んで自分が暴いたあらゆる事実の裏で、一つの陰謀が着々と進行しているのを突然目の当たりにしたのである。過去に例のない大胆な謀略だった。計画にはロシア政府とトランプが関わっていた。スティールの情報源によれば、ロシアとトランプの関係はかなり前までさかのぼる。ロシアの諜報機関は少なくとも五年前から密かにトランプを開拓していた。そして、その作戦はロシア政府のもくろみをはるかに上回る成功を収めていた。トランプはアメリカ国内での政治論争をまぜ返し、ひっくり返した(行く先々に混沌と混乱をもたらしたうえに、共和党の候補者指名を勝ち取った）だけでなく、次の大統領になる可能性すらあったのだから。

プーチンにとっては、どんな謀略でも仕掛けられる状況だった。

二〇一六年六月、スティールは最初のメモを作成し、それを暗号化したメールでフュージョンに送った。

メモの題名は「アメリカ大統領選挙：共和党候補ドナルド・トランプのロシアにおける活動とロシア政府との有害な関係」。

内容は以下のとおりだ。

要約

・ロシア政権は少なくとも五年前から**トランプ**を開拓、支援、援助している。これは西側の同盟の分裂・分断を促すことを狙ったもので、**プーチン**が承認している。

・現時点で**トランプ**は、彼をより深く取り込むためにロシア政府が持ちかけた同国での不動産取引を断っている。しかし、彼や、彼の側近たちは、民主党内をはじめとする政敵に関するものも含む情報をロシア政府から定期的に受け取っている。

・ロシア諜報機関の元トップの話によると、ＦＳＢは**トランプ**のモスクワでの行動を通じて、彼を恐喝できるだけの弱みを握っている。事情に精通した複数の情報源によれば、彼のモスクワでの行動には、ＦＳＢによって仕組まれ、監視された性的倒錯行為が含まれる。

・ロシアの諜報機関は長年にわたり、ヒラリー・**クリントン**の弱みとなる情報を収集している。一連の情報の中心は、問題行動ではなく、複数のロシア訪問の際に交わされた会話の盗聴記録や、通話傍受記録である。情報はプーチン直々の指示によりロシア大統領府の**ペスコフ**報道官が管理している。しかし、それが国外と共有されたことはなく、**トランプ**にも伝わっていない。情報の扱いに関するロシアの意図はわかっていない。

衝撃的な内容である。その後もメモは追加され、二〇一六年六月から一一月までに合計一六本がフュージョンに送られた。当初、モスクワからの情報収集は順調で、六月頃までの約半年間、スティールは比較的簡単にロシア国内に欲しい情報をリクエストできた。しかし、七月末から、それが難しくなった。トランプとロシアの関係をより深く調べるようになった頃だ。最終的に光は消えた。ロシアの隠蔽工作のなかで情報源が沈黙し、情報ルートが途絶えてしまったのだ。

スティールの報告を信じるなら、トランプはロシアと共謀していたことになる。双方は、互いに相手の望みをかなえる一種の取引関係にあった。報告によると、トランプはロシアが誘致した二〇一八年サッカー・ワールドカップに関連する事業をはじめ、「ロシアでの儲けの大きい不動産開発契約をいくつも断った」とされる。

しかし、トランプはロシア政府から流れてくる情報を、おそらく側近を通じて、喜んで受け取っていた。これをもってトランプがＫＧＢのスパイだったとは言い切れない。それでも、ロシア屈指の諜報機関がトランプに接近するために相当な労力を費やしていたことは確かだ。接近の対象はトランプ本人にとどまらず、家族、友人、側近、事業パートナーや、言うまでもなく、トランプの選対本部長や個人弁護士にまで及んでいた。

スティールの情報源たちの言葉は、アメリカにおいて過去数十年で最も重要な選挙を前に、二人の候補者のうち一人が弱みを握られていたことを示している。メモによれば、トランプには異常な性癖があった。これが真実なら、彼には恐喝を受ける可能性があったことになる。

スティールの協力者たちは、卑猥な行為の詳細を伝えている。それによると、二〇一三年にトランプがモスクワを訪れた際、ロシアの諜報機関は「彼の個人的な執着と性癖」を探り出そうとした。作戦は成功したと言われている。トランプはリッツ・カールトンの最高級スイートに「（大嫌いな）**オバマ**大統領夫妻がロシア公式訪問の際に泊まったのを知って」いて、同じ部屋を予約した。

メモによれば、トランプはオバマが寝たベッドをわざと「穢した」とされる。売春婦たちが「彼の目の前で『黄金のシャワー』（放尿）をした」のである。メモはまた、「このホテルはFSBの管理下にあることで知られている。すべての主客室にマイクや隠しカメラが仕掛けられていて、望んだことは何でも記録できるようになっている」と説明している。

この計略に関して、ほかにも興味深い話がある。当然、トランプは断固否定していることだが。スティールの情報源によると、トランプとロシアの諜報員たちは中欧やモスクワなどの場所で秘密の会合を重ねていたというのである。だがこの点については、高度なスパイ活動の技を持つロシアがあとで見つかるような痕跡を残すのか、という疑問が残る。

最後にもう一つ、スティールの元に破壊的な威力のある情報が入った。トランプ陣営がクリントンに対するハッキングでロシアと連携していたというのである。しかも、トランプ側も密かに費用の一部を支払っていたという。

スティールは一連の情報をＭＩ６流のやり方で文書化した。メモはＳＩＳの機密諜報文書「ＣＸ」報告のような体裁だった。情報源には「機密」や「極秘」であることを示す印がつく。また、重要人物の名前は**TRUMP**、**PUTIN**、**CLINTON**のように大文字（本書ではゴシック体）で表記する。さらに、報告は要約から始まり、その後に詳細な根拠が示される。情報源は匿名だ。「ロシア外務省の高位の人物」や「現在もロシア政府内部で活動している諜報機関元幹部」のように属性だけが示され、Ａから順にアルファベットの仮名を与えられる。

スティールはどうやって、自分の情報源が正しく、間違った情報を仕込まれたのではないという確証を得ていたのだろうか。非常に深刻で、重要で、強力で、途方もない問題を前にしているのだから、この疑問は極めて重要だ。

スパイ活動の経験者なら承知のことだが、諜報の世界では白黒がはっきり分かれることはない。情報が正しいかどうかは程度の問題だ。たとえば、ＣＸ報告では一般的に「高度の蓋然性」のような言葉が使われる。諜報では間違う可能性がある。なぜなら、人間は本質的にあてにならないからだ。人は忘れるし、勘違いもする。

ＭＩ６時代のスティールの同僚の言葉を借りれば、諜報は微妙な濃淡を描き分けるような仕事だ。彼は私に、諜報は白でも黒でもない、ぼんやりとした世界で、グレーからオフホワイト、セピアへと徐々に色が変化するパレットなのだと語った。より楽観的な色を出すことも、悲観的な色を出すこともできる、と。スティールは前者だった。

スティールは自分の報告が信頼の置けるものだと確信していた。ある協力者は彼のことを、虚飾がなく、思慮深く、高く評価できる、プロフェッショナルで慎重な人物だと評した。「噂話を広めるような人ではない。彼が何か報告に書いたのなら、十分に信憑性があると確信したということだ」と。さらに、スティールの仕事を嘘や手抜き、政治的意図の産物だと思っているのなら、それは間違いだ、とも言っている。

スティールが友人たちに語ったところによれば、報告はプロの手法で、完全にプロの仕事として書かれたものだ。また、ここは重要な点だが、さまざまな分野で実力を認められた人々からの情報に基づいているという。そうした情報源の評価は、過去の報告の実績や信用できる人物かどうか、どのような動機で協力しているのかなど、いくつもの重要項目をまとめたものだった。

スティールは、一〇〇パーセント正確な情報はないと考えていた。友人たちによれば、スティールは自分が書いたトランプに関する報告の精度を七〇パーセントから九〇パーセントとみていたという。オービスは八年にわたり、民間の顧客などに対してロシア関連の報告を何本も提供してきた。その内容の多くが事実と確認され、「立証」されてきた。スティールは「三〇年間、この国と渡り合っている。嘘でこんなものを書く理由があるかい?」と語ったそうだ。

その一方、スティールによる驚きの発見の裏付けを取ろうと動いている者もいた。

その建物は「ドーナッツ」の呼び名で知られている。堅牢なたたずまいでありながら中央は空洞で、周囲にはフェンスが張りめぐらされている。場所はイングランド西部コッツウォルズ地方からほど近い、チェルトナム。ここで行われている仕事は秘密にされている。しかし、その息を呑むほど大規模な任務は、エドワード・スノーデン（NSA及びCIAの元職員。アメリカの諜報活動の実態を内部告発した）のおかげで以前よりもわかるようになった。

ドーナッツはイギリス諜報部門の重要施設で、通信傍受機関である政府通信本部(GCHQ)が置かれている。スノーデンは二〇一三年、電子メールのトラフィックや、ウェブサイトの閲覧履歴、テキストメッセージなど、インターネット上にあるデータの大半を収集する能力がGCHQにあることをあきらかにした。光ファイバーケーブルから、あるいは携帯電話通信の傍受を通じて、大量のデータを盗み出せるということだ。

スノーデンの暴露によって、GCHQがアメリカ国家安全保障局(NSA)と密接な関係にあることもわかった。両者は事実上、一つの組織になっている。どちらもアングロ・サクソン諸国のスパイ協定、通称「ファイブ・アイズ」の一員なのだ。協定の締約国はアメリカ、イギリス、カナダ、ニュージーランド、オーストラリア。五カ国の諜報機関が一体となることで、地球上をくまなく監視できる。

彼らの常時監視下にあるのは、アフガニスタンにいるタリバンの司令官たちやイランの指導部、スターリン主義の孤立国家である北朝鮮といったところだろうか。GCHQはイギリスや欧州諸国で任務に就いている外国の諜報員だと判明した人物や、そう疑われている人々の会話に、日々耳を澄ませていることだろう。とりわけ、ロシアの諜報員たちに対して。

二〇一五年末、GCHQはロシア政府の標的に対して通常の「収集」を行っていた。すでに正体が判明して、監視網にとらえられていた工作員たちだ。特に変わったことではなかった。そのロシア人たちの話し相手が、トランプと関連のある面々だったという点を除けば。そこでの会話がどういう性質のものだったかは公になっていない。

しかし、アメリカとイギリスの情報源によれば、このやり取りには疑わしい規則性があったという。ロシアとトランプ関係者の接触は二〇一六年半ばまで続き、監視の結果は通常の情報共有の一環でアメリカ側に伝えられた。また、他の協力国の諜報機関からも、トランプとロシアの関係をめぐり同様のデータが提供された。ある筋によると、ドイツ、エストニア、スウェーデン、ポーランド、オーストラリアの協力があったらしい。さらに別の筋は、オランダの諜報機関とフランスの対外安全保障総局（ＤＧＳＥ）も協力していたと言っている。

ＦＢＩとＣＩＡは当初、トランプ陣営とロシア政府の接触が大きな問題に発展しうることを理解していなかった。アメリカの法律は、公的機関が国民の私的な通信を調べる際に令状を取ることを義務付けていて、そうした制度上の不自由が出遅れの一因になった。

協力先から提供されたデータは、スティールが正しいことを示していた。ある証言は、アメリカの諸機関はまるで「眠っている」ようだったとしている。ワシントンのある人物は私に「『目を覚ませ！　妙なことが起きているぞ！』ＢＮＤ（ドイツ連邦情報局）も、オランダも、ＤＧＳＥも、ＳＩＳも、みんなそう言っていた」と語っている。

その夏、当時のＧＣＨＱ長官、ロバート・ハンニガンはアメリカに飛び、ＣＩＡ長官だったジョン・ブレナンに直々に説明した。問題は非常に重要だと思われたため、「長官級」、すなわち両機関のトップによる直接会談で扱われた。国家情報長官だったジェームズ・クラッパーはヨーロッパから情報が入っていたことをのちに認め、詳細を伏せながら、これは「敏感な」問題だと述べた。

こうした出遅れのあと、ブレナンはＧＣＨＱの情報や他の協力先からの警告を生かし、諸機関を横断した大規模な捜査を立ち上げた。

一方、ＦＢＩは別の場所から不穏な警告を受けていた。スティールだ。

この時点で、スティールがフュージョンに送った報告は公開されていなかったし、広く知られているわけでもなかった。しかし、選挙結果にかかわらず、ロシアの干渉とアメリカの民主主義のプロセスに重大な疑問を引き起こすものだった。スティールは、自分の調査結果をアメリカの捜査当局に渡すことは大いに公益にかなうと感じていた。アメリカの諜報機関には報告の真偽を確認する力があるからだ。ただ、スティールは友人に対して、一連の報告は「絶対に騒動を引き起こす厄介な問題」だと言い、少なくとも最初のうちは積極的な反応はないとみていた。

六月、スティールがローマに飛び、FIFAの件でも協力したFBI関係者と接触すると、彼の情報がワシントンのFBIに届き始めた。つまり、民主党からハッキングで盗まれたメールが最初にウィキリークスで公開され、民主党全国大会が開かれた七月下旬の時点で、スティールの情報はFBIに入っていたということになる。FBI長官だったジェームズ・コミーがトランプとロシアの関係について正式な捜査を開始したのはこのときだ。

九月、スティールは再びローマを訪れ、FBIの捜査班と会って情報を伝えた。彼はこのときのFBIの反応を「動揺と恐怖」と表現している。数週間後、FBIはスティールにどうやって報告をまとめたのか説明を求め、情報源の素性を聞いた。また、その後の報告をFBIにも送るよう求めた。

スティールの望みは、FBIが決定打となるような徹底的な捜査を行うことだった。しかし、その動きは慎重だった。FBIは、大統領候補に影響を及ぼしたり、関連する情報を公開したりはできないと彼に伝え、沈黙してしまう。スティールはいら立ちを募らせた。そして、グレン・シンプソンが代わりの計画を実行することを決意する。

九月下旬、スティールはニューヨーク・タイムズ紙、ワシントン・ポスト紙、ヤフーニュース、ザ・ニューヨーカー誌、CNNといったメディアのアメリカ人記者たちと小さな会合を開いた。また一〇月中旬にもニューヨークで記者たちと会った。クリントンの私用メールサーバー問題をめぐる捜査の再開をFBIのコミー長官が発表したのは、そのあとだ。この時点でスティールとFBIの関係は破綻した。FBIが説明したトランプの件を公にしない理由には、まったく説得力がなかった。一〇月下旬、スティールはスカイプを通じてマザー・ジョーンズ誌のデイヴィッド・コーンに話をする。

スティールは、これは「党利党略なんかより、ずっと重大」な話だと言った。トランプが所属する共和党も「しっかり認識すべき」問題だと確信していたからだ。また、自分の実力が評価されてきたことにも触れ、「プロとしての実績は誰にも負けない」と訴えた。彼は自分のメモが未完成のものだと認めたうえで、その内容が示す事態を真剣に懸念していた。そしてコーンに対し、「この問題は公表されなければならない」と伝えた。

コーンは一〇月三一日にスティール報告を記事にした。この報告書の存在が公になるのは、これが初めてだった。同時に、ニューヨーク・タイムズ紙は、FBIはトランプとロシア当局者のあいだに「決定的な、あるいは直接のつながり」を見つけていないと報じた。

この時点ではまだ、スティールは名もない影の存在だった。しかし、その影が発したメッセージはアメリカ連邦議会やワシントンの諜報機関、ジャーナリストやシンクタンクに急速に広まった。

スティール報告のことを知った民主党の上院議員たちは激怒した。クリントンの評価を下げようと躍起になっているFBIが、トランプに関する重大な情報を隠していると感じたからだ。

報告書が幅広い影響を及ぼすことに気づいた人物に、上院少数党院内総務だったハリー・リードがいる。リードは八月にコミーに書簡を送り、「ロシア政府とドナルド・トランプ大統領候補の陣営のつながり」を調べるよう求めていた。リードは一〇月にもコミーに書簡を送った。ただし、今度はより批判的な調子だった。

　リードはあきらかにスティールに言及しながら、「あなたや、他の国家安全保障当局の幹部たちと連絡を取るなかで、ドナルド・トランプ、トランプの最高顧問、ロシア政府のあいだの密接な関係と連携をめぐる重大な情報をあなたが手にしていることがあきらかになった……（中略）……国民にはこの情報を知る権利がある」と主張した。

　こうした慌ただしい対応は、すべて無駄に終わった。ニクソンはウォーターゲート事件がまだ本格的な広がりを見せる前に再選を果たしたが、それと同じように、トランプはロシア・スキャンダルがまだ小規模で、これから大きく広まろうとしている段階で大統領選に勝ち、世間を震撼させた。

　スティールは謀略の存在を示す明白な証拠を見つけ出していたが、大半のアメリカ国民は何も知らなかった。一一月になると、報告書がオバマ政権の国家安全保障部門の上層部にまで届き始めたが、もう手遅れだった。民主党の「オクトーバーサプライズ」はすでに失敗に終わっていたのである。厳しい敗北だった。

　カナダ東海岸のハリファックスでは、小雨が降っていた。ここには、雨、霧、雪、そしてまた雨と、あらゆる形の降水が大西洋から押し寄せる。湾を出た灰色の海は、果てしなく続く白い空に溶け込んでいく。すぐそこのジョージズ島には、灯台と一八世紀に築かれた砦が見える。

ハリファックスのあるノバスコシア州は、ヨーロッパからの数百万人の船客が新世界でのより豊かな生活を求めて降り立った場所だ。旅客ターミナル兼入国管理施設「ピア21」の前にはいまも客船が停泊している。近くには鉄道駅や移民博物館。それから公園の隣には、飾り気のない直方体をした赤れんが色のホテルが建っている。エリザベス女王が泊まったこともある由緒あるホテルで、オーナーを替えながら営業を続けてきた。現在の名前はウェスティン・ノバスコシアンという。

一一月、そのハリファックスに各国の専門家が集まった。トランプの衝撃的な勝利のあとで、世界がどうなっていくのかを理解するためだ。集まった専門家の大半がこの展開にショックを受けていた。会議はハリファックス国際安全保障フォーラムが主催したもので、三日間にわたり、ブレグジット後のイギリスや「中東の混乱」、ＩＳＩＳ（「イスラム国」を名乗る過激派テロ組織）、そして対ロシア関係をテーマに議論が交わされた。

出席者の一人にアンドルー・ウッド卿がいた。一九九五年から二〇〇〇年までイギリスの駐ロシア大使を務めた人物だ。ウッドはウクライナ問題をめぐる委員会に参加していた。テーマは、プーチンによる事実上のウクライナ侵略のあと、カナダが直面する課題についてだった（カナダは全人口（約三五一五万人）のうち、約一三〇万人がウクライナ系で、ウクライナと関係が深い）。アメリカの上院議員、ジョン・マケインも議論に加わっていた。

ウッドはスティールの友人で、オービスの事業にも関わっていた。選挙前、スティールはウッドを訪ねて報告書を見せた。大使の視点から助言を受けたかったからだ。報告書をどう扱うべきか、あるいは、どう扱うべきではないかを知りたかったのである。のちにウッドは私に対し、報告書を「真剣に受け取った」と述べている。

ウッドはロンドンからロシア問題を冷静かつ慎重に観察していた。彼はイギリスのシンクタンク、王立国際問題研究所（チャタムハウス）のロシア・ユーラシア部門でフェローを務め、寄稿もしていた。また、各地の会議やセミナーで講演していた。

ハリファックスでの会議の合間に、ウッドはマケインにスティール報告のことを説明した。もし事実なら、そこに書かれたことがトランプ次期政権、共和党、そしてアメリカの民主主義にもたらす結果は重大で、あきらかだった。

マケインは報告が示す影響は警戒に値すると判断し、詳細を知るためアメリカ政府の元高官をスティールの元に派遣した。

派遣されたのはデイヴィッド・クレイマーという人物で、ハリファックスでの会議にも参加し、ウッドが参加したウクライナ問題をめぐる議論で司会をしていた。当時のクレイマーはマケイン国際リーダーシップ研究所の要職に就いていたが、ブッシュ政権時代の二〇〇八年から二〇〇九年に民主主義・人権・労働担当の国務次官補、その後にワシントンの民主主義推進シンクタンク、フリーダムハウスの理事長を務めた経歴があった。

スティール報告は、モスクワからロンドン、ハリファックス、そしてワシントンと、通常はありえないルートを経て、ようやく大統領執務室にたどり着くことになる。

クレイマーはわざわざ大西洋を越えてロンドンまで飛んだ。スティールはヒースロー空港で会うことを了承した。日付は一一月二八日。待ち合わせでは古典的なスパイの作法を踏襲した。スティールの写真が世間に出回る前で、彼の顔や背格好をクレイマーが知らなかったため、フィナンシャル・タイムズ紙を持った男を探すよう伝えておいたのである。そうやって合流したあと、スティールはロンドンで働く人々が多く住むサリー州ファーナムの自宅まで車を走らせた。二人はそこで、報告書がどうやって作成され、何を言わんとしているのかを徹底的に話し合った。

それから二四時間もしないうちに、クレイマーはワシントンに戻った。そして、シンプソンは秘密裏にマケインに報告書を渡した。

さらに、報告書はイギリス政府にも届く。

スティールは一二月、最後のメモを書き上げ、イギリス政府の国家安全保障部門で働くＳＩＳ時代の同僚に渡した。メモはハッキング作戦の詳細について新たな情報を伝えるものだった。ファイルは暗号化され、マケインとクレイマーに渡すようにとの指示とともにフュージョンにも送られた。

マケインは、スティールの主張を信じるにはしっかりした調査が必要だと考えた。彼はコミーに電話をかけ、会う約束を取りつけた。面会は一二月八日に五分間行われた。ある筋によれば、場所はワシントンのジョン・エドガー・フーヴァー・ビル、つまりＦＢＩ本部だった。多くの言葉が交わされたわけではない。だが、マケインはコミーに報告書を渡した。同じ筋によれば、コミーはマケインに対し、ＦＢＩが四カ月以上前からトランプの友人について捜査していることを伝えなかった。

マケインが介入したことで、官僚たちは動かざるをえなくなった。事態はすでにＦＢＩだけの問題ではなくなり、アメリカ諜報界の最高レベルでの連携が必要になっていた。

スティール報告は二ページに要約されて極秘指定され、より長い機密文書に添付された。その文書は、二〇一六年のアメリカ大統領選にロシアがサイバー空間から干渉したとの疑惑について説明したものだった。対応はアメリカ諜報部門の最上層部で検討された。

幹部たちは厄介な問題を抱えていた。当時の状況は、NSAとCIAの長官を歴任したマイケル・ヘイデンが「課報機関に求められる仕事からかけ離れていた。私なら遠慮した」と言うほど難解だった。また、ヘイデンは報告について「それを見たときは、われわれの仲間が書いたものだという印象を受けた」と語っている。

スティールと私たちがロンドンのパブ、シェイクスピアで会った翌日、スティール報告(あるいは、その告発で最も不愉快な部分)は、世界で一番強い権限を持っていた人物(残り任期はわずかだったが)、すなわちバラク・オバマ大統領の机に向かっているところだった。

報告書は、オバマから大統領執務室を引き継ぐ男の元にも向かっていた。それについてトランプ次期大統領に説明するというありがたくない仕事は、コミーがすることになった。想像どおり、トランプは報告書をごみだと言って切り捨てた。これはいくつもの理由でまずい戦略で、時間が経つにつれてますます滑稽なものになっていく。

たとえば、スティールが収集し、そしてGCHQなどが裏付けを取った情報のとおり、トランプ陣営は投票直前にロシア人たちと会っていた。

それどころか、トランプの顧問の一人はロシア工作員と熱心に連絡を取り合っていた。しかも、工作員に書類を渡していたのである。それもモスクワではなく、マンハッタンで。

第2章
やつはちょっとバカなんだと思う

2013 〜 2017 年
ニューヨーク－モスクワ

「書類が手に入ったら、失せろと言うだけさ」
――ヴィクトル・ポドブニー
2013年4月　ニューヨークでの発言

ヴィクトル・ポドブニーは工作員になったとき、自分の仕事と人生にわくわくしていた。しかしすぐに、本物のスパイ活動というのはヘリが飛び交うような世界ではないのだと気づいた。本人の言葉を借りれば、「ボンド映画のような」ものではなかったのである。それでも、モスクワの上司たちから偽の身元とパスポートくらいは与えられると思っていた。

しかし、彼は実名のままニューヨークに送られた。表向きはロシアの駐国連代表部の職員、実際はロシア対外情報庁（ＳＶＲ）の要員として。要するに、外交官を装った工作員である。ただし、与えられた任務は、経済関連の情報を集めるという面白みのないものだった。

二〇一三年四月のことだ。ポドブニーは仕事の愚痴をこぼしているところをＦＢＩに盗聴された。場所はＳＶＲのニューヨーク事務所。会話の相手は同僚のイーゴリ・スポリシェフだ。スポリシェフもまた、通商代表部の職員を装い、正体を隠してアメリカで任務に就いていた。

ポドブニー：まさにいま、敵国のど真ん中に座ってクッキーを食べているというこの事実。ああ、ちくしょう！　あのときの想像と全然違うじゃないか。かすってもいない。

スポリシェフ：俺も、国を出るときは偽のパスポートくらいあるもんだと思ってた。

確かに、二人には不平を言うだけの理由があった。SVRは二〇一〇年夏、アンナ・チャップマンなど、アメリカに長期間潜伏していた工作員一〇人の身元を割られていた。外交官の仮面をつけずに国外から送り込まれた工作員をアメリカ司法省は「不法入国者(イリーガルズ)」と呼ぶが、連邦捜査官たちは、そうしたSVR要員のネットワークを壊滅させていた。

それで、機密情報の収集という難しい任務がポドブニーとスポリシェフに残された。また、もう一人のSVR要員、エフゲニー・ブリヤコフとの連絡役も二人の仕事だった。ブリヤコフの表向きの身分はロシア開発対外経済銀行(VEB)マンハッタン支店の行員で、民間人のものだった。この銀行にはSVRのフロント組織という一面があった。しかし銀行員には外交特権がないため、ブリヤコフはSVRの同僚を通さなければロシア政府に報告を送れなかった。

FBIが盗聴した会話によれば、ブリヤコフとの接触には随分と古くさい手口が使われていた。典型的なケースでは、まずスポリシェフがブリヤコフに電話をかけ、チケットや本、帽子、傘など、渡さなければならない「モノ」があると伝える。それから二人は外で会い(ときにはブリヤコフの銀行の玄関前を使うこともあった。三番街にある地味な茶色のタワーで、一階には歩道に面して一九六〇年代の抽象彫刻が置いてある)、書類を交換した。

スポリシェフの最大の悩みは、どうやってアメリカ人を情報源として取り込むかだった。確かに難題である。スポリシェフはそれ以前に、ニューヨークの大学を卒業したばかりの金融コンサルティング会社の若い女性社員二人に近づいたことがあった。スポリシェフはポドブニーに収穫は期待できないと言った。「親密な関係になるにはセックスしないと。それか、別の手段で要求に従わせないといけない」

しかし、二人には頼みの綱があった。ニューヨーク市内を拠点とするエネルギー・コンサルタントの男のことだ。先ほどの女性たちと違い、男は積極的に協力してきた。どうやらモスクワでひと儲けする気らしかった。しかし、ＦＢＩが「男１」と呼ぶその人物には欠点もあった。頭がよくなかったのだ。

ポドブニー：（「男１」が）詫びを入れてきた。モスクワに来てメールチェックを忘れていたが、戻ったら会いたい、だと。やつはちょっとバカなんだと思う。だから、俺が誰だか忘れたんだろう。それに、練習だと言ってロシア語で書いてくる。俺よりもしょっちゅうモスクワに行っているし。ガスプロムに入れ込んで、プロジェクトをやれば成り上がれると思っているらしい。まあ、不可能ってことはないかもな。そこはわからないが、露骨にひと山当てにいっている。
スポリシェフ：間違いないね。

ポドブニーの説明によると、彼は「男１」に同行するつもりだったらしい。餌として「空約束」をするためだ。ロシアの通商代表部、つまりスポリシェフと人脈があることを強調して、有利な契約を結べるよう「力添え」が得られると信じ込ませようとしたのである。

ポドブニー：諜報員のだましの手口さ！　じゃなきゃ、外国人なんかと協力するか？　願いをかなえると言って、要求を呑ませる。書類が手に入ったら、失せろと言うだけさ。ただ、動揺させないように、レストランに連れて行って高級品をプレゼントする。向こうは受け取りのサインをするだけでいい。それが理想的なやり方だ。

雑な戦術だったかもしれないが、ここではうまくいった。ポドブニーが「男1」に声をかけたのは、ニューヨークで行われたエネルギー関連のシンポジウムでだった。FBIが提出した法廷資料によると、二人はそこで連絡先を交換している。それから数カ月はメールでやり取りをした。「男1」は相手のロシア人がスパイだと知らなかったと言っているが、二人は協力関係にあった。それどころか、「男1」はエネルギー業界に関する文書を手渡している。

奇妙な話だった。ロシア政府の工作員がマンハッタンをうろつき、スパイの手口として傘がどうしたと嘘をつき、自分よりモスクワで過ごす時間の長いアメリカ人を情報源として運用する。さらに、ロシアのプロ諜報員たちが仕事への倦怠感に悩んでいたことまで判明したのである。

「男1」が喜び勇んで情報を提供したプーチンの対外諜報員たちは、五九〇マディソン・アベニュー・ビル（旧IBMビル）に間借りしていた。このビルはニューヨークの名所、トランプ・タワーとガラス張りの中庭でつながっている。中庭は明るい雰囲気で、竹が植えられ、座ってコーヒーを飲む場所もある。また、隣にはナイキタウンもある。

その中庭からトランプ・タワーのエレベーターで四階に上がると、庭園のスズメとカエデの木に迎えられる。西五七丁目の喧騒が聞こえるため、完全に心安らぐ場所とは言えないが。また、トランプ・タワーの一階にあるレストランやサラダバーに行けば、日本人やドイツ人の観光客の行列に加わることもできる。

「男1」の名前は判明している。聞き覚えのある人はほとんどいないだろうが。その名は、カーター・ペイジという。

ペイジは四〇代半ばの男だ。頭ははげかかった丸刈りで、体型は自転車かダイエットに凝りすぎたような超細身。キャノンデールのマウンテンバイクに乗っているとき以外は、たいていスーツを着て、ネクタイをしていた。ペイジには、緊張するとにやにや笑う癖がある。この時期のペイジに会ったという人は、彼と対面するのは「苦痛」だったと語る。「落ち着きがなく」、「不快」で、「汗だく」だったというのだ。

ペイジの履歴書も普通ではない。海軍に五年いたあと、西サハラで海兵隊の情報将校として働いた。中学校の同級生、リチャード・ゲーリンによれば、海軍時代のペイジは羽振りがよく、黒のベンツに乗っていた。

ペイジは学業では優秀で、外交問題評議会（ＣＦＲ）の奨学生となり、ジョージタウン大学で修士号を取り、ニューヨーク大学経営大学院を卒業した。さらに、ロンドン大学東洋アフリカ研究学院で博士号を取った。

ペイジは当初から、ロシアへの共感を隠さなかった。彼は一九九八年に三カ月間、戦略コンサルティング企業ユーラシア・グループで働いたことがある。同社の創業者、イアン・ブレマーはのちに、ペイジは「ＯＢのなかでも一番ぶっとんで」いたと評し、熱烈にロシア政府の肩を持ったため、「合わなかった」と振り返っている。

ペイジは二〇〇四年、モスクワに拠点を移し、投資銀行メリルリンチのエネルギー・コンサルタントになった。本人も言っているように、ガスプロムと関係を築いたのはこの時期だ。彼は当時、サハリン付近の石油・ガス田における権益購入契約などの取引でガスプロムに助言をした。また、ガスプロムの株を買ったのもこの頃だった。

アメリカのニュースメディア、ポリティコによると、モスクワの外資企業のあいだでペイジを知っている人はほとんどいなかった。また、知っている人がいても印象はよくなかった。上司だったセルゲイ・アレクサシェンコはポリティコに対し、ペイジは「すごくも、ひどくもなかった」と語り、「特別な才能も業績もない」、「ずば抜けているわけでもない」、「これと言って特徴のない」人物だったとしている。

三年後、ペイジはニューヨークに戻ると、トランプ・タワーの隣に新しいオフィスを構え、グローバル・エネルギー・キャピタルという未公開株を扱う有限責任会社を立ち上げた。ガスプロムの経営幹部だったセルゲイ・ヤツェンコというロシア人が共同創業者になった。ヤツェンコはポドブニーやスポリシェフ、あるいは、アメリカに潜伏している別のロシア諜報機関関係者とつながっていたのだろうか。

プーチンとオバマ政権の論争が激化するなかで、ペイジはロシア政府についた。クリミア危機を受けたオバマ政権の対ロシア制裁に反対したのである。ペイジはオンライン誌グローバル・ポリシーへのブログ寄稿で、プーチンには二〇一四年のウクライナ紛争の責任はないと主張し、ホワイトハウスによる「おしおき」式の対応が「そもそもの危機の発端」だと断じた。

ペイジの好戦的でロシア政府寄りの見解は、アメリカ国務省やアメリカのロシア研究者たちと相容れなかった。つまるところ、ウクライナ東部国境から戦車を侵入させたのはプーチンだ。ペイジの意見が重視されることはなかった。そもそも、グローバル・ポリシーはイングランド北部のダラム大学が編集するマイナーなサイトでしかなかった。

結局、ペイジとグローバル・ポリシーの関係は、アメリカ大統領選の前、ある親ロシア派候補、つまりトランプをほめちぎる意見記事を書いたときに立ち消えになった。

不可思議なことが起こったのはそのあとだ。

二〇一六年三月、トランプはワシントン・ポスト紙の編集委員会と面会した。共和党の大統領候補者がトランプに決まるとみられていた時期だ。問題は外交面だった。トランプが誰を外交政策顧問にするかが注目されていた。名前が挙がったのは五人。その二人目が「カーター・ペイジ。博士」だった。トランプの国際問題でのあきらかな経験不足を考えれば、非常に重要なポストである。

ユーラシア・グループでペイジの同僚だったある人物は、どういうわけかペイジがトランプの外交政策顧問に入ったと知って衝撃を受けたと語っている。「あやうくコーヒーを落としそうになった」と。さらに「私たちに必要だったのは起こっていることを批判的に分析できる人材だった。この男には状況を批判的に考察する力がない。賢い人間ではなかった」とまで言っている。

ペイジが顧問に選ばれた本当の理由は、落ち着きに欠けた履歴書とはほとんど関係なさそうだ。どうやら、プーチンに対するペイジの度を越した入れ込みぶりと、それに伴うオバマやクリントンへの嫌悪感がトランプの目を引いたらしい。世界情勢に対するペイジの見解はロシア政府のそれと近かった。要するに、民主主義を広めようとするアメリカの動きが混乱と惨事をもたらしたというのが彼の考えだった。

ポドブニーとスポリシェフの仕事ぶりには、倦怠感とホームシックが入り混じった、ある種の自嘲が含まれていた。一方、ペイジは珍しいタイプだった。アメリカ人でありながら、プーチンが賢明で高潔で思いやりのある人物だと信じているのだから。

このときまでに、ロシア工作員たちはアメリカから撤収していた。工作員のネットワークは二〇一五年に潰された。外交官の身分があったポドブニーとスポリシェフは飛行機で帰国できたが、ブリヤコフは運が悪かった。ペイジがトランプ陣営に加わった際に外国の秘密工作員として活動した罪を認め、アメリカで二年半収監されることになったのだ。

二〇一六年七月、ペイジはトランプ陣営の了承のもとでロシアに戻った。ペイジには強い関心が寄せられていた。彼がいることで、今後の米ロ関係に対するトランプの立場が先鋭化する可能性があったからだ。モスクワの複数の情報筋によれば、ペイジの訪問はロシア政府の人員が手配したらしい。ある人物は匿名を条件に、「われわれは『この男を呼んでくれ』と指示された」と語った。

ロシア屈指の私立大学「新経済学院（NES）」はペイジを招いて公開講演をさせた。それも通常の催しとしてではなく、卒業式の式辞という名誉あるかたちでだ。会場はモスクワの世界貿易センターだった。

七年前の二〇〇九年七月、私は大統領だったオバマがNESで年末の辞として講演をするのを見た。オバマはロシア大統領だったドミトリー・メドベージェフと会談するためにモスクワを訪れていた。この訪問でオバマは、当時首相を務めていたプーチンと朝食をともにしている。

オバマの講演はゴスチニ・ドヴールと呼ばれる一八世紀のショッピングモールを改装した建物で行われた。聖ワシリー大聖堂、クレムリン宮殿、赤の広場からそう遠くない場所だ。私は後方の座席に腰掛けた。話は社交辞令から始まった。「ミシェルも私も、モスクワに来られたことを喜ばしく思っています。また、ハワイで生まれた者として、一月ではなく七月にこの場にいられて嬉しく思います」

完成度の高いスピーチだった。オバマはまず、「不朽の真理」を解き明かした文豪たちや、科学者、画家、作曲家たちを挙げ、文明に対するロシアの貢献をたたえた。また、アメリカに富をもたらしたロシア系移民たちに賛辞を贈った。さらに、プーシキンを引用した。それから、第二次世界大戦でアメリカとソ連がともに犠牲を払ったことにも言及した。

そのあとで、オバマは非難をにじませ始める。前年、ロシア軍部隊は隣国のジョージア（旧称グルジア）に侵攻していた。当時のアメリカ大統領、ジョージ・W・ブッシュの盟友でジョージア大統領のミヘイル・サーカシビリが、分離独立を主張する南オセチア州への支配を回復しようと無謀な動きに出たためだ。サーカシビリにとっては地域の地政学をめぐる悲惨な教訓だった。

オバマは演説で「二〇〇九年において、大国が力を誇示するために他国を支配したり、悪と見なしたりすることはない」と言い、「いまは帝国が主権国をチェスの駒のように扱える時代ではない」と続けた。ロシアは旧ソ連諸国に「特権的利益」を有するというプーチンの核となる理念を否定する発言だった。この晩、オバマの演説はロシアの国営テレビで伝えられたが、一番後回しにされた。

それと対照的に、ロシア・メディアはペイジを「高名なアメリカ人エコノミスト」とたたえた。ペイジの講義はどう見ても下手くそで、ほとんど意味不明な中身のない無駄話だったのだが。察するに、ペイジは旧ソ連圏における「レジーム・チェンジ（体制変革）」を狙ったアメリカ主導の動きを批判していたのだろう。だが、実際に何が言いたかったのかは誰にもわからない。聴衆には学生だけでなく現地のトランプ支持者もいたが、見るからに眠たそうな人たちもいた。

ガーディアン紙のロシア特派員、ショーン・ウォーカーは、前の晩にペイジが開いた集会に出席していた。ウォーカーによると、パワーポイントを使ったペイジの講演は「本当に異様」で、「カザフスタンでのガス業界の会議みたい」だったらしい。また、ペイジは「民主主義拡大に向けたアメリカの取り組みに触れて、それがいかにみっともないことか話していた」という。

ペイジはトランプ陣営随一のロシア専門家だった。しかし、質疑応答になると、彼がロシア語を理解することも、話すこともできないことがあきらかになった。制裁に対するトランプの立場を聞きたがっていた聴衆にとっては、期待を裏切られた格好だ。「学問的な研究以外のことを話しに来たのではない」というのがペイジの言い分だった。ウォーカーいわく、ペイジは最終的に「こっそり外に連れ出された」らしい。

トランプ政権の対ロシア政策にも、オバマとジョージ・W・ブッシュが失敗した関係強化の方策にも、ペイジはあきらかに触れられたくない様子だった。

では、彼はモスクワで何をしていたのだろうか。

ペイジは強く否定しているが、スティール報告によると、この訪問には秘密の目的があった。ロシア政府関係者、とりわけイーゴリ・セチンと会うことだ。セチンは元工作員で、さらに重要な点として、プーチンから絶対の信頼を得ている人物でもあった。実質的にロシア政府ナンバー2の実力者で、事実上、プーチンの副官だった。

セチンは三〇年以上、プーチンの側近を務めていた。KGBでキャリアをスタートさせ、モザンビークで軍の通訳をした。一九九〇年代にはサンクトペテルブルクの市長室でプーチンと働いた。セチンは強面（こわもて）の門番としてプーチンに仕えた。かばん持ちもしたし、市役所一階の執務室の外で息を潜めて待機していたこともある。

セチンは陰鬱な見た目をしている。表情が読みにくく、目は細く、鼻はボクサーのように潰れている。セチンはプーチンの大統領選出と同時に大統領府副長官に就き、二〇〇四年からは石油生産国内最大手の国営企業、ロスネフチの会長になった。一方、副首相のポストではつまずいた。ロシアの民主派新聞ノーヴァヤ・ガゼータのセルゲイ・ソコロフ副編集長はセチンについて「操り人形のようだが、切れ者だ。ただし表の政治については、語ることも、こなすこともできない」と評している。

セチンの民間での評判は上々だった。金融大手ゴールドマン・サックスのモスクワ支店元CEO、クリス・バーターによれば、「仕事上の数字がいいだけでなく、極めて魅力的で、頭もいい。経済と政治、両方の問題をバランスよく扱える。プーチンからかなりの権限と裁量を与えられている」という。

セチンがロシアの安全保障全体を管轄していることはあきらかだった。バーターは、ロシアのためになる人物がいれば、セチンには個人的に報いる用意があったと語っている。

ペイジは二〇一四年、セチンを「偉大な功績」の持ち主とたたえる提灯記事を書いた。グローバル・ポリシー誌のブログ上で、過去数十年で最も米ロ関係の進歩に貢献した人物だと称賛したのだ。セチンはロシアの立派な政治家であるにもかかわらず誤解され、オバマ政権によって不当な処罰と制裁を科されているというのがペイジの言い分だった。

こうした背景があって、ペイジはモスクワに招かれたのである。

ペイジがロシアからニューヨークに戻った一一日後、スティールはワシントンのフュージョンG

ＰＳにメモを送った。二〇一六年七月一九日付で、題名は「ロシア：トランプ陣営顧問カーター・ペイジ、モスクワでクレムリンの秘密会談に出席」だった。

スティールは情報源の名前を伏せるのが常で、このメモでは、セチンに「近い」人物とされた。ロスネフチ内部に、ほかのロシア人たちと機密事項の話ができるほど深く食い込んだスパイがいるのだろう。だがそのスパイも、自分の情報がスティールに送られていることは知らなかったのかもしれない。

スティールによれば、ペイジはモスクワで二人の相手と密会した。そのうち一人がセチンだという。ただし、これが事実だとしても、会った場所は定かではない。もう一人はロシア大統領府の高官で、内政を担当するイーゴリ・ディヴィキンという人物だった。

前出のバーターは、自身のモスクワでの経験に基づき、セチンが来ることは直前まで知らされないと語っている。たいていは側近が電話をかけてきて、四〇分後に会おうと持ちかける。「いつもその場でいきなり決まる。ブルルッ、『いまから来られるか？』という具合にね」バーター自身、セチンと六回会談したという。

会談の場所は連邦政府庁舎であるベールイ・ドームや、モスクワ川を見渡すロスネフチ本社の高層ビルだった。バーターはスティール報告について、「すべて信用できる」と言った。

スティールによれば、セチンはペイジとの会談で、ロシア政府はアメリカが制裁を解除することを望んでいると伝えた。ロシア政府にとって、制裁解除は戦略的優先事項だった。セチンは取引の大枠を示し、トランプ次期政権が「ウクライナ関連の制裁」を取り下げれば、「二国間エネルギー協力」の分野で「連動した動き」がありうると言った。つまり、アメリカのエネルギー企業にとって旨味のある契約を結ぶということだ。スティールは、ペイジは「全体として言質を与えるような返答はしなかった」としつつ、反応は前向きだったと書いている。

セチンが取引を持ちかけた動機には、個人的な側面と政治的な側面があった。まず、アメリカの制裁はロシア経済に損害を与え、ロスネフチにも打撃となっていた。ロシア国内の北極圏で予定されていたロスネフチとエクソンモービルの合同探査プロジェクトが中断されたのも、制裁の影響だ。それに、セチンはアメリカ入国を禁止された。さらに、EUもロスネフチに制裁を科していた。セチンはもう、二人目の妻オルガと私物の豪華ヨットを楽しめないということだ。妻がお気に入りのサルデーニャ島やコルシカ島にいても、セチンは置いてきぼりだった。

セチンは個人として膨大なロスネフチ株を保有しているという噂もあった。事実なら、そこにも影響が及んでいたことになる。一部の識者によると、セチンが自分の利益のために動くようになったのは比較的最近で、政府に加わり、ロスネフチの経営に力を注ぐようになってからだという。ノーヴァヤ・ガゼータのソコロフ副編集長は「イーゴリはどうにか制裁を免れたいと思っている」と指摘している。

また、ただでさえ国内問題が重荷となっている時期に、制裁によってロシアの経済状況は悪化した。国は資金不足のために策定済みの計画を実行できなくなっていた。たとえば、クリミア半島とウクライナの反体制派に対する支援や、欧州向けのガス・パイプライン「ノルド・ストリーム」と「サウス・ストリーム」の敷設、二〇一八年サッカー・ワールドカップのスタジアム建設がそうだ。また、併合したクリミア半島をロシア本土と結ぶためケルチ海峡で進めていた橋の建設にも影響が及んだ。

さらにロシア指導部は、経済の低迷が飢えや不満につながることを恐れていた。こうした事態がプーチンの支持層である保守派のあいだで広まり、大きく発展して収拾がつかなくなる可能性があった。怖いのは、大衆暴動が発生することだった。

スティールに入った高官筋からの追加情報によると、セチンとペイジが会談したのは七月七日または八日、すなわちNESの卒業式で行った講演の当日または翌日だった。

「協力者」の話によれば、セチンは自身と会社に対する西側諸国の制裁を何としても解除させたい構えで、桁外れの賄賂を提示した。「見返りに、（政府持ち分が売り出される）ロスネフチ株の最大一九パーセントを取得できるよう仲介する」というのである。会社の相当な部分を売り渡すのと同じことだった。

金額は示されなかったが、これだけの政府株の売り出しは、ロシアでは何年も行われていなかった。仲介手数料が発生する場合、数千万ドル規模、ことによっては数億ドル規模の大金になる。当時はまだ、ロスネフチ上層部のほかに政府株の売却計画を知る者はいなかった。スティールによれば、ペイジは「関心を示し」、トランプがアメリカ大統領になった暁には「ロシアへの制裁は解除される」と明言した。

こうしてセチンは飴を見せたのである。

しかし、ロシアは鞭も見せつけた。

鞭を示したのは、もう一人の会談相手とされるディヴィキンだった。報告によると、ディヴィキンはペイジに対し、ロシア政府はクリントンの痛手となる文書をまとめたと伝えた。それをトランプ陣営に渡すこともできる、と。一方、ディヴィキンはこのとき不吉な警告をしたという。トランプの痛手となる文書もロシア指導部の手元にあることをほのめかした（あるいは「より強く暗示した」）のである。そのうえでディヴィキンは、トランプがモスクワと取引するのなら「このことを頭に入れておくべきだ」と言った。

単純明快な脅迫である。

ロシアにとってペイジは断固としたメッセージをトランプに伝えさせるための連絡係だった。諜報資産の開拓と陰謀という鎖の一部であり、その鎖はモスクワから五番街へと延びていた。それが報告の見解だった。その後数カ月、ペイジは不正があったこと、つまりセチンやディヴィキンと会談したことを強く否定し続ける。自分は被害者なのだ、と。

ペイジの問題は、ロシアの工作員を探し求めてしまう不幸な習性が身についていることだった。そのなかには、ポドブニーのような二〇代の工作員もいれば、セチンのようなもっと歳のいった工作員もいた。ロシアの大使たちもそうだった。


セルゲイ・キスリャクはアメリカをよく知っている。彼は成人後のかなりの時間をアメリカで過ごしていた。一九八〇年代にソ連国連代表部の一員としてニューヨークで四年働いたのち、ワシントンの大使館に四年勤めた。ソ連崩壊後はロシア連邦政府でキャリアを築き、モスクワの外務省の科学技術部局に在籍した。

キスリャクは好人物だった。彼のカウンターパートとして仕事をした経験のあるイギリス外交官、ブライアン・ドネリー卿によると、「感じがよく、堅実で、感情的にならず、付き合いやすい」タイプだという。ドネリーがキスリャクのことを知ったのは一九九〇年代前半。アメリカ、イギリス、ロシアが核不拡散のための新条約を結ぼうとしている頃だった。それまでのソ連外交官たちはぶっきらぼうで、怒りっぽく、頭の固い連中だったが、キスリャクは違ったという。

ドネリーはキスリャクについて、「いつも建設的で、協力的で、頼りになった。彼に会うまで、ポスト・ソビエト、ポスト共産主義の世界で気持ちよく仕事ができそうなロシア外交官はいなかった」と語り、「英語で仕事をするのに慣れていて、訛りはあったが話すのはうまかった」と評した。

キスリャクは駐ベルギー大使兼NATO（北大西洋条約機構）常駐代表、そして外務次官を務めたのち、二〇〇八年に再びアメリカに赴任した。その頃には壮年期の終盤を迎え、白髪頭に、ジャケットからはみ出さんばかりの恰幅（かっぷく）のいい体型になっていた。

あるオバマ政権高官はキスリャクと「相当に」やりあった経験から、彼を「タフな交渉相手」と呼び、ロシア政府の政策をぶれることなく主張したと振り返った。さらに、「面倒な相手」ではあったが「プロの外交官」で、のちのメディアによる「悪評」は不当なものだったとも言っている。キスリャクはアメリカ関連の問題に精通し、賢く、部下に甘い顔をしなかった。ブリュッセル時代からのキスリャクの部下で、前出の核不拡散関連条約交渉にも携わったアンドレイ・コヴァレフという元ロシア・ソ連外交官によれば、かつての上司は「非常に創造的」な人物だった。

キスリャクは工作員だったのだろうか。答えは、おそらく「ノー」だ。その一方、二〇一六年のアメリカ大統領選に向けてロシア政府がトランプに手を貸そうとしていることには十分気づいていただろうし、三〇年ほど前、一九八〇年代のアメリカにおけるKGBの活動にも気づいていただろう。国家情報長官だったジェームズ・クラッパーによると、キスリャクは「非常に攻撃的な諜報活動」を監督していた。ロシアはどの国よりも多くの工作員をアメリカに配置していた。クラッパーは、「彼がそこから少し距離を置いていたとか、知らなかったという見方は、あまり合理的でない」と言っている。

クラッパーの見立ては鋭かった。キスリャクの一族はKGBの家系として知られている。父のイワン・ペトロヴィチ・キスリャクはKGBの工作員として高く評価され、少将まで出世した。キスリャク家はウクライナ系だ。イワンはソビエト時代にウクライナ中部ポルタバ州にあるテルニー村で生まれた。家は裕福ではなかった。父親は地元の砂糖工場で働き、一家は「ソビエト通り」にある質素な木の家で暮らしていた。

一九四〇年代、イワンはウクライナ民族主義者に対するソ連陸軍の作戦に加わった。その後、KGBの前身である国家保安省（MGB）に入省すると、一九四九年にはスターリン政権で治安部門を率いた極悪人、ラブレンチー・ベリヤの身辺警護を命じられた。セルゲイ・キスリャクが生まれたのはその一年後のことだ。

元KGB筋によると、イワンは強運に恵まれ、KGB内で評価を高めた。一九五三年夏、ベリヤは逮捕され、秘密裁判にかけられ、銃殺されたが、イワンはその二年前に異動していた。KGBはイワンをギリシャやポルトガル、フランス、スペインといった西・南ヨーロッパに赴任させた。コードネームはマイスキーだった。イワンは中央政府の指示の下、ギリシャ共産党内で工作員候補を見出すなどの秘密活動を専門にしていた（KGBの国外活動記録によれば、彼は、「魅力的」で「完全に信頼できる政治思想」の持ち主しか工作員にはなれないという言葉を残している）。

イワンの経歴は秘密にされているが、息子セルゲイの将来の仕事を予感させる面が多かった。より公的な立場からアメリカの政治に影響を与え、そのあり方を変える仕事である。一九七二年から一九七七年まで、イワンはパリのKGB拠点を率いた。多くの秘密工作員を従えていて、たとえばある暗号処理要員はフランス外務省内部に深く潜入していた。イワンは米仏間の緊張を高めるための「積極的な措置」を指揮した。イワン率いるKGBチームは、仏紙ル・モンドの社説の方向性を決めていたと言われる。

イワンはアメリカのKGBにいたのだろうか。その可能性はある。一九八二年八月、学生時代の同窓会に出席するため、すでに外交官になっていたセルゲイを連れてテルニー村に帰ったときのことだ。親子は地元在住の歴史家、アナトリー・レスノイに会った。イワンは「写真は禁止されている」と言って集合写真に収まるのを拒んだが、ピンボケした彼のスナップ写真が残っている。レスノイに聞いた話では、イワンはウクライナ語とロシア語だけでなく、完璧な英語を話した。それに、息子とともにニューヨーク発の飛行機で帰郷していた。レスノイはイワンについて、「すごく気持ちのいい人だった。我々は彼を誇りに思っている」とも語っている。キスリャクの実家は一九九〇年代初めに取り壊されたという。いまは庭のモミの木だけが残っている。

イワンは忠実にロシア政府に仕えた。それはセルゲイ・キスリャクも同じらしい。二〇一六年、セルゲイは共和党陣営の集会に何度か出席した。しかし、彼は個人的に、ロシア政府の無節操な戦略に疑問を抱いているようだった。

スティール報告によると、キスリャクはロシア政府内の慎重派の一人として、トランプ支援の作戦は「ロシアに副作用を及ぼす可能性」があると警告していた。彼のほかには、前任の駐米大使だったユーリ・ウシャコフ大統領補佐官や、外務省が慎重派だった。

個人的な懸念はどうあれ、キスリャクは与えられた仕事を精力的にこなした。二〇一六年四月、トランプが自身の外交政策を説明したワシントンでの演説では、キスリャクは前列に座っていた。そこで彼はトランプに会っている。

さらにキスリャクは、オハイオ州クリーブランドでの共和党全国大会にも出席する。大会直前には、ペイジがモスクワから帰国していた。トランプの最側近たちはそこでキスリャクと話をしたのだが、その後すぐに、会談のことは記憶にないと主張した。まるで魔法の霧に包まれて忘れてしまったかのようだ。ペイジもその一人だった。会談について釈明する彼は、拷問に耐えながら「ノー」と言い続ける訓練をしているようだった。最初は会談などなかったと言い、次は「機密事項」だと言い、その次には、握手くらいしかしていないと言った。

アメリカ課報部門では、ペイジがロシア高官と接触を重ねていることへの関心が高まっていた。それから数カ月のFBIの様子からは、ペイジがロシアの手先だと強く疑われていたことがうかがえる。その夏、FBIはペイジの通話を盗聴することを決めた。ただし、これは簡単に進む話ではなかった。令状なしの盗聴は違法だからだ。しかも、令状の申請には膨大な書類が必要とされる。FBIのコミー長官が言うには、書類の束は彼の手首よりも分厚くなるのが普通だった。

申請書には、過去にペイジがFBIに行った供述も記載された。二〇一三年六月、グレゴリー・モナガンという防諜担当の当局者が、ポドブニーやSVRの工作員たちとの関係についてペイジに事情聴取をしていたのだ。ペイジは何もやましいことはしていないと言った。しかし申請書は、ペイジは聴取以降も正体を隠したロシア工作員たちと面会を重ねたと指摘している。

ＦＢＩは外国諜報活動監視裁判所（ＦＩＳＡ裁判所）に証拠を提出した。国家安全保障に絡む敏感な事案を扱う秘密裁判所だ。ＦＢＩは、ペイジがロシアのスパイとして活動していることを示す強い根拠があると主張し、判事はその言い分を認めた。これによって、ＦＢＩはそれ以降のペイジの電子通信にアクセスできるようになった。令状の有効期間は九〇日だったが、のちに更新されることになる。

一方、ペイジはトランプの顧問として寿命を迎えようとしていた。モスクワでの講演が物議をかもし、多くの非難が寄せられたからだ。トランプ陣営とロシアとのつながりは論争の火種になろうとしていた。ワシントン・ポスト紙が報じた陣営上層部の話によれば、ペイジは政策メモを書き、トランプの外交政策顧問チームの夕食会に三回出席した。会議でトランプと同席したこともある。しかし、トランプと個人的に会うことはできなかったという。

八月末に行われた議会幹部たちに対する非公開の説明会で、ペイジの名前はあきらかに目立っていた。すでにＣＩＡやＦＢＩは、ペイジに言及している大量の傍受情報を精査していた。国家安全保障会議（ＮＳＣ）にいたことのある人物によれば、その多くが、いわゆる「ロシア人同士」の会話だった。上院少数党院内総務のハリー・リードは八月二七日付でコミーに送った書簡で、トランプの顧問の一人と「制裁対象になっている高位の個人」とのあいだに「不穏」な接触があると伝えた。ペイジとセチンのことだ。

こうした醜態は事細かくヤフーニュースに掲載されて公になった。陣営は数時間のうちにペイジを見限り、トランプとのつながりを誇張していただけの部外者として切り捨てた。ペイジは九月末に陣営を去ったが、苦しみは始まったばかりだった。

スティールがロスネフチ筋から仕入れた情報は正しかった。トランプの大統領選勝利から一カ月もしない一二月初旬、ロスネフチは株式の一九・五パーセントを売却すると発表した。一九九〇年代以降で最大級の国営企業株の売り出しであり、表向き、ロシア経済に対する信任投票でもあった。

プーチンが一二月七日にロスネフチ株の売却を発表した背景に、このような経緯があったのは確かだ。発表はセチンとの面談をテレビ放映する形で行われた。プーチンは、この売り出しはアメリカとEUによる制裁のなかでもロシアが国際社会の信用を得ている証拠であり、石油・ガス部門で最大の株式売買でもあると自賛した。一〇二億ユーロの売却収入は、間違いなくロシアの予算にとって救いの手になったことだろう。

しかし謎もあった。本当の株の買い手が誰なのかだ。ロスネフチの発表では、カタールの政府系ファンド、カタール投資庁と、スイスの石油取引企業グレンコアが半分ずつ株を取得したとされた。しかし、グレンコアはこの取引にたったの三億ユーロしか出していない。カタールは二五億ユーロだ。そこにイタリアのインテーザ・サンパオロ銀行が五二億ユーロを拠出した。だがロイターによると、取得価格の四分の一は出所不明のままだった。

では、誰が背後にいたのだろうか。この取引の引き受け役はロシアの国営銀行、VTB（ロシア外国貿易銀行）だった。そのVTBはロスネフチ株が売り出される直前、ロシア連邦中央銀行に債券を売却している。ロシアの予算から出た国の金によってロスネフチ株の取引が進められたことになる。

また、この売り出しは、所有権が把握しにくい形で行われた。取引の協力先の一つにケイマン諸島の企業があった。名前はわからない。少なくとも、「所有者」は個人ではないようだ。おそらく、ケイマンの会社は別のオフショア企業とつながり、そのオフショア企業がさらに別の企業とつながり、無数の連鎖が続いていくのだろう。

スティールの内部情報源は、ロスネフチの経営委員会が売却を知らされる数カ月前に計画を知っていたことになる。委員会への通知は一二月七日、セチンとプーチンが売却発表のテレビ収録を終えて数時間してからだった。ロシア閣僚たちさえ知らなかった。ある筋はロイターに対し、「セチンが一人ですべてやった。政府はこの件に関わっていない」と述べている。

それから数週間、アメリカなど西側諸国の諜報機関は、この取引を徹底的に調べた。金はどこに行ったのだろうか。ロシアの記者たちは、トランプの懐に入ったという見方には懐疑的だった。むしろ、めぐりめぐってプーチンとセチンにたどり着いた可能性のほうが高いとみていた。証拠はなく、ロシア政府も、ほかの当事者もコメントしようとしなかった。

ロスネフチ株の売却が発表された翌日、ペイジはまたもやモスクワに飛んだ。七月の訪問では歓待を受けたが、彼はもうトランプ陣営、ひいてはロシアのお荷物だった。大統領報道官のドミトリー・ペスコフは、政府上層部がペイジと会う予定はないと言った。

訪問に関するペイジ自身の説明は曖昧だった。彼は国営ロシア通信（ＲＩＡノーボスチ）に対し、「ビジネス界のリーダーや思想上のリーダーたち」に会いに来たと言い、六日間滞在する予定だと語った。

それから数カ月、ペイジは自分にかけられた疑いを強く否定し続けた。彼は「平和の探求者」を演じた。また、工作員のポドブニーのことを「ロシアの若手外交官」と呼び、共感さえ示した。ペイジはガーディアン紙への電子メールで、オバマは「冷戦の伝統にしたがって」、ポドブニー、スポリシェフ、そしてペイジ自身を迫害してきたと訴えた。

「この冷戦の精神を打ち破り、ロシアにいるという時代遅れな空想上の悪霊ではなく、真の脅威に意識を集中させるときが来ている」というのがペイジの言い分だった。

ＳＶＲに対するペイジの忠誠は驚嘆に値する。ポドブニーは「空想上の悪霊」ではなく、アメリカの国益に反する仕事をしているプロの工作員だ。それに、ペイジの陰口を叩いていた張本人でもある。

ペイジがロシアの工作員に手を貸したのは、欲張りだったからかもしれないし、未熟だったからかもしれないし、愚かだったからかもしれない。だが理由が何であれ、その苦悩はここからさらに深まっていく。

ペイジが主役となった秘密の報告書は、もはや秘密ではなくなった。公開しようと動いている者がいたのである。

第3章
公開と非難

2017年1月
ニューヨーク、バズフィード本社

「マスコミのことは十分すぎるほどわかっている。編集者というのはたいてい、クモの巣の中に隠れている……嘘を吹き込み、政治家を中傷することで出世を果たし、欲深い懐を満たすのだ」

――シンクレア・ルイス
『It Can't Happen Here（ここで起こるはずのないこと）』

二〇一七年初めの時点で、ドナルド・トランプとロシアをめぐる告発は政界とメディアの公然の秘密になっていた。編集者やコラムニストなら、細かな見どころまでは知らなくても、誰でも話ぐらいは耳にしていた。英紙ガーディアンのジュリアン・ボーガーや、米紙ニューヨーク・タイムズ、米ニュースメディアのポリティコなどの記者に至っては、スティール報告を読んだこともあった。私はというと、報告書の存在は知っていたが、読んだことはなかった。

スティール報告はサミズダート（地下出版）のように回し読みされた。ソ連時代、政府当局に禁止され、人々が寝静まった真夜中に家の中で読まれていた出版物（たとえば、パステルナークやソルジェニーツィンの作品）のことだ。こうした文書は、タイピングされた紙原稿の形で、読み終えた者から次の読み手へとこっそり渡されていった。

スティールが調査情報を漏らしたのではない。出所不明のメモが出回った裏では、グレン・シンプソンが動いていた。シンプソンは報告を支持してくれる読者が必要だと確信していた。また、FBIの捜査には何年もかかると考えていた。

国家安全保障分野の記者やモスクワ特派員たちは数カ月前から精力的に告発の裏付け調査を進めていた。電子メールや秘密の編集会議、暗号通話アプリのSignal（シグナル）、PGP（Pretty Good Privacy）方式の暗号化メールのような方法で連絡を取り合った。プラハに飛ぶこともあった。

この都市、あるいはその付近に、トランプの弁護士であるマイケル・コーエンとロシア工作員たちの接触場所があるとされていたからだ。記者たちはモスクワにも行った。

一〇月、クリントン陣営のある人物から私にメールが届いた。モスクワで売春婦とセックスしたという情報を含め、トランプに不利に働く未確認情報が示されていた。出所はロシア連邦保安庁（FSB）の内部関係者だという。スティール報告からの情報ではなかったが、符合するところがあった。メールには目を引かれたが、シェイクスピアの舞台を見た観客が記憶を頼りに大急ぎで脚本を書き起こした結果、不完全なコピーができた、というような代物だった。確かに興味深い。しかし、どんな経緯があってそんな代物ができたのだろうか。

この慌ただしい取材活動は、アメリカ国民にはほとんど知られていなかった。マザー・ジョーンズ誌に載ったデイヴィッド・コーンの記事と、オンライン雑誌スレートに載ったフランクリン・フォアの記事くらいだ。記事には、ロシアのアルファ銀行とトランプ陣営のあいだに置かれたメールサーバーのことが書いてあった。秘密の連絡に使われたサーバーだという。事実なら非常に面白い話だが、それがどんな意味を持つのだろうか。こうした興味を引く記事は断片的に出ていたが、その先にあるものが公になることは少なかった。欧米のメディアや諜報機関、さらに政治家たちは、巨大な秘密を守り続けていたのである。

メディアの編集責任者たちはあきらかにジレンマを抱えていた。

スティール報告は信用できそうだ。しかし、告発の鍵となる部分、すなわち、メール流出をはじめとする出来事でトランプが積極的にロシアと共謀していたという部分に確証が得られなければ、どうやって世に出せばいいのかが見えてこない。間違った情報を広めても社会の利益にはならないし、自分たちが醜態をさらすことになりかねない。しかも、訴えられる危険がある。プーチンが提訴することはないだろう。KGBには、ほかにいくつも手段があるからだ。しかしトランプは違う。トランプは、訴訟を連発し、裁判で相手を攻め立て、プロレスばりに組み伏せるのを常套手段にしていた。

だが、マケインの介入が決め手となり、そうした編集上の力学に変化が生まれた。トランプの大統領就任が迫っていたが、マケインのひと押しによって、報告を公表する方向に重心が移ったのだ。アメリカの諜報機関がスティールを信頼していて、それぞれにスティール報告の裏付けを取ろうと動いているのなら、そのこと自体が記事になるのではないか。それに、FBIがさらなる捜査のためにFISA裁判所に令状を申請したという事実には、間違いなく報道する価値がある。

第一報はトランプ大統領就任の一〇日前、CNNが伝えた。アメリカ諜報機関の上層部がオバマとトランプに極秘文書を提出したというニュースとして。さらにCNNは「ロシアの工作員が、トランプ氏の不名誉となる私的、金銭的な情報を手にしたと主張している」という部分も報じた。情報の出所は「報告を直接知りうる複数のアメリカ当局者」とされた。

CNNによれば、スティール報告の要約版は、共和、民主両党の最上層部四人ずつからなる「ギャング・オブ・エイト」と、上下両院の情報特別委員会の委員長や有力議員たちにも渡った。要約版は二ページにまとめられたが、極秘指定されたために、ロシアのハッキングに関する別の報告には付け足されなかった。こちらの報告も機密ではあったが、政府内でより広く共有された。

CNNは、スティール報告にはさらに恐ろしい内容があるが、裏付けが取れていないため報道しないと伝えた。その一方、諜報機関のトップたちがトランプに報告の要約版を渡すという「特例措置」を取ったのは、告発の内容が広まっていること、少なくとも諜報コミュニティーと議会の内部に知れ渡っていることを本人に知らせるためだったと報じた。

スティール報告をめぐる動きを報道するというCNNの判断は、一言でいえば大胆なものだった。そしてもちろん、正しい決断でもあった。内部関係者は何カ月も前から知っていたのに、国民は知らされずにいたのだから。

しかし、これはCNNの頭痛の種になる。スティール報告の出所について説明したテレビ出演者のなかに、一九七二年のウォーターゲート事件を報道したカール・バーンスタイン記者がいる。バーンスタインは七三歳になり、白髪に風格を漂わせていた（バーンスタインとかつてタッグを組んだボブ・ウッドワードは、いまもワシントン・ポストで働いているが、スティール報告にはよい印象を持っていなかった。彼は、報告はトランプに対する中傷だと言い、「紙くず」と呼んだ）。

その数時間後、ニュースサイトのバズフィードがアメリカの報道・出版史上最大級の決断をする。

バズフィードはニューヨークに本社を置き、マンハッタンの東一八番通りにオフィスを構えている。近くのユニオン・スクエア・パークは、バーンズ・アンド・ノーブル書店や職人肌のコーヒーバーもある緑豊かな場所だ。従業員は二〇代から三〇代の若手で、紙にインクで刷った新聞などというレトロアイテムとも過去の遺物ともつかない代物は、作ったことがないのが普通だった。二〇〇六年の創業当初は、ケーキの写真から安い整髪料まで、何でもリスト形式で小ぎれいにまとめた「リスティクル」（「リスト」と「アーティクル（記事）」を合わせた造語。「おすすめスマホ・アプリ一〇選」や「〇〇が□□な五つの理由」のような記事のこと）を編集していた。しかし、二〇一一年にベン・スミスが編集長に就任して以降、本格的なジャーナリズムに進出すると、国外特派員のネットワークを築き、特ダネをものにし、調査報道まで手がけるようになった。

ＣＮＮの報道のあと、バズフィードは誰もやりたがらないことをした。スティール報告の完全版をウェブ上で公開したのだ。シンプソンはワシントンで慎重に報告の詳細を説明して回っていたが、皮肉なことに、スミスには手が回っていなかった。バズフィードは別のルートで報告の完全版を手に入れたのである。

三五ページに及ぶスティール報告の完全版は、いまや誰にでも読むことができる。アリゾナ州のフェニックスでも、遠くロシアの太平洋岸にあるカムチャツカ半島でも手に入る。バズフィードは報告に数カ所だけ手を加え、仕事上の肩書きから情報提供者を特定できる記述を黒塗りにした。また、補足コメントを一カ所削除した。それでも、エリート層にとって周知の事実となっていた情報が、ついに民主主義の血管に注入されたことに変わりはなかった。

バズフィードは報告に添えた記事で、裏付けが完全でない文書を公開するのは「アメリカ人が自ら判断できるようにするため」だと説明した。また、報告の内容は「アメリカ政府の最高レベルで回覧されていた」としたほか、裏付けが不完全で、一部に間違いもあると指摘している。

次期大統領の反応は凄まじかった。発信にはトランプお決まりの方法が使われた。大嫌いなリベラル系メディアの頭越しに、自らに投票した数千万人の熱烈な支持者に直接届くルートである。

一月一〇日のツイート：

フェイクニュース――完全な政治的魔女狩りだ！

報道がフェイク（虚偽）だという主張はその後、より広い範囲で、繰り返し使われるようになる。

さらに、トランプはスティールのことを、「嘘の言い分」を吹聴し、「訴えられるのを恐れている出来損ないのスパイ」だと切り捨てた。また、スティールの依頼主について、「見下げた政治工作屋だ。民主党も、共和党も。フェイクニュースだ！　ロシアは何もないと言っている」と批判した。

バズフィードはというと……「崩れかけたごみ山」の「左翼ブログ」だそうだ。

こうした怒りのフーガは、トランプが大統領でいる限り、やむことなく繰り返されることになる。彼と大半のメディアの関係は、敵意をむき出しにした言い争いに成り下がろうとしていた。これと並行して、側近たちも、メディアの言うことはすべて嘘だというトランプの主張を繰り返した。

トランプの弁護士であるコーエンの声は悲しげにすら聞こえた。彼はミックというニュースサイトに対して、スティール報告は、見苦しい、荒唐無稽な陰謀だと語った。また、「どう見ても馬鹿げている」と言い、「この話を創作した人間は、まったくの空想からひねり出したか、リベラル系メディアが根拠なんて気にせずにこの作り話を流してくれると思っていたに違いない」とも述べている。

こうした反発は織り込み済みだったに違いない。トランプ陣営の立場は明白だった。彼らに言わせれば、報告は、虚構で、茶番で、計画的殺人で、でたらめで、党派的な偏りのある、リベラル派の醜い中傷でしかなかった。スティールが拠点とするロンドンのスラングで言い換えれば、完全な“bollocks”（「睾丸」と「くだらない話」の二つの意味がある）ということだ。

バズフィードの編集長であるスミスは、後悔していないと言い切った。彼は、アメリカの諜報機関のトップは報告を重大な情報として受け止めていると指摘した。そうでなければ大統領に伝える理由がないだろう、と。そして、報告はすでに議員たちの行動に影響を与え、上院少数党院内総務のハリー・リードなどがＦＢＩに対して公然と疑問を呈しているとも言った。「太陽には殺菌作用がある」。それがスミスの考えだった。

この判断には、報道倫理の授業でのディベートや、二一世紀末以降の歴史研究で取り上げるべき素材がいくつも含まれていた。裏付けの不完全な情報を伝えるというバズフィードの決断は正しかったのか。それとも報道をさらなる低俗なものにしてしまったのか。ジャーナリズム専攻の熱心な学生にとって、間違いなく永遠のテーマになる問題だ。

報告の作成者の身元はしばらく謎のままだった。イギリスの元諜報員だという噂もあった。ロンドンにいたニック・ホプキンズと私は、それがスティールのことなのではないかと考えた。ホプキンズはスティールにテキストメッセージを送ったが、返事はなかった。

一月一一日の夕方、私は米ロ関係とサイバー・スパイに関する集会に出席していた。会場はフロントライン・クラブ。二〇〇六年、ロシア政府を批判していたアンナ・ポリトコフスカヤ記者が殺害されたことを受け、リトヴィネンコがプーチンを非難したのと同じ場所だ（毒を盛られる三週間前だった）。この日の集会には、ＳＩＳの元副長官、ナイジェル・インクスターも出席していた。

議論が半ばを過ぎた頃、ウォール・ストリート・ジャーナル紙が、報告を書いたのはスティールだと報じた。

旧来のメディアは、報告を公開するというバズフィードの判断に憤りを感じていた。自分たちの手元にも報告はあったが、公にしないことを選んだという言い分だった。コラムニストたちもバズフィードを厳しく批判している。ワシントン・ポスト紙のマーガレット・サリバンは、噂や曖昧な情報を広めることなどありえないと書いた。そして、「一線を越えて、後戻りできない倫理の下り坂を」滑り落ちたと言ってスミスを批判した。また、ニューヨーク・ポスト紙のディットー・ジョン・ポドレッツは、ジャーナリストはあらゆる情報源を疑ってかかるべきで、それが「諜報」絡みのものならなおさらだと言った。

これは左派からの批判に共通するテーマだ。ガーディアン紙の元記者、グレン・グリーンウォルドもその一人だった。グリーンウォルドは、二〇一三年にエドワード・スノーデンがＮＳＡによる大量監視を暴露した際にスノーデンに協力し、情報を公開していた。彼らは、サダム・フセインが大量破壊兵器を持っているという誤解に基づき二〇〇三年のイラク戦争が始まったこと、そして大量破壊兵器があると断言していたのが諜報機関の情報源だったことを指摘した。その情報源は嘘をついていた。今回も信用できないのではないか、という疑問だった。トランプも同じようなツイートをした。

だが興味深いことに、メディアには、大衆に知らせるという使命を果たしていないという自覚があった。新聞はわかりやすいニュース（ヒラリーのつまらないメールスキャンダル！）を伝えながら、難しいニュース（トランプ、ロシア、セックス、そしてロシアが大統領選の形勢を変えようとしていたという暗い仮説）には触れずにやり過ごそうとしてきた。

ニューヨーク・タイムズ紙のパブリック・エディター（編集・論説部門から独立して報道倫理の視点から紙面を監督しながら、読者との橋渡しをする役割）、リズ・スペイドは、新聞記者たちは二〇一六年の初秋、多くの時間を費やしてトランプをめぐる噂の真相を追っていたと振り返る。記者たちはＦＢＩがロシア政府との連絡ルートになっていた隠しサーバーを捜査していることに気づき、スティールに会い、さらに原稿を書いてさえいた。そこまできて、ＦＢＩの高い地位にいる複数の情報源から記事を出さないよう求められたのだという。内部で激しい議論が交わされた末、編集長のディーン・バケットが介入し、記事の掲載は見送られた。

ニューヨーク・タイムズは臆病すぎた、というのがスペイドの結論だ。彼女は「情報を出さないよう働きかけた人物が、恥ずべき理由で動いていたとは考えていない。（中略）しかし、情報が最後のひとかけらまで完璧に確認されない限り記事を出さないなどということはありえない」と批判している。

矛盾が生じていた。まず、トランプは自分が主流メディアを敵視していることを公言していた。彼のツイートによれば、メディアはフェイクニュースを広めているだけでなく、「アメリカ国民の敵」だった。たとえば、「落ち目」ことニューヨーク・タイムズや、NBCニュース、ABC、CNNのことだ。選挙期間中、トランプは記者たちを「不誠実」で「不快」な「人間というものの最低の形態」と呼んだ。彼に言わせれば、記者たちは手足の生えたアメーバであり、「人の姿をしたごみ」だった。

ザ・ニューヨーカー誌の記者マーク・シンガーは、トランプを面白おかしく紹介した記事のなかで、メディアのほうにも問題があると指摘した。「第四権力（報道）の多くが、最初はトランプを真剣に取り上げないことで、そのあとは真剣に取り上げることで、愚かにもトランプの引き立て役になった。トランプは何カ月ものあいだ、メディアを小芝居の脇役のように扱った。そして、メディアがトランプを取り上げれば取り上げるほど、トランプはメディアをののしった」というのだ。

シンガーが見抜いたとおり、トランプがどれほどメディアに罵詈雑言を浴びせようと「カメラは回り続けた」。さらに彼は、自分自身もトランプの引き立て役になっていることを認め、「恥ずかしながら白状するが、離れた場所（具体的に言えば、自宅のリビングのソファー）にいながら、私は目を離すことができなかった」と書いている。

トランプのメディア批判は口調こそヒステリックだったかもしれないが、選挙後の行動としては、なかなか理にかなっていた。民主党が弱り、打ちのめされたことで、トランプにとって最大の敵（「アメリカ国民の敵」というのが彼の言い分だったが）はリベラル系メディアになっていた。さらに言えば、それは彼とロシアのつながりを精力的に追いかける調査報道記者たちのことだった。テレビドラマ『ハウス・オブ・カード 野望の階段』の世界と化した現実のアメリカにおいて、第四権力の役回りは重大だった。客席から観ているだけでなく、舞台に上がらなければならないのだから。トランプの目から見れば、メディアは悪党であり、黒幕であり、敵役であり、破壊者だった。

その一方、トランプが第四五代アメリカ大統領になったことは、ニュース・メディアにとてつもない影響と恩恵をもたらした。トランプの登場まで、記者たちは仕事への意欲を失っていた。控えめに言っても、士気は下がりがちだった。ボルティモア・サンやフィラデルフィア・インクワイアラーなど、かつての有力紙を支えた広告モデルが破綻し、ニュース編集者の解雇や国外支局の削減、紙媒体における売り上げ部数の減少が、二一世紀初頭のキーワードになっていた。

それがいまや、デジタル版の新規購読者は急増し、記者たちは間違いなく職業人生で最大のネタを得て活気を取り戻していた。ワシントン・ポストの編集主幹、マーティー・バロンは私に「こんなに盛り上がっているニュース室は、私のキャリアを振り返っても見たことがない」と語った。バロンが言うには、侮辱を受けることも、暴言を浴びることも、他の有力紙とともにトランプ陣営の集会への立ち入りを禁止されることもあったが、こうした出来事は記者たちを仕事に打ち込ませる方向に働いた。

ワシントン・ポストは久しぶりに黒字を計上した。トランプの大統領選出が追い風になり、ウォーターゲート事件を暴いた名門紙は記者六〇人と調査記者八人を雇うまでになった。ファクトチェック（事実確認）作業にも好影響が生まれた。トランプがあまりに多くの嘘を言ったため、担当デスクを一人から二人に増員したのである。さらに、ワシントン・ポストは新たに気の利いたスローガンを掲げた。それが「民主主義は闇に死ぬ（Democracy dies in darkness）」である。

バロンの見立てどおり、トランプは「国民の敵」を愛していた。この時代にわざわざ紙で記事の切り抜きを集めさせて、毎朝届けさせて熟読していたほどだ。また彼にとって、現実と向き合うのにお気に入りのメディアはテレビ、とりわけＦＯＸニュースだった。ＦＯＸの画面には、滑稽なほど賛美されるトランプが映っていたからだ。

この点で、トランプはメディアにとって歴代で最もメッセージを伝えやすい大統領だった。ワシントン・ポストは大統領候補だったトランプの半生を『トランプ』（文藝春秋、二〇一六年）という見事な伝記にまとめたが、記者たちとのインタビューの時間は合計で二四時間を超えた（それと対照的に、ミット・ロムニーは四五分しか時間を与えず、同様のプロフィール本を書くためのインタビューは拒否した）。

トランプは大統領執務室から記者たちの携帯電話に電話することさえあった。長年の知己であるワシントン・ポストのロバート・コスタもその一人だ。発信者番号が非通知だったので、暴走気味の読者が文句を言おうと電話してきたと思ったそうだ。「もしもし、ボブ」とトランプは話し始めた。トランプの電話はいつかかってくるのか予測がつかない。記者が席を離れてスターバックスコーヒーにいようが、廊下にいようが、夕食中だろうが、この「偉人」が話したいと思ったときにかかってくる。
トランプ大統領誕生の影響はほかにもあった。トランプ－ロシア問題は、多くの要素が絡み合い、あまりに複雑だったため、おのずと協力態勢が生まれたことだ。個別にスクープを追うような小さな話ではなかった。

ガーディアン紙は大西洋の両側で手がかりを追っていた。たとえば、一つのテーマとして、そもそもイギリス諜報機関はどうやってロシアとトランプ陣営の怪しい接触や、トランプの最大の融資元であるドイツ銀行の役割に気づいたのかという問題があった。私たちは、私、ニック・ホプキンズ、ジュリアン・ボーガー、それから腕利きの元ワシントン特派員でいまはローマにいるステファニー・カーチギャスナーという面々で調査チームをつくり、情報網を構築した。

健全な競争は残っていたが、さまざまな立場の記者たちが同じネタのために連携し始めた。報道機関同士の正式な提携もあったし、かつてのライバルたちが即席で情報交換をすることもあった。私はニューヨーク・タイムズ、ワシントン・ポスト、ロンドンのフィナンシャル・タイムズ、ロイター、マザー・ジョーンズ、ネットメディアのデイリー・ビースト、CNNなどと話をした。そうした対話は、ニューヨークやワシントン、ロンドン、ミュンヘン、サラエボで行われた。きれいな会議室で話したことも、パブの片隅でウォーム・エールを飲みながら話したこともある。

ニューヨーク・タイムズ紙の元編集長、ジル・エイブラムソンは、「問題の重大さ」が報道機関の仕事の仕方に変化を迫ったと語る。トランプが大統領になるということは、新しい時代が来たこと、そして縄張り主義を脱した新しい思考様式が必要なことを意味していた。

エイブラムソンは「これまではロシアの件を一番乗りで報じるために力を尽くしてきたが、これからは互いに張り合うのではなく、信頼の置ける報道機関同士が協力し、情報を出し合うべきだ」と書いた。

トランプ率いる共和党の議員たちには、スティール報告が真実かどうか調べる気がほとんどなかった。そのため、市民の目の役割はメディアに委ねられていた。CNNのファリード・ザカリアは、トランプの時代が到来したことで、報道の目的が一新されたと言う。いまや「私たちの仕事は、単純に、アメリカの民主主義の精神を死なせないこと」になったのだと。

記者たちは啓蒙主義の尖兵を気取っていたかもしれないが、彼らにはもう一つ重要な役割があった。それは、リークの受け皿になることだ。トランプ政権は発足後、ニクソンの二期目以降で最も情報流出の多い政権になった。大統領は思いどおりにならず機嫌を損ねた子どものように、情報を漏らした者や情報が漏れたことを非難したが、責めれば責めるほど、政敵は彼に不利な情報をリークした。

スティールが報告の読み手として想定していたのは、目の肥えた少数の諜報専門家たちだった。自分と同じような、自分が実力を認めている人たちと言ってもいい。ところが、いまや誰もが報告を手にしている。記者たちにとってスティール報告はロケット燃料だった。これをエネルギーに、先の見えないまったく新しい探査ミッションへと飛び立ったのである。大統領の弾劾に発展するかもしれないし、証拠不足のスキャンダルとして立ち消えになるかもしれない。それは、いつ終わるとも知れない旅だった。何カ月もかかるのは間違いないが、数年がかりになってもおかしくない。それらしい情報はいくつもあったが、確かな事実はそれほど多くなかった。

モスクワを見ると、ロシア政府の反応はトランプのそれと呼応していた。スティール報告への対応を任されたドミトリー・ペスコフ大統領報道官は、報告の内容を非難した。ペスコフは一連の問題に関与していた。スティールによれば、ロシア諜報機関が長年かけて収集した「ヒラリー・クリントンの痛手となる情報をまとめた文書」は、ペスコフが管理していたのである。しかもそれは、「プーチン直々の指示」を受けてしていることだった。

まず、ペスコフはトランプをめぐる主張を否定し、「この情報は現実と一致せず、フィクションにすぎない」と述べた。そのうえで、ロシア政府は「弱みとなる情報の収集に関わっていない」と断言し、スティール報告が公表された裏には「劣化」した米ロ関係の改善を妨げようという政治的動機があると批判した。さらにペスコフは、トランプの言葉を借用して報告を「完全なフェイク」と呼び、「それが印刷された紙ほどの価値もない」と切り捨てた。

ロシアのスパイ活動を知る者であれば、真顔で報告を否定するペスコフを見て、笑わずにいられないだろう。確かに、ＦＳＢがトランプの卑猥な動画を本当に持っているのか、部外者には知りようがない。しかし、ＦＳＢや前身のＫＧＢの歴史をさかのぼれば、人を陥れるための情報を収集していた例はいくらでもある。そして、その多くが、標的が性行為（妻や夫が相手の場合もあるとはいえ）に及んでいるところをとらえたものだ。

私には次のような経験がある。

ロシア特派員だった頃、ＦＳＢは低レベルな嫌がらせ作戦の一環で、私たち一家が住んでいたアパートに侵入した。スティールの時代のＫＧＢと同じく、連中はいつも、これ見よがしに証拠を残していった。モスクワのイギリス大使館からの忠告によると、アメリカとイギリスの外交官や大使館のロシア人職員たちも同じような「住居侵入」を受けていたらしい。こうした心理戦はＫＧＢの時代から行われていた。一九七〇年代、プーチンが諜報員の訓練学校に通っていた頃の教本にも書いてあったはずだ。外交官たちは、私のアパートは盗聴されていると言った。

ベルリンで休日を過ごして家に戻ると、またＦＳＢに入られたことに気づいた。連中はこのとき、私たち夫婦のベッドに本を置いていった。『Love, Freedom, and Aloneness（愛、自由、孤独）』のロシア語版だ。

セックスと夫婦関係のマニュアル本だった。

連中はご丁寧にしおりを挟んでいた。一一〇ページだ。好奇心で開いてみると、オーガズムについて解説があった。陰鬱で、不快で、無意味で、異様な状況だった。しかし、ウォッカを二、三杯飲んでからよく考えてみると、ＦＳＢのプレゼントは爆笑ものの冗談のように思えてきた。テクニックを改善しろとでも？　あるいは回数に問題があったか？

いずれにせよ、ＦＳＢのメッセージはあきらかだった。「お前を見ているぞ」である。

プーチンは、彼の諜報機関が標的の寝室で何をしているのか十分に理解していた。とりわけ、ロシア報道機関の言う「尻軽女たち」と一緒にいるところを録画するやり口のことは。

一九九九年、検事総長だったロシアのユーリ・スクラトフが、大統領のボリス・エリツィンと対立した。スクラトフの汚職捜査が政府内部の有力者に及んだことが不評を買ったのである。捜査対象には、オリガルヒのボリス・ベレゾフスキーも含まれていた（当時のベレゾフスキーは、大統領直轄の連邦安全保障会議で副議長を務め、陰の実力者として権力の全盛期にあった）。このとき、政府傘下のテレビ局は、スクラトフが二人の売春婦とベッドにいる映像を流した。好ましい映像ではない。映っているのは、二人のブロンド女性とソファーに横たわる太った中年男である。タイムスタンプは午前二時四分となっている。

これでスクラトフは政治生命を絶たれ、放送から間もなく健康上の理由で辞職した。検事総長を失脚させたこの国辱ものの事件で、大きな役割を果たした高官がいる。映像は本物だと確信していると証言した当時のFSB長官、プーチンである。彼はこのとき、ロシア国民の記憶に残る印象的な名文句を生み出した。

映像には「検事総長と外見上よく似た人物」が映っているという、そっけないフレーズだ。

プーチンが大統領になってからも、FSBは標的の私的な時間を盗撮し続けた。秘密の監視は広範囲にわたったため、イギリスはモスクワに赴任した外交官にハニートラップに気を付けるよう指導していた。

過去には高名な当局者が引っかかった例もある。一九六八年、イギリスの駐ソ連大使だったジェフリー・ハリソン卿は大使館で働くメイドと関係を持った。承知のうえだったのかもしれないが、そのガリヤ・イヴァノヴァというメイドはKGBに雇われていたのである。KGBから写真を送りつけられたハリソンはイギリス政府に事態を伝え、即座に帰国命令を受けた。そして彼は「警戒を緩めた」ことを認めた。

西側諸国の外交官を釣るために使われた魅力的な若い女性は、「ツバメ」と呼ばれた。ソ連時代はKGB第二総局が彼女たちを送り込んでいた。

二〇〇九年、ウラル連邦管区の主要都市、エカテリンブルクに駐在していたイギリスのジェームズ・ハドソン副領事は、現地のマッサージ・パーラーにいるところを撮られた。スクラトフと同様、映像中のハドソンも醜いガウン姿で、二人の女性とキスをしたり、シャンパンを飲んだり、ベッドでことに及んだりしている様子がはっきり映っていた。FSBはタブロイド紙コムソモリスカヤ・プラウダに動画をリークし、それが「ハドソン氏、ロシアで大冒険」という軽薄な見出しとともに掲載された。ハドソンはその後、ひっそりとロシアでの職務を外れ、イギリス外務省を辞めている。

一カ月後、またFSBの被害者らしき人物が出る。次はアメリカ人だ。今回もコムソモリスカヤ・プラウダが映像を公開した。映っているのはアメリカのカイル・ハッチャーという外交官で、売春婦に電話をかけているところだという。しかし、映像の出来はどう見ても素人くさかった。安っぽいサックスのBGMが流れるなか、ハッチャーとされる人物が、アメリカ訛りのロシア語でインナ、ソーニャ、ベロニカという女性に「一時間後、空いてるか?」と尋ねている。ベロニカは「一時間半後」と答えた。

コムソモリスカヤ・プラウダは、ハッチャーはCIAの工作員だと書いた。さらに、表向きの仕事はキリスト教やイスラム教を含むロシア宗教界との連絡役だが、裏の顔があるとして、動画の公開を正当化した。アメリカ大使のジョン・ベイラルは、映像は偽物だとしてロシア外務省に抗議した。

FSBが仕掛けるセックス絡みの罠は冷戦期からそう変わっていない。騙し、取り込み、弱みを握り、脅すという、秘密機関らしい古典的な目的で使われている。

工作員たちにとっては比較的簡単な作戦だ。隠しカメラはKGBの全盛期よりずっと小さくなった。画質も上がり、必要なら国営テレビでも十分に放送できるほどになっている。

多くの場合、色仕掛けの餌食になるのはロシア人だ。二〇一六年四月、ロシアの野党指導者、ミハイル・カシヤノフは、化粧台に座っているところを隠し撮りされた。プーチンの下で四年にわたり首相を務めた末、二〇〇四年に解任され、野党に加わった人物だ。そのカシヤノフが、人民自由党の側近であるナタリア・ピリビナと二人で服を脱いでいるところを撮られていた。モスクワにある私人のアパート内で撮影されたその映像が、NTVによって放映された。プーチン批判者を狙い撃ちするために使われていたテレビ局である。

さらにNTVは、プーチンが一七年前のスクラトフの一件で使ったそっけないフレーズを使い回し、映像に「ミハイル・カシヤノフと外見上よく似た人物」というナレーションを加えた。

プーチンがモスクワから示したスティール報告への反応は、複数のメッセージを一度に伝える上級テクニックだった。まずプーチンは、トランプがロシアに着いてすぐに売春婦に手を出すわけがないと疑問を呈した。それから、トランプは「大人の男」であるうえに、世界中のミス・コンテストやコンペの現場にいた頃、美女たちと長い時間を過ごしていたとも言った。誘惑への耐性があるはずだ、という意味だろう。

プーチンは続ける。「彼が立場をわきまえずホテルで女性たちと会うなどということは想像しがたい。彼女たち（ロシアの売春婦）が世界最高なのは間違いないところではあるが。それでも、トランプが虜（hooked）にされたという話は疑わしい」

額面どおりに受け取れば、強大な超大国の指導者になろうとしているトランプを擁護しているように見える。しかし実際のところ、プーチンはロシアの売春婦の誘惑には抵抗できない（「世界最高」）と言っている。「疑わしい」という言葉も曖昧だ。それに〝hooked（釣り針にかかった）〟という単語は売春婦（hooker）たちに騙されて餌に食いついている魚を連想させ、トランプをおとしめる表現でもある。

波立ち、濁った水面に隠れてかすかにしか見えないが、プーチンは得意の皮肉含みのユーモアによって、もう一つのメッセージを送っていたのではないだろうか。「ドナルドよ、こっちはテープを持っているぞ！」と。もしそうなら、次期大統領は真意に気づいたに違いない。

プーチンは明から暗にトーンを変え、売春行為は、その場にいる若い女性たちの責任ではないと言った。彼女たちに選択の余地はなく、収入を得ようとしているだけで、トランプに対する「罠」を仕掛けさせた者たちこそ本物の悪党なのだ、と。また、その者たちは「売春婦より悪質」で、「倫理にまったく縛られない」とも言った。ここでプーチンはスティールを、さらに西側諸国のスパイすべてを非難していた。

短く、効果的な演説だった。気の毒なのは、プーチンと会談するためモスクワに来ていたモルドバのイゴル・ドドン大統領である。プーチンの発言は二人の共同記者会見で出たものだった。親ロシア派を支持基盤にして大統領選に勝ったばかりのドドンは、国際問題をめぐる異様なやり取りに圧倒され、緊張した様子で演壇の縁をとんとん叩いたり、マイクをじっと見つめたり、ペンを並べ替えたりしていた。

プーチンとトランプは一体となってスティール報告を否定した。同じ言葉を使い、同じ怒りの表現で、同じように「ニェット（ノー）」を言った。

トランプはツイッター上で、ロシアが報告を一蹴したことを引き合いに出した。いわく、

ロシアはいま、私の政敵たちが金を払った裏付けのない報告が完全かつ全面的な捏造(ねつぞう)であり、まったく無意味だと言った。ひどい不正だ！

またいわく、

ロシアが私に影響を及ぼそうとしたことなどない。私はロシアと無関係だ！　取引も、借金も、何もない！

さらにいわく、

諜報機関は、このフェイクニュースが国民に「リーク」されるのを見過ごしてはいけなかった。私への最後の反撃だった。我々はナチス・ドイツで暮らしているのか？

トランプの全面否定戦略には、二つの問題があった。一つ目は、プーチンの言葉を好んで引用すれば、二人が結託しているという見方が確実に強まること。二つ目は、ロシア政府が真実を言ったという実例が極めて乏しいことだ。プーチンは大きな嘘もつくし（二〇一四年にはクリミア半島に正体を隠してロシア兵を派遣した）、小さな嘘もつく。リトヴィネンコ暗殺を計画したことも隠した。二〇一五年に暗殺された野党指導者、ボリス・ネムツォフは、プーチンは「嘘の専門家」だと言った。ネムツォフに言わせれば、プーチンが人を騙す習性は「病的」だった。

もちろん西側諸国の政治家たちも嘘をつくことはある。しかし、ロシアにおける虚偽と改竄の歴史は長く、帝政時代、エカテリーナ二世を欺くためにポチョムキンが作った見せかけの村々にまでさかのぼる。ゴーゴリの『検察官』や『死せる魂』をはじめ、文学も現実離れした虚構に満ちていた。さらに、レーニンは真実を階級闘争より低く位置付けていた。

プーチンにとって、嘘はKGBの実戦的な戦術だ。ロシアの二一世紀式ポストモダン・メディア戦略には、レーニンの相対主義的思考が取り入れられている。重要なのは本物の真実ではない。政府が「お墨付き」を与えた真実こそが重要なのだ。それがロシア国内で喧伝され、ロシア・トゥデイ（現RT）などの国営のニュース媒体を通じて国外にも広められた。

舞台裏では、FBIがスティール報告の大部分が事実であることを確認していた。しかも、一部の重要な点は気味が悪いほど正確だった。また、トランプ陣営とロシア当局者が実利的な関係を築いていたこともあきらかにしていた。モスクワから政治的に有益な情報が提供され、その見返りが渡されていたのである。報告によれば、「共同での謀略がかなり進展していた」という。

トランプ側は一体何を渡していたのだろうか。

アメリカとロシアが緊張を抱える主要分野の一つに、ウクライナがある。スティールの情報源たちによれば、トランプ陣営はロシアによるウクライナ介入を選挙戦で取り上げないことに同意した。代わりに、バルト三国と東欧におけるアメリカとNATO（北大西洋条約機構）の防衛協力をトランプが取り上げ、「注意をそらす」ことになっていた。プーチンには「（ウクライナ）問題の悪化が広がるのを防ぐ必要があった」ため、このトランプの動きは援護となる。

つまり、取引があったのだ。ロシア政府からの支援の見返りに、トランプがウクライナ問題における共和党の姿勢を軟化させ、ラトビア、リトアニア、エストニアのバルト三国に矛先を向けるという話だった。三カ国はＮＡＴＯ加盟国ではあるが、ロシアと国境を接し、ロシア政府と難しい関係にあった。また、いずれも相当な数のロシア系少数民族が国内にいて、日々の情報の大半をロシアの国営テレビから得ていた。そうした事情で、三か国は国外からの侵攻に対しても、国内での政府転覆の動きに対しても、特に脆弱だった。

どうやら、トランプの仕事は話題をすり替えることだったらしい。プーチンの不法な土地収奪と軍事侵攻から視線をそらし、ヨーロッパのＮＡＴＯ加盟国のほとんどが、ＧＤＰの二パーセントと決められている国防費の目標最低基準を満たしていないという明白な事実のほうに目を向けさせるということだ。この方針は、トランプ自身の孤立主義的な公約を反映すると同時に、ロシア政府の利益にかなうものでもあった。

スティールは正しかった。七月一八日、共和党の上層部と議員たちはオハイオ州クリーブランドに到着した。表向きの仕事は、党全国大会でトランプを大統領候補に指名することだ。大会の出席者には、インディアナ州知事で副大統領候補となるマイク・ペンス、元上院議員で大統領候補に指名された経歴のあるボブ・ドール、元ニューヨーク市長のルディ・ジュリアーニがいた。それに、トランプ陣営の選挙対策本部長だったポール・マナフォートと、カーター・ペイジもいた。マナフォートの前の選対本部長で、ＣＮＮの解説者として大会を取材していたコーリー・ルワンドウスキーの姿もあった。セルゲイ・キスリャク駐米大使もいた。

トランプ指名の前週、国家安全保障に関する新たな党綱領を定めるために議員たちが集まった。綱領委員会のメンバーに、テッド・クルーズを支持していたダイアナ・デンマンというテキサス州選出議員がいた。デンマンは古くからの共和党支持者で、熱烈なレーガン派でもあった。そのデンマンが綱領の修正を提案した。以前であれば、ほとんど反対はなかったであろう内容だ。

修正案は、共和党政権が誕生した場合、新政権はロシアに対する制裁を維持または強化するとともに、ウクライナの親欧米政府に対する支援を増強し、戦闘中のウクライナ軍に「殺傷力のある防衛兵器」を提供することを求めていた。また、「今日、『完全かつ自由なヨーロッパ』という冷戦後の理想は、ロシアがウクライナにおいて実行している軍事侵攻によって重大な試練に直面している」としたうえで、ウクライナ国民は「我々の称賛と支援に値する」という一文もあった。

そのあと、奇妙なことが起こる。

トランプ支持派の議員と協力していたトランプ陣営のメンバーたちが、修正案を書き直させたのだ。陣営から出席していたJ・D・ゴードンはデンマンに対し、修正案に「ニューヨークの承認」を得なければならないと言った。USAトゥデイ紙によれば、ゴードンは党全国大会の合間にキスリャクと話をした。そして、修正案にニューヨークから変更が入り、ウクライナに殺傷兵器を提供するとしていた部分が、「適切な支援」を提供するという、曖昧で、無意味でさえある言葉に入れ替わった。

デンマンがワシントン・ポスト紙に語ったところによると、彼女はトランプ陣営の面々に「自由を守りたがっている国とのあいだに何か問題でもあるんですか？」と問いかけ、元の文言を復活させようとした。しかし努力は無駄に終わり、骨抜きの声明が党の政策として採用された。デンマンは、この決定はレーガン主義の「力による平和」の思想を放棄するものだと主張している。ロシア（一九八〇年代のレーガン政権期であればソ連）の侵略に立ち向かう国々をはじめ、世界各地で苦闘している民主主義を支援するという方針が捨て去られたというのである。

修正案を変更させたのが誰なのかはわからなかった。党綱領の目立った修正は、ウクライナの件を含めてわずかだった。トランプはのちに、この一件をまったく知らなかったと言い切っている。しかし、共謀を示唆する手がかりは増えていた。トランプはこの発言に先立ち、ＮＡＴＯを「過去の遺物」と呼び、「アメリカにとって、いびつなほど財政負担が過剰（かつ不公平）だ」と言った。トランプ、あるいはトランプの周辺者たちは、打ち合わせどおり進んでいるという合図をモスクワに送っていたのである。

翌週、トランプはフロリダで記者会見した際、プーチンに例の有名なアピールをした。「ロシアよ、聞いているかはわからないが、（クリントン候補が）紛失した三万通のメールを見つけられるよう願っている。こちらのマスコミが気前よく礼をするはずだ。どうなるか楽しみだ」という発言のことだ。トランプは翌日、信用ならないヨーロッパ人たちにアメリカが割を食わされていると改めて主張した。ペンシルベニア州スクラントンでの「ＮＡＴＯは維持したいが、金を払わせたい」という演説である。さらにトランプは、アメリカがロシアによるクリミア占領を正式に承認する可能性まで示した。

スウェーデンの首相経験者で元外相のカール・ビルトは、これを行き過ぎだと感じた。そして、ヨーロッパの外交政策当局者たちのあいだに走った恐れと驚きを端的に表現した。スクラントンでのトランプの演説を見た彼は、「真剣にアメリカ大統領になろうとしている候補者が、西側の安全保障の深刻な脅威になりうるなんて、思いもしなかった。しかし、それが現実だ」とツイートしたのである。

トランプは演説とツイートを通じて瞬く間にアメリカの外交政策を再編し、戦後の米欧関係の基盤を担い、プーチンがＫＧＢの若手だった頃からののしってきたＮＡＴＯという組織を公然とおとしめた。こうした文脈を踏まえれば、トランプがロシアに対して露骨にハッキングを呼びかけるのも自然なことだった。

バズフィードが報告を公開した数週間後、スティールは姿を消していた。ビクトリア駅近くの事務所には顔を出さなくなった。再婚した妻と、子どもたち、妻の連れ子たちと暮らしていたサリー州の自宅にも姿はなく、パパラッチが張り込んでいた。イギリスのタブロイド紙は、彼が命の危険を感じて「逃げた」のだと考えた。英大衆紙デイリー・メールは、スティールは国を出たのかもしれないと書いた。あるいは「ＭＩ６の隠れ家」に匿われていると。各紙は近隣住民の話として、スティールは慌てて出て行ったとか、三匹の猫の世話を頼んでいたといった話を伝えた。

しかし、スティールはどこにも逃げていなかった。私は一月、スティールと親しいある人物から「彼は元気だ。目立たないようにしている」と聞いた。その友人によれば、スティールはロシア政府の暗殺チームではなく、自宅前で待ち構えているマスコミのカメラマンを避けていたのである。写真編集者は、新しいスティールの画像がなかったため、間に合わせのものを使っていた。二〇一五年のケンブリッジ・ユニオン・ソサエティの討論イベントの画像に写った、ぼやけたスティールの姿を切り出したものだ。確かにそれはスティールで、黒いネクタイをしていた。

あきらかに、世間の騒ぎぶりはありがたくなかった。現役だろうが引退していようが、諜報コミュニティーにいる者が自分のしていることを見られてはいけない。記事になり、世界的な政治スキャンダルの引き金になるというのは恥ずべきことだった。先ほどの友人は「諜報の世界の人間がプロとして守るべき基準が一つあるとしたら、それは見られてはいけないということだ。何も見せてはならない」と語っている。スティールは報告の公開を望んでいなかった。その友人に言わせれば、バズフィードは「ゲスども」だった。

イギリスの政治状況もあった。ブレグジットが決まったことを受け、テリーザ・メイ首相に何としてもトランプと良好な関係を築くよう求める声があった。そうすることで、アメリカとの貿易協定の早期締結につながるかもしれないと期待していたからだ。スティール報告がインターネットで公開されたとき、イギリス首相官邸は、トランプ政権発足後すぐに首脳会談を行えるよう調整に動いていた。赤絨毯での出迎えやバッキンガム宮殿での女王との晩餐会など、フルメニューの完全な国賓待遇によるイギリス訪問をトランプ側に持ちかけるつもりだった。

それを考えれば、イギリス政府とスティールは無関係だとメイが強調しても不思議はない。メイは「この報告を作成した個人が何年もイギリス政府で働いていないことは、どう考えてもあきらかだ」と述べた。

スティールの古巣では、メイのやり方への不安が生じていた。トランプ政権の誕生はもののはずみであって、一過性の現象だと考える者もいた。政府がトランプにごまをすることで、諜報部門間の情報共有における重要な協力関係が損なわれかねない。そう感じていたのである。ある元工作員は私に対して、トランプ政権は西側の諜報活動にとって「実在の脅威」だと語った。

一方、ブレグジット支持派の保守系新聞は、スティールと彼の功績をけなすことに熱を上げていた。彼は「正真正銘の社会主義者」であるとか、報告の内容は「根も葉もない」「こじつけ」であるとか。それに比べ、ロンドンのフィナンシャル・タイムズ紙の見解は洗練されていた。いわく、スティールの問題は、薄暗い民間商業インテリジェンスの世界における一つの法則を示している。いわく「フランケンシュタインの原理と呼べるかもしれない。つまり、情報というものは、ひとたび掘り起こしたら、ひとりでに命を宿すことがあるのだ」と。

イギリスの官僚たちはあきらかに、報告をめぐってトランプ政権から責められること、すなわちイギリス諜報部門が背後で糸を引いていると思われることを恐れている。それが在ロンドン・ロシア大使館の見方だった。またFSBにとっては、CIAも、MI6も、スティールも同じ一つの敵だった。ロシア大使館から見れば、スティール報告はイギリス政府とアメリカ新政権のあいだに亀裂を入れる有効なくさびだった。

大使館は謎かけのような黒いクエスチョンマークが並んだ画像を添えて、こうツイートしている。

クリストファー・スティールの物語。MI6工作員は引退などしていない。ロシアとアメリカ大統領の双方に不利な報告をしている。

一方、スティールは、記者に話をしても自分のためにならないと考えていた。記者たちは絶対に三つのことを聞きたがる。報告書の情報源と、依頼主と、作成方法だ。どれも話すわけにはいかない。法律面での懸念もあった。報告が公開されたことはスティールの責任ではなかった。責任はバズフィードにある。しかし、オービスは第三者から訴訟を起こされるかもしれなかった。
すでに、ロシアのベンチャー投資家、アレクセイ・グバレフが法的措置を取っていた。グバレフはXBTという国際コンピューター・テクノロジー企業と、ダラスにあるXBTの子会社、ウェブジラの所有者だった。グバレフは、スティールの一二月のメモに書かれたようなハッキング作戦への関与はなかったと強調した。

スティールの友人たちは、こうした困難にもかかわらず、彼は上機嫌だったと語っている。ふさぎ込んだりはしていなかったらしい。過激ででたらめな報道をされても、大して気にしていなかったというのだ。友人の一人は次のように語っている。「信頼を取り戻す必要なんてない。世間にはひどい情報がたくさんある。でも、大事な人たちとの関係に支障はない。彼が気にかけているのは、ごく一握りの人だけだ。世間の言うことは気にしない」

その「一握り」とは、顧客と同業者たち、つまりイギリスとアメリカの諜報員たちである。また、スティールが浮き彫りにしたトランプとロシアのつながりを追うFBI関係者たちもそこに含まれる。オービスのメールボックスにはメッセージが殺到していた。大半が支援の声だった。生活の場を用意してくれる裕福な友人たちもいた。スティールは一つだけ、逃亡犯のようなことをした。タブロイド紙が書いたとおり、鬚を生やしたのだ。

ＦＳＢの仕事がどれほど隙のないものか、スティールはよく知っていた。だからこそ、自分が身の危険にさらされる可能性が低いこともわかっていた。一般論として、ロシアの秘密機関が外国の諜報員を殺害することはなかった。嫌がらせや、妨害、罠を仕掛けることや、盗聴・監視すること、「ツバメ」を送って誘惑すること、冷戦期のように国から追い立てること、国営テレビで辱めることはありうる。しかし殺人はない。殺人はロシア人のために取ってある。裏切り者たちのために。

つまり、リスクにさらされていたのは、スティールの匿名の情報源たちだった。それが誰であれ、まさにいま、彼らに重大な危険が迫っていた。

第4章
ハッキング

2016 ～ 2017 年
モスクワ、ルビャンカ広場、ＦＳＢ本部

「我々は国家レベルでそんなことはしない。それに、ミセス・クリントンの選挙陣営のデータベースをハッキングしたのが誰かなんて、本当に重要なことなのか？」

――ウラジーミル・プーチン
２０１６年９月

講堂は葬儀場のような雰囲気だった。重苦しい茶色のカーテンにベージュ色の壁、正面には地味な舞台。そこに演台と大型スクリーンがある。それから紋章も。剣と盾をかたどった枠組みに鮮やかな緋色の下地、その上にロシア連邦の国章である双頭の鷲が黄金であしらわれている。銀色の盾には、キリル文字で「Федеральная（連邦）」「служба（庁）」「безопасности（保安）」と綴られている。ＦＳＢ――ロシア連邦保安庁のことだ。

国を守り、敵を打ち負かすというＦＳＢの使命は、一〇〇年近く前、レーニンやボリシェビキ革命の時代とさほど変わっていない。反革命行為を取り締まる最初の秘密警察組織、チェカー（非常委員会）を指揮したのは、レーニンの友人であるフェリックス・ジェルジンスキーだ。プーチンはＦＳＢ長官になった一九九八年、ジェルジンスキーの像を机に置いていたらしい。少なくとも、オリガルヒのボリス・ベレゾフスキーはそう言っている。ベレゾフスキーはかつてプーチンの友人だったが、のちに亡命し、仇敵となる。

先ほどの講堂は、モスクワ中心部にあるルビャンカという建物の一部だ。その新古典主義建築には、かつてＫＧＢの本部、さらに前にはスターリンのＮＫＶＤ（内務人民委員部）の本部が置かれていた。ある訪問者はルビャンカについて、外観は厳めしく壮麗な秘密警察庁舎を装っていたが、内部は寂れていて、殺風景だったと語っている。そのスパイ司令部は共産主義時代、秘密警官のなかの秘密警官、「鉄のフェリックス」ことジェルジンスキーの像を見下ろしていた。そしていま、ルビャンカはジェルジンスキー広場を見渡している。

ジェルジンスキーが指揮した工作に、史上最高のスパイ作戦に数えられるものがある。工作員たちは裕福な白系ロシア人（ロシア革命後、ソビエト連邦を受け入れずに亡命したロシア人）をそそのかし、共産主義に抵抗するため設立された反ボリシェビキの「トラスト」を装う団体に寄付させた。この団体は、表面上は帝政復活を目指す組織だったが、実は、秘密警察が運営していた。亡命者を没落させるための金を当の本人たちから集めたというわけだ。アメリカの諜報機関とつながったある人物はこの仕掛けを称賛し、「どこから見ても素晴らしい作戦だった。完璧な天才の仕事だ」と私に語った。

一九九一年、ジェルジンスキーの像は倒され、台座から引きずり降ろされた。その後、像を復活させられないかという議論が新聞紙上で湧き起こっては消えた。結局のところ、ロシアの支配者はチェキストたち、つまりプーチンのような現・元諜報員たちだと言って間違いない。ソ連時代、ＫＧＢは党と政治局の下に置かれた。しかし、いまのロシアの秘密機関は何者にも従属していない。プーチンの後任としてＦＳＢ長官になったニコライ・パトルシェフは部下たちを前に行った演説で、この変化を端的に表現した。ＦＳＢは「我々の新たな貴族階級」になったのだと。

二〇一六年一二月、ＦＳＢの工作員たちはルビャンカの講堂に集まり、快適な赤い椅子に座った。そのなかに、童顔で、痩せ型、黒髪の三〇代か四〇代前半の人物がいた。セルゲイ・ミハイロフ大佐だ。ＦＳＢには情報セキュリティーセンターというサイバー活動の中核部局があり、ロシア語名を省略したＴｓＩＢという表記で知られている。ミハイロフはその副センター長だった。電子戦の最前線で活動する上級工作員である。

次に起こったことは衝撃的だった。ＦＳＢが本当のことを言ったのであれば、の話だが。

ミハイロフは近づいてきた人物に頭から袋を被（かぶ）された。そして立ち上がらされ、講堂を出て、茶色い木製扉をくぐって姿を消した。

ミハイロフはすでに逮捕されていた。その彼を、他の高官や工作員たちの前で、劇的なやり方で拘束することの意味を考えると、背筋が凍る。直接見た者にとって、そこに込められた意図はあきらかだった。裏切り者は同じ運命をたどるということだ。

その光景を録画するカメラはなかった。記者がルビャンカへの入館を許されることは滅多にない（年に一回、プーチンが古巣で演説するときには許可が出るが、電子機器はすべて没収される）。しかし、複数のＦＳＢの職員たちが先ほどの話をモスクワの正教会系テレビ局ツァーグラッドにリークした。保守派の実業家で、プーチン支持者として知られるコンスタンティン・マロフィフが設立したテレビ局である。

別の複数のＦＳＢ筋は、モスクワの反政府派インテリ層が読む民主派新聞ノーヴァヤ・ガゼータに対し、この話が事実であることを認めた。裏切り者はこうなるというメッセージが拡散するよう仕向けたのである。

ミハイロフは二〇一六年の一二月四日か五日に逮捕されたが、話はこれで終わらない。報道によれば、ミハイロフの副官で、ＦＳＢに雇われた元クラッカー（ハッキング技術を使って犯罪行為をする者のこと）、ドミトリー・ドクチャエフ少佐も同時に拘束された。また、ルスラン・ストヤノフという人物も逮捕された。ストヤノフはロシアの大手サイバーセキュリティー企業、カスペルスキーの幹部だったが、その前にはロシア内務省のサイバー犯罪部局であるＫ局で働いていた。ストヤノフを知る人々によれば、彼はあご鬚を生やした小柄な愛国者で、過去に勤めていたインドリクという企業の名前は、ロシア民話に出てくる雄牛のような獣から取ったものだという。ストヤノフは中国に向かう途中に空港で逮捕された。さらに、名前のわかっていない四人目の逮捕者もいる。

高位の諜報員二人と民間人二人が相次ぎ逮捕された事実から、ロシア政府が何かの痕跡を隠そうとしていたことがうかがえる。これに先立つ二〇一六年一〇月、アメリカ大統領選の投票を前に、オバマ政権はハッキング事件をめぐってプーチンを非難していた。ミハイロフが拘束されたのは、私たちがスティールにパブで会う数日前のことだ。この時点で、スティール報告は記者たちやアメリカ政府内部に広まっていた。ロシア政府の手にも渡っていたとみて間違いないだろう。

スティール報告のような分析を突きつけられれば、どこの国の政府でも、誰の仕業か突き止めようとする。たとえばアメリカの諜報機関が調べるのは、情報源は誰か、その情報源たちは本当にこうした情報を手に入れる手段を持っているのか、彼らに関する記録はあるのかといったところだろうか。ＦＳＢにとっての問題は、裏切り者は誰か、どうやって処罰すべきかだった。それを突きとめるため、防諜部員があきらかになった情報を精査し、自分たちの手元にある関係者の情報と突き合わせることになる。

ツァーグラッドによると、ＦＳＢはすでに慌ただしかった。いわゆる「ザチスカ」（敵対勢力の拠点を一掃することを意味する軍事用語）を実行していたからだ。また、モスクワのニュース機関、インタファクス通信によると、ミハイロフとドクチャエフには「宣誓を破り、ＣＩＡと協働した」容疑がかけられていた。機密情報をアメリカの諜報機関に渡したという意味だ。有罪なら禁錮二〇年の刑が待っているが、裁判はもちろん、裁判関連のすべてのことが国家機密として扱われた。

一連の逮捕劇が、ロシアによる介入工作や、二〇一五年から二〇一六年にかけての民主党のメールサーバーに対するハッキングとどう関わっていたのかはわからない。ストヤノフは治安機関とのあいだに人脈があった。アメリカ、ドイツ、イギリス、オランダを含む西側の法執行当局とも。一方、ミハイロフのいたＴｓＩＢはサイバー・スパイ活動を専門としていた。彼はそうした工作活動の詳細を直接または間接的にアメリカ政府に伝えていたのだろうか。そのときに接触したのが、スティールだったのだろうか。ロシア諜報機関内の勢力争いでたまたま犠牲になっただけということもありうるし、その可能性が一番高いように思える。

粛清と思しきこの動きには、別の側面がある。ロシアで最も悪名高いクラッカー集団が関与していたのだ。その名はシャルタイ・ボルタイ。ハンプティー・ダンプティーのロシア語名だ。シャルタイ・ボルタイはハッキング、情報の暴露、昔ながらの脅迫（「金をよこせ！　さもないと痛い目に遭わすぞ！」）を組み合わせ、ゲリラ的な機密暴露作戦で三年にわたり目ざましい成功を収めてきた。ジュリアン・アサンジのワンマンチームだったウィキリークスと違い、シャルタイ・ボルタイの実行役たちは人目を避けることを好んだ。

そもそも、シャルタイ・ボルタイの使命はかなり観念的だった。彼らは二〇一三年末からメールなどの通信の暴露を始めた。その中には、ウクライナ東部での政情不安の激化にロシア政府が一役買っていたことを示すものもあった。ロシア首相のドミトリー・メドベージェフも被害を受け、ツイッター・アカウントを乗っ取られた。メンバーのアレクサンドルはガーディアン紙に対し、「ロシア政府を引っ掛けて、ロシアを変えるために何かをするのは、いい考えだと思った」と語っている。

しかし、シャルタイ・ボルタイの創設者、ウラジーミル・アニキーヴァはもっと野心的だった。情報を無料でウェブに流すのではなく、誰かに売ればいいと考えたのだ。アニキーヴァはかつて、ネガティブ・キャンペーンを専門とするサンクトペテルブルクの機関に勤めていた。シャルタイ・ボルタイは、ロシア政府の内部関係者や議員、富裕実業家のような有力者の秘密が詰まった個人データを狙い始めた。そして、ハッキングした情報をサンプルとしてウェブで公開した。

被害者は金を払ってまずい情報を消させることもできた。逆にいえば、払わなければすべて公表されるということだ。あるいは、流出したメールを本人以外が買うこともあった。アレクサンドルによると、アニキーヴァ自身のハッキング技術は高くなかった。ウェブ・フォーラムを通じて下請けのハッカーを雇い、ロシア高官たちのメールアカウントのパスワードを盗ませていたのだ。これが大儲けの地下事業となり、三年で「一〇〇万から二〇〇万ドル」を売り上げた。決済には仮想通貨ビットコインを使い、質問は一切受け付けなかった。

彼らは最高値を提示した入札者に情報を渡すようになる。二〇一四年夏、ガーディアン紙のショーン・ウォーカーは、ヨーロッパのある国の首都でシャルタイ・ボルタイの代表者と面会した。場所は、郊外のあまり使われていないボートクラブだった。その男は太った体に花柄のシャツを着ていて、歳の頃は四〇代。用心深いとも、妄想に取り憑かれているとも言えそうな性格だった。盗聴を防ぐため、川の中央までボートを走らせ、船室に大音量の音楽をかけるまで、一切しゃべらない。さらに、携帯電話も使い捨てだった。

その男はシャルタイと名乗った。彼はウォーカーに対し、シャルタイ・ボルタイは驚異的なデータを蓄積していると語った。プーチンが食べた物をすべて記録しているほか、プーチンの側近たちが送ったメールを数千通保存しているという。シャルタイは、こうした内部文書を読むと、ロシアという国が実際にどうやって回っているのか、普通は見えないことが見えてくると語った。彼に言わせれば、プーチンは「人間らしい感情のない」男だった。また、本物の愛国者で、自分が統治することが最もロシアの利益にかなうと信じているという。

シャルタイはウォーカーに対し、プーチンは「権力の座に長くいすぎた」と語った。「超然とした存在になってしまった。本当に皇帝のようだ。その下にいる人々は互いにぶつかり合う一方で、彼と意見が食い違うことを恐れすぎている。彼に普通の意味での友人はいない。気に入っている人間はいるかもしれないが、極度に被害妄想的になっている」と。

インタビューのあと、シャルタイは陸に戻って酒を飲もうと言ったり、女性たちを紹介すると言ったりしたが、ウォーカーは断った。シャルタイ・ボルタイが誰にでも情報を売るのはあきらかに思えた。売却先にイギリスやアメリカの諜報機関がいないとも限らない。

ある見立てによれば、ＦＳＢ高官だったミハイロフは二〇一六年初め、シャルタイ・ボルタイに接触した。それ以降の情報の公表に対してＦＳＢが拒否権を持つという条件の下でシャルタイ・ボルタイの活動を認めるという取引を持ちかけたとされる。それから、シャルタイ・ボルタイをＦＳＢからのリークの中継役として使ったわけだ。また、ミハイロフ自身がシャルタイ・ボルタイをつくったという見方もあった。さらに、ミハイロフがシャルタイ・ボルタイの「クリーシャ（屋根）」だったという見方もある。ロシアの官僚機構の内部でパトロンや代理人の役割をしていたということだ。

どの見立てが正しいにしても、国家がハッキング犯罪者集団を資産として利用していることはあきらかだった。西側のサイバー専門家によれば、ロシア対外情報庁（ＳＶＲ）も国外での微妙な活動にハッカーを使っていた。

二〇二〇年を前に、サイバー世界は大昔の公海のようになっていた。その海を駆けめぐるハッカーたちは、かつての私掠船にたとえられる。私掠船は、ときには「国家」のために、ときには「国家」に逆らって行動した。

明確な規則や取り決めがないせいで、インターネット空間は主権国家が生まれる前のような無秩序な状態のままで、自らの痕跡を隠しながら標的を攻撃することも、逃走することも比較的簡単にできる。外部の勢力を雇えば、さらにしらを切りやすくなった。近代国家はサイバー空間をどのような法律で規制するのかを決めかねているため、いまは何でもありになっている。スティールによれば、ロシアの諜報機関はしばしばハッカーを採用した。ハッカーたちからすれば、力を貸す以外の選択肢はないも同然だった。二〇一六年七月にフュージョンに送られたスティールの二通目のメモによれば、ＦＳＢは「威圧や脅迫によってロシアで最も有能なサイバー工作員を取り込み、国が支援する計画に投入した」。

スティール報告はロシアのサイバー活動について、公式のもの、違法のものを含め、知りえた情報をまとめている。それによると、ロシア政府は「幅広い」計画のもと、サイバー工作活動を裏で支えていた。このうちＧ７諸国の政府や大企業、銀行など、大物を狙った計画では大した成果は挙がっていなかった。しかし、他の西側諸国の民間銀行や、ラトビアのような小国など、「二流」の標的に対する計画は比較的うまくいっていたという。

スティールによると、ＦＳＢは「ロシアの国家機関における主導的なサイバー工作組織」で、西側諸国の政府と、銀行をはじめとする外国企業、国内の有力者、「国内外の政敵」という四つの標的を主に狙っていた。多くの場合、成果は「ＩＴのバックドア（「裏口」の意味。情報セキュリティー分野では、不正アクセスの侵入口を示す）」から挙がった。具体的にいえば、モスクワを訪れたアメリカ人やロシア人の電子機器をハッキングしていたということだ。

スティールの情報源は「国家が支援するもの、そうでないものを含むロシアのサイバー犯罪に詳しい複数のロシア人」で、うち一人は「ＦＳＢのサイバー工作員」とされている。

ミハイロフの支援があったにせよ、なかったにせよ、二〇一六年秋の時点でシャルタイ・ボルタイが一線を越えていたのは間違いない。彼らは副首相のアルカディ・ドボルコヴィッチを新たな標的にしたが、ドボルコヴィッチは金を払わなかった。当時、シャルタイ・ボルタイのメンバーは無法者のような暮らしを送り、タイに長期滞在して、ロシア国外から計画を実行していた。しかし、アニキーヴァはこの年の五月、一人のＦＳＢ当局者と会うため、説得に応じて一度モスクワに戻っていた。そして一一月に再び戻った際に逮捕される。

シャルタイ・ボルタイのツイッター・アカウント（名前に合わせて『不思議の国のアリス』の壁紙を背景に、黄色と緑の縞模様の服を着たハンプティー・ダンプティーをアイコンにしていた）は一二月に閉鎖された。ツァーグラッドは、この集団はＣＩＡのフロント組織だったと伝えた。

ロシアのサイバーセキュリティー分野の第一人者、アンドレイ・ソルダトフは違った見方を示している。ソルダトフは関連のリーク情報をもとに、シャルタイ・ボルタイの一件は、アメリカ大統領選でのハッキング事件でロシアが果たした役割から目を逸らすための「即席の隠れ蓑」だと言った。また、民主党全国委員会（ＤＮＣ）へのハッキングを陰で実行した犯人を、ミハイロフとストヤノフは知っていた可能性があるという。二人がアメリカ人にこの情報を渡していたとすれば、反逆罪で訴追されたことにも説明がつく。ただしソルダトフは、FSBがミハイロフの頭に袋を被せて引き立てたという話を疑っていた。

ミハイロフとストヤノフ、ドクチャエフは、レフォルトヴォというFSBの勾留・取り調べ施設に収容されていた。この施設に関しては、私にも実体験がある。二〇〇七年、ベレゾフスキーのインタビューがガーディアンに掲載されたあとで、FSBからレフォルトヴォに呼び出しを受けたからだ。ことの発端は、ロンドンにいたベレゾフスキーが「プーチンに対する革命を計画していた」と主張した（証拠は示さなかったが）ことだ。これにロシア政府が怒り、FSBによる捜査の一環で私が参考人として召喚された。

レフォルトヴォは陰鬱な場所だった。正面扉から中に入ると、椅子のない殺風景な応接室があった。銀塗りの鏡が張られ、当番の警官が壁越しにこちらを見られるようになっている。こちらから向こうは見えない。パスポートと携帯電話を出すと、毛むくじゃらの手がそれを受け取った。私たち（弁護士のガリ・ミルゾヤンと二人だった）は長い廊下を進み、地下にあるK字形の勾留施設に続く檻のようなエレベーターの脇を通り抜けた。リトヴィネンコがかつて収監されていた場所だ。壁には古めかしいKGBのカメラが設置され、私たちの行動を記録していた。ソ連時代から変わったところを探せと言われても、どこだか見当もつかなかっただろう。廊下はひっそりしていて、すり減った赤と緑のカーペットが箱のような事務室の並びへと続いていた。

私は若い金髪のFSB将校、アンドレイ・クズミン少佐による形式的な事情聴取を受けた。クズミンはベレゾフスキーとのインタビューについて少し質問をして、ガーディアン紙の一面のカラーコピーを投げてよこした。

目の前のテーブルには炭酸水のびんとグラスが置いてあった。グラスには四種類のイニシャルが刻まれていた。それぞれ、チェカー、ＯＧＰＵ（統合国家政治部）、ＫＧＢ、ＦＳＢのものだ。ロシア秘密警察が使ってきた仮初めの名称の変遷である。五五分が過ぎると、クズミンが聴取は終わりだと言った。証人調書にサインして、喜んでその場をあとにした。

ミハイロフ、ストヤノフ、ドクチャエフがいた場所は本当に憂鬱なところだったが、彼らにも一つ幸運なことがあった。

命があったことだ。


キタイゴロド地区の近くにどこかの会社の車が止まっていた。レクサスの４６０。黒のボディーが光る、かしこまった感じのセダン型車だ。時刻は午前一一時五〇分だった。この地区はモスクワの歴史の中心となってきた場所だ。近くにはクレムリン宮殿と大聖堂広場が、また南に向かえば堤防とモスクワ川がある。年の瀬の川は灰色の分厚い氷に覆われていた。

角を曲がったところには、一六世紀の貴族、ニキータ・ロマノヴィッチ・ユリエフ＝ザハリンが住んでいた古い宮殿があった。一五四七年にイヴァン雷帝の妃となったアナスタシアは、ニキータの妹だ。そのアナスタシアが一五六〇年に死ぬと、恐怖政治が始まった。雷帝は、ニキータや他の貴族たちがアナスタシアに毒を盛ったのではないか、反体制派集団をつくっているのではないかと疑ったのだ。その疑問に雷帝自身が出した答えが、新たな秘密警察部隊、オプリチニキの創設である。オプリチニキの使命は皇帝の政敵を恐怖で支配することだった。

車はキタイゴロツキー通りで停まった。通行人の姿はなく、政府庁舎と未完成のオフィスビルが並ぶ区画だ。日付は一二月二六日、ミハイロフの逮捕から三週間後の月曜日だった。九番地にはピョートル大帝の名を冠した軍学校があり、道を外れて中庭に入ろうとする車があっても、守衛に追い返される。

レクサスの後部座席に男が座っていた。身動き一つしないのは、すでに死んでいたからだ。男の名前はオレグ・エロビンキン。六一歳だった。ロシアでの報道によれば、運転手は救急隊に電話したが、駆けつけた医師たちはもう手遅れだと説明した。その直後に正体不明の将校たちが現れ、エロビンキンを引き取ってFSBの遺体安置所に運んでいった。

エロビンキンは国家機密を知る立場にあった。彼はソ連時代の後期、ジェルジンスキーの名を冠したKGBの上級育成機関に通った。一九八〇年に育成機関を卒業したあと、十数年間を諜報部門で過ごした彼は、エリツィン政権下の大統領府で、新たな、微妙な役職に就くことになる。公務上の機密の管理責任者になったのである。つまり、機密を守ることが彼の仕事だった。

エロビンキンはイーゴリ・セチンの側近だった。二〇〇八年五月にセチンが副首相になると、自身も主席補佐官として政府に加わった。また、二〇一二年にセチンが政府を去り、ロスネフチの会長になると、自身もロスネフチに移った。そして、セチンの秘書室長を務めたのち、別の役職に就いた。ロシアのニュースチャンネルRBKは、エロビンキンは機密文書の管理や送受信の責任者になったと伝えている。彼はロスネフチとロシア政府の連絡役だった。信頼のある人物に与えられる役割だ。会長の毎年の所得申告や資産申告を準備し、秘密ルートで政府に送るのも彼の仕事だった。

ロスネフチは、彼の突然死には何も不審なところはなかったと熱心に強調した。広報担当者は

「暫定的な所見によると、彼の死因は心臓発作だった」と発表した。一方、FSBは検査を行っていた。エロビンキンがFSBの将校だったことを考えれば、標準的な手続きだ。彼が見つかった通りには店もカフェもない。聞き込みをしようにも、話を聞く相手がいなかった。

だからといって、エロビンキンがあきらかに殺害されたという見立てに変わりはない。可能性は二つ考えられる。一つは、エロビンキンこそがロスネフチ中枢のスティールの情報源だったという線だ。カーター・ペイジに取引が持ちかけられたとの疑惑について知りうるほど、高い信頼と地位を得ていた人物という条件に当てはまる。もう一つは、実際はスティールの秘密の内部人脈ではなかったにもかかわらず、機密流出という失態の責任を問われたという線だ。この場合、本当はほかの誰かがうっかりしゃべっていたことになる。イギリスのスパイたちがロスネフチ内に潜入していて、エロビンキンはその代償を払わされたわけだ。

スティールは、エロビンキンが情報提供者だったとの見方をきっぱり否定し、「私たちの一人ではない」と言った。

スティールに近いある人物は私に、「ただ単に人が死ぬことだってある」と言った。

一方、その人物は、ロシア政府がスティール報告に反応し、アメリカや西側の諜報ネットワークの一部を消しにかかっているとの見方を肯定した。

いわく「窮地に陥った作戦があるとすれば、それはCIAのものだ。彼（スティール）ではない」「ロシア人たちにとって、クリストファーだろうが、CIAだろうが、SISだろうが違いはない」と。

うなずける見解だった。スティール報告が公開される前から公開の数週間後までに、ほかにもロシア政府の内部関係者たちが死んでいた。はっきりした規則性はない。死んだ場所もヨーロッパ、モスクワ、アメリカ、南アジアとばらけている。アメリカ大統領選の投票が行われた一一月八日、セルゲイ・クリボフというロシア人の遺体がニューヨークのロシア総領事館で発見された。当初の報道では、クリボフは屋根から落ちたと言われていた。その後、複数の領事館員が心臓発作だったと主張した。バズフィードによると、クリボフは領事館の警備部門の指揮官だった。アメリカの諜報員が館内に侵入するのを防ぐことが任務だったわけだ。彼は、KGBとやり取りするメッセージを暗号化したり復号したりするのに使う秘密のコード表を入手できる立場にあった。機密の通信を扱うのも仕事だったからだ。彼もエロビンキンのようにミスを犯したのだろうか。このルートから情報が漏れた可能性はあるのだろうか。

不可解な死を遂げたロシア人外交官はほかにもいる。たとえば、外務省中南米局の主席補佐官だったピョートル・ポリシコフ（一二月にモスクワの自宅アパートで射殺）や、ギリシャのアテネで領事を務めていたアンドレイ・マラニン（一月に自宅で遺体発見）。駐インド・ロシア大使だったアレクサンドル・カダキン（デリーで心臓発作。ただし、カダキンは病気を患っていた）もそうだ。

突然の最期を迎えた外交官のなかでも、国連大使を長く務めたヴィタリー・チュルキンは特に有名だ。チュルキンは六四歳と比較的若かった。死因は心臓発作とされている。ニューヨーク市警察は、不法行為はなかったと表明した。チュルキンが初めてトランプに会ったのは一九八六年のことだ。彼がトランプの何を知っていたのかはもうわからない。

エロビンキンが死んだ三日後、ワシントンから車で一時間半ほどの場所にある田舎の豪邸で大騒動が起こっている兆候が見られた。ロシア工作員たちが荷物を箱詰めし、通信の配線を引き抜き、敷地の外でテレビの取材陣が待ち構えるなか、車であっという間に走り去ったのである。戻ってくる予定はなさそうだった。

そこはメリーランド州の海辺にある雰囲気のいい邸宅で、パイオニア・ポイントという名前があった。ロシア政府はこの物件を一九七〇年代に購入し、所有していた。週末にはロシア外交官たちが顔を見せた。敷地にはテニスコートにプール、庭もある。目を閉じて、懐かしの大モスクワを思い浮かべていたのかもしれない。夏の別荘。松やにの香りがする松林。泳ぐのにぴったりの冷たい湖……。

その田園風景は終わった。オバマ政権が閉鎖を発表したからだ。ロシアはニューヨーク州のロングアイランドにも、ノーウィッチ・ハウスという邸宅を保有していたが、こちらも閉鎖された。パイオニア・ポイントはジョージアン様式の豪邸だったが、アメリカ政府関係者の話によれば、ただの外交官の別荘ではなかった。スパイ活動にも使われていたというのだ。

三週間前、オバマは諜報機関に対し、選挙中に何が起こったのかを徹底的に調べるよう指示していた。そして、その日の朝、ホワイトハウスは調査結果を発表した。主にＩＴ担当者向けの一三ページの分析報告という体裁で、『GRIZZLY STEPPE—Russian Malicious Cyber Activity（グリズリーの草原――ロシアの有害なサイバー活動）』というタイトルがついている。

この文書では、ロシアの敵対的なサイバー・スパイ組織に熊にちなんだあだ名がつけられている。たとえば「ファンシー（おしゃれな）・ベア」や「コージー（くつろいだ）・ベア」といった具合に。ファンシー・ベアはＧＲＵ（ロシア連邦軍参謀本部情報総局）、コージー・ベアはＦＳＢのことだ。

ほかにも、過去に攻撃を実行した組織がいくつもある。ベノマス（毒々しい）・ベア、ブードゥー（呪いの）・ベア、エナジェティック（元気な）・ベア、バーサーク（凶暴な）・ベア、チーム・ベアなどなど。報告のタイトルも、これを踏襲したものだ。

国土安全保障省とＦＢＩは『GRIZZLY STEPPE』で、ロシアの悪事を証明した。この報告では「技術的指標（テクニカル・インディケーター）」によって、二つのロシアのスパイ集団が、アメリカの政党に対するハッキングに成功していたことが示された。名指しは避けているものの、その政党は民主党のことだと解釈された。ここで挙がった集団の一つが、二〇一五年一二月に民主党のコンピューターシステムに侵入したコージー・ベア、別称〝Advanced Persistent Threat（先進的かつ継続的な脅威）（APT）29〟だ。もう一つのファンシー・ベア（APT28）は、二〇一六年春に同じ民主党のシステムに侵入した。

報告によると、どちらも熟練工作員の集団で、過去にも世界各地の政府機関やシンクタンク、大学、企業を標的にしていた。民主党へのハッキング作戦では「連続した標的型スピアフィッシング攻撃」が実行され、「ドロッパー」と呼ばれるマルウェアへのリンクや「短縮ＵＲＬ」が使われた。攻撃者たちは痕跡を隠したほか、「発信元のインフラやホスト・ドメインを難読化した」という。

報告には、細かい技術的な話が苦手な読み手のために、わかりやすい図があった。この図では、ハッカーはフードを被った顔のない人物として赤い枠の中に描かれている。ハッカーたちはトンネルやインプラント（図中ではドクロマークで示されている）を使ってコンピューターや「標的のシステム」に侵入し、「音もなくデータを抜き出す」ことができた。

報告は見たところ淡々と書かれているが、ハッキングが著しい成果を挙げたことに関しては疑問の余地を一切排除している。コージー・ベアは有害なリンクを載せた電子メールを一〇〇〇人以上に送った。これによって「アメリカ政府の複数の被害者」を騙したほか、「ある政党を陥れることに成功した」。二〇一六年春、ファンシー・ベアは再び民主党へのハッキングに成功する。偽のパスワード変更手続きに誘導する手口に複数の関係者が引っかかったのだ。これで「党上層部の複数の人物」からまんまと情報が盗み出された。

報告は、「アメリカ政府の分析によれば、情報はマスコミに漏れ、公開された」としている。

この情報が漏れたという部分こそ、民主党全国委員会に対するロシアのハッキングの特徴である。NSAとCIAの長官を歴任したマイケル・ヘイデン大将に言わせれば、敵のメールを盗み出すこと自体は、「対外諜報において誇るべき行動」だ。アメリカやイギリス、フランス、ドイツ、他の西側諸国を含め、誰もがやっていた。ヘイデンは「国際慣行として受け入れられている。ロシアのサーバーに侵入できるなら、私だってやっただろう」と語っている。

ヘイデンによれば、民主党へのハッキングがほかと違うのはその後に起こったこと、つまり、ロシアが「このデータを武器に」して、「アメリカの空間に突き刺した」という事実だ。ロシアの荒らし屋集団は、その情報をツイッターに投稿し、トレンド入りさせた。ヒラリー・クリントンに懐疑的な人はもとから多かったが、これは、そんな有権者の頭の中に混乱と混沌の種をまくことを狙った世論誘導工作だった。

ヘイデンは、報告で示されたようにロシアが「ずるをした」のかどうか、つまりロシアの干渉が選挙結果に影響したのかどうかは特定しようがないため、トランプが正統な大統領であることは変わらないと考えていた。それでも彼は、ロシアの一連の行動を「歴史上、最も成功した世論誘導工作」と評し、「成熟した西側の民主主義を手玉に取り、ひっくり返した」と語っている。

オバマは徹底的な対抗措置を取った。家族と休暇を過ごしていたハワイから声明を出し、ロシア政府に対して新たに厳しい制裁を科すことを発表したのである。その一環で、ロシア外交官三五人を国外退去処分とした。アメリカ当局によれば、三五人は諜報員だった。ロシア政府の諜報網は瞬く間に壊滅させられようとしていた。ただし、三五人がハッキング計画にどの程度関与していたかは明かされなかった。

また、ファンシー・ベアとコージー・ベアの背後にいるとされた二機関、つまりＧＲＵとＦＳＢにも報復措置が取られた。大統領令でＧＲＵとＦＳＢに属する計九団体・個人に制裁が科されたのだ。この措置では、ＧＲＵ局長のイーゴリ・コロボフや、副局長のセルゲイ・ギズノフ、イーゴリ・コスチュコフ、ウラジーミル・アレクセイエフといった幹部将校が対象とされた。

さらにオバマは、ＧＲＵによるサイバー攻撃に「物的支援」を提供したとされる三団体にも制裁を科した。対象は、「スペシャル・テクノロジー・センター（ＳＴＣ）」というサンクトペテルブルクの企業と、「ゾルセキュリティー」という別の企業、それから「データ処理システム設計専門家協会」という地味な名前の自治非営利組織だった。この組織は、ハッカーたちに専門的な研修を行っていたと言われている。

一連の措置には、苦難の八年間を過ごしてきたオバマのプーチンに対する強烈な怒りが表れていた。ヒラリー・クリントンを国務長官に据えた一期目、オバマはロシア政府との関係の「リセット」に取り組んだ。だが、これは失敗に終わる。この政策は、当時プーチンの代理でロシア大統領を務めていたドミトリー・メドベージェフが、強硬派のプーチンよりもリベラルで柔軟だという発想に基づいていた。しかし、プーチンは一時的に首相職に退きながら、モスクワのホワイトハウス、つまり連邦政府庁舎ベールイ・ドームからロシア政治の実権を握り続けたのである。

二〇一六年から振り返れば、善意に基づくオバマのロシア外交は愚かな選択に見えた。クリントンに打撃を与え、トランプに加勢したロシアの行動に対し、オバマはすべてのアメリカ人が「注意すべき」だと警告した。

しかし、ロシアのしたことが事実なら、なぜオバマ政権はもっと早く、選挙の前に証拠を示さなかったのだろうか。一〇月にはすでに情報があったのに、問題の全容はあきらかにされなかった。そして、一二月にはもう手遅れになっていた。

オバマ政権時代の当局者によれば、政府内部ではロシアのサイバー攻撃をめぐって激しい議論が交わされていた。情報の公表を控えてきたことを悔やむ官僚もいた。ロシアは過去にもホワイトハウスやNSA、統合参謀本部へのハッキングを試み、失敗していたが、オバマ政権はその事実を公表しないことを選んだ。過去のハッキングをもっと早く公表していたら、ロシアが民主党全国委員会に対して一か八かの攻撃を仕掛けるのを見合わせたかもしれないというのが、そうした官僚たちの意見だった。

アメリカ諜報界は確かに警鐘を鳴らしていた。八月四日、ジョン・ブレナンCIA長官は、モスクワのアレクサンドル・ボルトニコフFSB長官に電話をかけ、アメリカ大統領選に対する介入をやめるよう警告した。ボルトニコフは介入があったことを認めなかったが、ブレナンの言葉をプーチンに伝えると答えた。

この件についてては、ワシントン・ポスト紙の特集がより詳しく、興味深い。ブレナンの電話のあと、CIAの特使が八月中に極秘扱いの封書をホワイトハウスに届けていたというのだ。中には一通の報告書が入っていた。閲覧が認められるのはごく一握り、大統領と三人の側近だけだった。

　ロシア政府中枢からの情報は、アメリカへのサイバー攻撃をプーチンが直接指示したことを示していた。目的は、大統領選でクリントンを敗北に追い込むか、少なくとも打撃を与え、トランプに加勢することだ。取り扱いに細心の注意を要する情報で、大統領日次報告（PDB）にも載せられないほどだった。ブレナンは、NSA、FBIからも人材を集め、CIA本部にロシア分析官と工作員の極秘チームを設置した。

　一カ月後、オバマは中国の杭州で開かれたサミットでプーチンと対面する。ワシントン・ポストによれば、オバマはプーチンに「我々は彼が何をしているのか知っている。やめないと大変なことになる」と言った。一方、プーチンは証拠を出せと応じ、アメリカはロシアの国内問題に干渉していると非難した。

　情報を伏せるというオバマの判断には、まっとうな理由があった。まず、クリントンが勝つと思っていたことだ。オバマだけでなく民主党の誰もがそう思っていたし、専門家や、ほとんどの共和党幹部も同じ考えだった。

　もう一つの理由は、ロシアがトランプを助けるため大規模なハッキング攻撃をしていると公表すれば、流出した情報をさかんに利用していたトランプから、偏向や選挙介入と非難されることだった。

　あるオバマ政権高官から聞いた話では、諜報機関からの情報は、ロシアの干渉が拡大していることを示していた。最初はそれほど多くなかったが、トランプが当選する頃には圧倒的な規模になっていたという。その元高官によると、GRUのハッキングチームは洗練性においてFSBのチームに大きく劣り、「大量の手がかり」を残していた。なかには、選挙戦へのハッキングやそれ以外の手段に関する「ロシア人同士の会話」もあった。その元高官は一一月にスティール報告を読み、政府内に広く警告した。

オバマ政権は一月六日に追加の報告を出した。ある根本的な疑問に答えるためだった。ソルダトフによれば、以前のロシア政府はインターネットの力を恐れ、その性質をほとんど理解していなかった。プーチンは電子メールすら使わないほどだった。それがどうやって、アメリカとウェブで戦う方法を見いだしたのだろうか。相手はインターネットを発明し、いまもインターネットの進歩を牽引している国なのだ。

この報告はアメリカの三大諜報機関、つまりCIA、FBI、NSAが共同でまとめたものだ。複数のバージョンがあり、一つは高度の機密文書に指定された。三機関の長たちと国家情報長官がトランプ・タワーに出向き、その内容を二時間半にわたってトランプに説明した。それから間もなく、同じ結論を示しつつ機密指定されていない二番目のバージョンが一般公開された。

報告は、二〇一五年から二〇一六年にかけて起こったことを詳細に分析している。

我々の分析によると、アメリカ大統領選を標的とした二〇一六年の世論誘導工作は、ウラジーミル・プーチン・ロシア大統領が指示したものである。ロシアの目標は、アメリカの民主主義プロセスに対する大衆の信頼を損なうこと、クリントン長官の評価を低下させること、長官が当選する可能性および大統領となる可能性を奪うことだった。さらに、我々の分析によれば、プーチンとロシア政府はあきらかにトランプ次期大統領に対する好感を示していた。三機関すべてがこの判断で一致している。この判断に対する確信度は、ＣＩＡとＦＢＩが高度、ＮＳＡが中程度としている。

報告によると、この工作は「アメリカ主導の自由民主主義秩序を弱体化させるというロシア政府の長期的な願望」が表れた最新の事例だった。また、プーチンによる世論誘導の取り組みは「前例のない」、アメリカにおいて「過去最も大胆な」動きであり、「直接性、行動のレベル、取り組みの範囲における著しい上昇・拡大」が見られた。

アメリカにハッキングを仕掛けるという作戦は、冷戦期に採用されていた戦術をそのまま踏襲したものでもある。当時、ソ連政府は、スパイによる世論誘導や、諜報活動、文書偽造、「報道への露出」といった手段で、敵対的な候補者を陥れようとした。しかし共産主義体制が崩壊したあと、ロシアのスパイたちは何かを変えようとはせず、アメリカ政権の計画をロシア指導者が把握できるよう内部情報を収集することに集中した。

アメリカ諜報機関によれば、ロシア政府のやり方は選挙戦が進むにつれて進化した。ロシア側としては、二〇一八年のワールドカップ開催を勝ち取ったときと同じように、しらを切り通せるようにしておく必要がある。そのために、ロシアは代理の実行役を幅広く使った。トランプの旧知の盟友ロジャー・ストーンと接点があったハッカー、グシファー2・0（Guccifer 2.0）や、二〇一六年にドメイン登録されたウェブサイト、ＤＣリークス（DCleaks.com）がそうだ。

また、ウィキリークスもそうだった。選挙までの数カ月間、トランプが公然と褒めたたえたウェブサイトである。報告は「我々は、ＧＲＵがＤＮＣ（民主党全国委員会）や民主党上層部から入手した情報をウィキリークスに中継したと分析し、高度の確信を置いている」としたほか、「ロシア政府は、ウィキリークスを選択する可能性が最も高い。その理由は、同サイトが自負する情報の信頼性にある」と指摘している。

ウィキリークスの編集長であるジュリアン・アサンジはこれに異議を唱え、リーク情報は「国家関係者」から受け取ったものではないと言った。しかし、アメリカ諜報機関はこの言い分を信じていない。報告は、ウィキリークスは事実上、ロシア諜報機関の傘下に広報組織として組み込まれたとの見方を示している。なお、ウィキリークスは九月、サイトのホストをモスクワに移している。

さらに興味深い話がある。報告によると、ロシアのハッカーたちはアメリカの地方・州レベルの選挙委員会に侵入しながら、得票数を操作しようとはしなかったというのだ。アメリカ国土安全保障省は、二一州が標的になったとしている。ハッカーたちはシステムをスキャンした。強盗にたとえれば、部屋に押し入ろうと、がちゃがちゃ音を立ててドアを開けようとするのと同じ行動だ(この動きの謎は、のちに一部解明される。必ずしも投票システムが狙われていたわけではないと国土安全保障省が発表したからだ。ウィスコンシン州やカリフォルニア州では、選挙委員会以外の州機関のネットワークが襲われたという)。

また、ハッカーたちは「共和党関連の標的」に関する情報も収集したが、そちらはまったくリークされなかった。

報告は、プーチンが工作を指示した理由も推測している。それによると、プーチンは積もりに積もった遺恨を抱えていた。たとえば、二〇一一年から二〇一二年にかけての反政府デモはクリントンが扇動したと非難していた。また、ロシア・スポーツ界における国家ぐるみのドーピングの発覚や、パナマ文書の公開もその例だ。パナマ文書については、私にも関わりがあった。私も加わっていたジャーナリスト連合が、プーチンにとって最も古い友人の一人、セルゲイ・ロルドゥギンのオフショア資産の存在を暴いたからだ。

報告によると、プーチンは、イタリアのシルビオ・ベルルスコーニやドイツのゲアハルト・シュレーダーのような他国の友人たちに対してあきらかに好感を持っていた。どちらも「ビジネス上の利益があるために、ロシアとの取引に応じやすい西側の政治指導者」だった。

トランプも間違いなくここに分類される。

トランプが勝つという選挙結果までは想定していなかったとしても、ロシア政府は実際に、トランプに有利になるよう形勢を傾けようとした――それがＣＩＡ、ＦＢＩ、ＮＳＡによる報告の要旨であり、説得力があった。しかし、この報告からは重要な事実が一つ抜け落ちている。ロシアの工作は、以前からアメリカ社会に存在していた断絶を利用したからこそ、ここまで成功したという事実だ。

二〇一五年六月以降、ロシアの工作員たちはフェイスブックの広告枠を相次ぎ購入した。そして、サンクトペテルブルクにいながら、アメリカの活動家のふりをした。フェイスブックの偽名アカウントを使い、移民に対する反対意見を広めたのである。あるときは、「もうたくさんだ。故郷に帰れ」というスローガンをアメリカ国旗とともに投稿した。またあるときは、小さなメキシコ人をつかんだトランプの絵に、「きみはおうちへお帰り！」という見出しをつけて投稿した。フェイスブックの言葉を借りれば、こうした投稿には、人種や銃規制、ＬＧＢＴの権利をめぐる「社会的・政治的な分断を促すメッセージ」が込められていた。

フェイスブックは最終的に、約四七〇の「不当なアカウントやページ」がロシアによる世論誘導工作の一環として使われていたことを認めた。この方法は有効だった。〝Secure Borders（国境を守れ）〟というアカウントは一三万三〇〇〇人がフォローした。移民を「ただ乗り屋」や「くず人間」と呼んだページだ。フェイスブックによれば、ロシア政府は一〇万ドルを費やして三〇〇〇以上の広告枠を買った。CEOのマーク・ザッカーバーグはのちに、もっと多くの広告枠が買われた可能性があると認めている。

ニューヨーク・タイムズ紙によると、ロシアの諜報機関はボット（自動発言システム）も大規模に利用した。ツイッター上で大量のボットを使うことで、ヒラリーへの反発を招くメッセージを拡散させたのである。

漏洩したメールとフェイスブック広告、さらにボットが組み合わさり、トランプ支持者が元から抱いていたクリントンへの怒りが増幅された。元NSA長官のヘイデンが言っているが、アメリカ社会の分断は根深かった。トランプは自らを第七代アメリカ大統領、アンドルー・ジャクソンに見立てた。ヘイデンは、ジャクソンは非主流派の白人民族主義者で、アメリカ合衆国を一つのネーションヨン、あるいはフォルク、ナロードと見なしていたと言った。どれも「国家・民族」を意味する英語、ドイツ語、ロシア語だ。

クリントン支持者の見方は違った。彼らにとって、アメリカ合衆国とは一つの民族集団が独占するひとかたまりの土地ではなく、一種の啓蒙思想だった。この発想を的確に表現したのが、建国の父アレクサンダー・ハミルトン、第二八代大統領ウッドロー・ウィルソン、そして「我ら人民」という合衆国憲法前文の金言である。ヘイデンの言葉を借りれば、ハミルトンは事実に基づき、複雑さを軽んじることなく、証拠を尊重した。トランプ次期政権には当てはまらないことばかりだった。

一方、アメリカ国務省は、ロシア人の国外退去処分の理由はハッキングだけではないと説明した。国外退去は、モスクワ駐在のアメリカ外交官たちへの四年にわたる「嫌がらせ」への報復措置でもあった。国務省は、二〇一五年から二〇一六年にかけて、攻撃的な行為の「著しい増加」があったとしている。

この嫌がらせはＦＳＢによるもので、広くはびこり、不快感を与えていた。住居侵入もあった。私たち家族が二〇〇七年から二〇一一年にかけて、スティール夫妻がさらに昔にモスクワで経験したのと同じ仕打ちだ。外交官たちは、日常的に尾行され、警察に追い回されていることに気づいていた。そうしたなか、二〇一六年六月に、アメリカ大使館に入ろうとした外交官がロシアの警官に組み伏せられる事件が起こる。ロシア政府は、その外交官はＣＩＡの工作員だと主張した。テレビ各局が外交官たちの詳細な個人情報を放送すると、アメリカ政府は、そうした行為は外交官たちを危険にさらすと批判した。

国外退去の対象となったロシアの外交官たちには、出国準備のため七二時間の猶予が与えられた。ロシア政府は撤収のため航空機を派遣した。予想どおり、ロシア側は激しく反発し、外相のセルゲイ・ラブロフは同等の報復措置を取ることを示唆した。また、外務省報道官のマリア・ザハロワはフェイスブックへの投稿で、オバマや政権スタッフたちを「外交政策の負け組。怒れる物知らずたち」と呼んだ。さらに、ロンドンのロシア大使館はツイッターに写真を一枚投稿している。〝lame（レーム）〟という単語の入ったアヒル（ダック）の写真だ（lame duckは「死に体」を意味し、退任を前に影響力を失った政治家を指して使われる）。そして同じツイートに、国外退去処分は「冷戦のデジャビュ」だと書いた。

ロシア政府はハッキングをめぐる報告も同じように拒絶し、大統領報道官のペスコフは、根拠も証拠もない、素人くさい感情的な文書だと切り捨てた。次期アメリカ大統領も同意見だった。トランプはペスコフより先に、ロシアの介入があったとの主張を否定し、「民主党員の連中」が選挙での屈辱的な敗北から目をそらすために仕立てた、大げさで、屁理屈の、馬鹿げた策略だと切り捨てていた。

誰がやったのかなんて、誰にもわからない。ロシアかもしれないし、中国かもしれないじゃないか。トランプは討論でそう言った。さらには、ニュージャージー州のベッドに腰掛けた四〇〇ポンド（一八〇キロ）の太りすぎの男がやった可能性だってあると言った。トランプは立場を微調整していた。諜報部門の人間と会って、「状況をめぐる事実」について説明を受けるつもりだと発言する一方、「我が国はもう、より大きな、よりよい物事に向かうべきだ」とも言った。

プーチンがモスクワと在サンクトペテルブルク総領事館にいるアメリカの外交官三五人を追放することは避けられない情勢だった。ロシア政府は過去の外交上の対立でも、相手と同等の対抗措置を取っていた。二〇〇七年、イギリスの労働党政権がロシア人外交官四人を国外退去させたときのことだ。リトヴィネンコをポロニウムで殺害した二人組の一人、アンドレイ・ルゴボイの引き渡しをプーチンが拒否したことに抗議するためだった。それに対してロシアは、イギリス外交官四人を国外退去させた。これでも、ロシア政府の基準からすれば控えめな対応だった。

ラブロフは、モスクワのセレブリャニ・ボル（「銀の森」を意味する地名）にアメリカ大使館が保有している別荘を閉鎖すると発表した。松の木とモスクワ川に突き出した砂浜が牧歌的な雰囲気を醸し出している島だ。モスクワにいた頃、私たち家族のお気に入りの場所が四つあったが、この島もその一つだ。交通手段はタクシーや路面電車、かちゃかちゃ音をたてるトロリー・バス。駐在外国人の家族連れが多かった。ログハウスのカフェがあって、アイスティーやケバブを売っていた。夏には水泳と日光浴をした。冬には川でスケートをしたり、子どもたちを氷の滑り台に連れて行ったりした。それから正教の神現祭では、ロシア人の信者たちと冷たい水に飛び込んだ。

川の向こうにはトロイツェ・リコボという村があり、バロック建築の教会のてっぺんで銀のドームが輝いている。この村はアレクサンドル・ソルジェニーツィンの故郷でもある。ソ連の強制労働収容所制度の実態を描き、晩年にプーチンを称賛した作家だ。

アメリカ大使館の別荘は豪邸と呼ぶような場所ではなく、あるのはビリヤード台とダーツ盤、ピクニックのできる広場くらいだった。ボーイスカウトの宿泊所みたいだと言う訪問客もいた。それでも、モスクワの都会でのつらい仕事から逃れようと必死のアメリカ人にとっては、週末の憩いの場だった。

ロシア政府が出した答えは驚きだった。プーチンは大統領の座に就いてからの一六年間で、敵の意表を衝き、他人に手の内を読ませない方法を身につけていた。このときもそうだ。ロシア政府は声明を出し、アメリカの外交官を一人も退去させないと発表したのである。「我々がこうしたレベルの無責任外交に堕することはない」と言って。それどころか、「ロ米関係の復活を後押しするため、さらなる措置を取る」との意向を示した。

トランプは心を奪われ、媚びるような反応を見せた。ツイッターに、こう投稿したのだ。

(V・プーチンの) 素晴らしい猶予措置だ——ずっと前からとても賢い人物だとわかっていた!

トランプ政権のほうがクリントン政権よりも波長が合うという計算がプーチンにあったのはあきらかだ。しかし、それだけだろうか。オバマ政権はプーチンらしからぬ自制ぶりに動揺した。そして、ロシアとトランプ周辺とのあいだに何らかの密約があったのではないかと考えた。ニューヨーク・タイムズ紙によれば、アメリカの諜報部門は情報を、ヒントを探し始めた。

オバマが制裁を発表してからプーチンが寛大な対応を示すまでのあいだに、マイケル・フリンがロシアの駐米大使、セルゲイ・キスリャクと話をしていた。フリンはこのとき、トランプ次期政権で国家安全保障問題担当の大統領補佐官に就くことになっていた。通話は五回。フリンは当初、アメリカのロシア制裁は話題にならず、次期政権が制裁を解除するかどうかも話し合わなかったと強調した。

「よいお年を」とあいさつしただけだ、と。

第5章
ミーシャ将軍

2013 ～ 2017 年
モスクワ―ケンブリッジ―ロンドン

スヴォーロフ「そこで泳いでいる魚の種類は？」
上官「一種類だけだ。ピラニアだよ」

――ヴィクトル・スヴォーロフ
『Aquarium: The Career and Defection of a Soviet Military Spy』
（『死の網からの脱出――ソ連ＧＲＵ将校亡命記』）

モスクワのそのビルには「水槽（Aquarium）」というあだ名があった。ロシアで最も秘密に包まれた組織、GRUの本部庁舎だ。正式名称はロシア連邦軍参謀本部情報総局。スパイ活動に従事するロシア課報部門の三機関のなかでも最大、最強を誇る。

GRUの任務は軍事情報の収集だ。手段はさまざまで、盗聴も、軍事衛星も、昔ながらのスパイ技術も使った。GRUが国外に抱える課報ネットワークの規模は、対外課報を担うロシア対外情報庁（SVR）より大きいと考えられている。組織構造はほとんど知られていない。報道官がいないため、話を聞く相手もいない。その活動は国家機密である。

「水槽」の広く暗いエントランスには、ロシアを中心に黄色と青で描かれた大きな世界地図がある。花崗（かこう）岩と大理石の床には翼を広げたコウモリのシンボルマークが刻まれている。「特殊任務」を意味するロシア語からその名がついた部隊、スペツナズの象徴だ。スペツナズはGRU傘下のエリート特殊部隊で、アフガニスタンやチェチェン、さらに、近年ロシアが軍事行動を展開しているシリアのような場所に展開している。

上級将校たちの執務室からは、雰囲気のいい中庭が見下ろせる。庭には噴水があり、冬場でも夏場でも、座ってコーヒーを飲みながら雑談に興じることができる。他の将校たちは周辺に立ち並ぶ灰色の高層住宅で家族と暮らしている。その高層住宅群に隠れていて、外から「水槽」を見ることはできない。退役将校たちもそこに住んでいる。地下プールやジムがあり、屋上にはヘリパッドもある。プーチンが二〇〇六年に「水槽」の落成式に出席したときは、そのヘリパッドに降り立った。

二〇一三年、「水槽」に珍しい訪問客があった。その客は歴戦の兵士だった。三三年にわたり軍の諜報活動に従事し、アフガニスタンにも、イラクにも、中米にも派遣された。このとき強力な諜報機関のトップを務めていた。特に不自然なところはない。しかし、その人物がアメリカ出身で、ロードアイランド州ミドルタウンの貧しいアイルランド系カトリック教徒の家で育ったことだけは例外だった。

訪問者の名前はマイケル・T・フリン。本人によれば、ロシア政府の最も秘密に包まれた施設に入ることを許されたアメリカ人は、フリンが初めてだという。滅多にない栄誉だった。彼は当時、アメリカ国防情報局（DIA）長官であり、国防総省の上級軍事諜報将校でもあった。

フリンは一匹狼を自認し、「丸穴に打たれた型破りな四角い杭（くい）」を自称した。

フリンがオバマ政権のDIA長官に任命されたのは二〇一二年四月のことだ。「水槽」を訪れたときには、すでに政権に幻滅していた。フリンは、政権は有害なポリティカル・コレクトネスに屈したと感じていた。さらに、アメリカが世界での戦い、すなわちイスラム過激派や「悪人たち」が仕掛けてきた戦争に敗れつつあることを理解していないとも感じていた。ホワイトハウスは最も重要な敵すら認識していない、と。その敵とは、イラン・イスラム共和国だった。

フリンの到着を目の当たりにしたGRUの参謀将校たちは、不思議な感覚を味わっていたに違いない。KGBがグラブニ・プラティブニク、つまり主敵と呼び、数十年にわたり弱体化させようとしてきた相手こそ、アメリカなのだから。冷戦に小休止が入ったところで、この事実は変わらない。

将校たちの大半が、アメリカのスパイを目にしたことがなかった。それがいま、生身で目の前に現れたのである。彼らは諜報のプロとして強く興味を引かれていた。

フリンがモスクワに来たのは、リーダーシップに関する講演をするためだった。彼はワシントン・ポスト紙に対し、「すべての人員を前に説明することができた。世界がどのような姿を見せようとしているのかについて、多くのことを話した」と語っている。また、GRUでの講演は「完全に受け入れられた」と言い、「素晴らしい旅だった」と振り返った。フリンが見たとおり、ISISや中東全般に広まったテロリズムを倒すことは、米ロ両政府に共通の利益だった。つまり、両者は協力できるということだ。

わからないのは、GRUがフリンを招いた理由である。西側に亡命したGRUの元少佐、ヴィクトル・スヴォーロフは私に、フリンの訪問は「とても奇妙」なことだと言った。スヴォーロフはリトヴィネンコの友人だった。私と知り合ったのは、リトヴィネンコの死後だ。スヴォーロフは「三等書記官」という表の身分で在ジュネーブ国際機関ソ連代表部にいたときに亡命し、一九七八年からイギリスに住んでいた。

スヴォーロフの本名はウラジーミル・レズンという。亡命後、GRUでの経験を存分に生かし、スヴォーロフという筆名で『Aquarium』（邦題：『死の網からの脱出』講談社、一九八六年）というスリリングな小説を書いた。ほかにも、ソ連軍やソ連軍の諜報活動に関する著作がある。小説には背筋の凍るような光景がはっきり描写されている。男がワイヤーでストレッチャーに縛りつけられ、生きたまま「水槽」の火葬炉に入れられる場面だ。祖国を裏切った男だった。レズン＝スヴォーロフはGRUに採用された当時、その男の最期を撮影した白黒フィルムを見せられていた。

スヴォーロフは、GRUはKGBとは違うと言い、二つの組織はいつもいがみ合っていたと語っている。GRUのほうが目立たず、「常に影の中」にいて、組織内の機密書類を自ら燃やしていたため、煙突からうっすらと透明な煙が立ち上っていたという。彼は、フリンの「水槽」訪問のニュースを聞いて衝撃が走ったと振り返った。「何てこった。自分は間違っていた」と思ったという。

スヴォーロフは続ける。「怪しい動きだ。ロシアの補佐官のトップがMI6内部に招かれたり、『リーダーシップについて知らないので教えてください』なんて言われて、CIAで講演したりするところなんて想像できないだろう?」。スヴォーロフによれば、GRUはフリンを調べていた。「ロシア人たちは何か彼の情報を握っているのかもしれない。あるいは、彼を支配下に置いている」というのが彼の見立てだった。

フリンを招いたのはGRUのイーゴリ・セルグン長官だった。セルグンはこの二年余りあと、おそらく極秘任務のために訪れていたレバノンで不可解な死を遂げる。このモスクワ訪問でフリンは、駐米大使のキスリャクと会っている。その後、接触を重ねる二人だが、これが初めての対面だった。フリン自身の説明によれば、そもそも彼をロシアに招き、旅程を調整したのはキスリャクだった。

これはただのアメリカ高官との顔合わせだったのだろうか。それとも、スヴォーロフの見立てどおり、何か謀略のようなものが進んでいたのだろうか。スティール報告によれば、キスリャクがフリンに近づいたのは計画的な行動で、戦略的な対米工作の一環だった。戦略には「取り込めそうなアメリカ人」を見出すことも、そうした人物をモスクワに連れて行くことも含まれていた。

フリンは二〇一四年二月にも講演をした。今度の場所はイギリス。ケンブリッジでの諜報関連の会合に招かれていた。出席者はケンブリッジ大学の学者や元諜報員、それに場違いな記者で、古今のスパイをめぐる問題について議論した。

過去、ケンブリッジの会合で講演したロシア人たちが不可解な死を遂げたことがある。のちに前妻の家で首を吊った状態で発見されるボリス・ベレゾフスキーは、二〇〇三年一月の会合に招待された。当日は、ウラジーミル・カラムルザというケンブリッジ大の若い学生の迎えでロンドンから出席した。友人のリトヴィネンコとともに。

ベレゾフスキーは基調講演をした。また、リトヴィネンコは長机の端で起立し、カラムルザの通訳で、ロシア語で手短にプーチンについて語った。そのリトヴィネンコは二〇〇六年に毒殺された。また、カラムルザは卒業後に帰国してロシアの民主派反政府団体に加わったのち、毒を盛られる。しかも二回。しかし、彼はモスクワの医師団に命を救われている（検査結果によれば、カラムルザは二種混合(バイナリー)型毒物に侵されていた。二種類の物質を別々に投与されたようだ）。

フリンをケンブリッジに招いたクリストファー・アンドルー教授は、イギリス保安局（ＭＩ５）の名誉フェローにして公認歴史学者だった。また、アンドルーとともに会合を主宰したリチャード・ディアラブ卿は、イギリスの秘密諜報機関、つまりＭＩ６の元長官である。ディアラブ卿はスティールの上司だった。

フリン（とベレゾフスキー）の講演は、コーパス・クリスティ・カレッジで行われた。一四世紀からそこにある、落ち着いた魅力的な施設だ。垂直ゴシック建築に囲まれた前庭に、イングランド内戦を生き延びた銀食器のコレクション。また、教職員用コモンルームの隣に掛かった絵画は（本物なら）プッサンの作品だという。ほかにも、歴代カレッジ長の肖像画が天井の高いダイニングホールを見張っている。

ケンブリッジには諜報界とのつながりが無数にある。一六世紀のコーパスの学生で、詩人で劇作家のクリストファー・マーロウもそうだ。マーロウはエリザベス一世率いる政府のために秘密の任務に就き、一五九三年にロンドンのパブで刺殺される。勘定をめぐる口論のなかで刺されたとも言われている。

しかし、ケンブリッジがスパイの同義語となり、冷戦下の政策を決めるようになるのは二〇世紀のことだ。一九三〇年、ソ連は共産主義に傾倒している学生たちと指導教員一人のグループ、通称マグニフィセント・ファイブを取り込んだ。このうちキム・フィルビー、ガイ・バージェス、ドナルド・マクリーンの三人はモスクワに亡命する。フィルビーはベイルートから姿を消すとき、英紙オブザーバーに寄稿しようとしていた。ちなみに、オブザーバーはのちに、私の雇い主であるガーディアンの姉妹紙となる。

逆方向の流れもあった。一九七四年、コーパスのカレッジ長、ダンカン・ウィルソン卿は、ソ連から亡命したチェロ奏者ムスティスラフ・ロストロポヴィチを受け入れた。一〇年後には、KGBの工作員で、イギリスの二重スパイだったオレグ・ゴルディエフスキーがロシアから亡命する。アンドルーはゴルディエフスキーの友人となり、ともに本を書いた。ソビエト連邦が崩壊したクリスマスの日、二人はアンドルーの部屋のソファーに座り、テレビでその様子を見ていた。その六年後、アンドルーは元KGB文書保管員の亡命者、ワシリー・ミトロヒンと協力し、彼が持ち出した文書をまとめる。SISの助けでロシアから密かに脱出したミトロヒンは、世界各地でのKGBの作戦を網羅した最高機密文書を六つの大型ケースに詰めて出国していた。

ケンブリッジでの会合のイベントリストでは、モスクワに亡命したKGBのイギリス人スパイ、ジョージ・ブレイクをめぐる議論が看板企画とされ、なかでもフリンの講演はまぎれもない目玉だった。聴衆は学者や学生、引退した諜報専門家たちで、フリンにはＤＩＡの局員たちが同行していた。会合後、ディアラブ卿がカレッジ長を務めていたペンブローク・カレッジで夕食会があった。

二〇一七年、アンドルーは英紙サンデー・タイムズへの寄稿で、この晩のことを回想している。記事によると、フリンはロシアとイギリスの二重国籍を持つ優秀な大学院生と話し込んでいた。相手はモスクワ生まれの女性で、ロシアの公文書から発見したという事実について説明していた。フリンは彼女に感銘を受け、近く予定していたモスクワ訪問に公式通訳として同行するよう持ちかけた。だが、この訪問は実現しなかった。会話から間もなく、プーチンがクリミア半島を併合したためだ。アンドルーは、フリンとその大学院生は、のちにメールで「機密でない通信」をしたと書いている。話題はソ連の歴史についてだ。彼女はチェカーに関する論文を書いたことがあった。また、本を書くための準備として、開始当初のアメリカの核開発計画に人を潜り込ませるうえでＧＲＵのスパイが果たした役割について調べていた。

スベトラナ・ロコワというその女性は現在、アンドルーの回想の一部に異論を唱えているようだ。彼女がロシア諜報機関とつながっていることを示す情報はない。ただしフリンには、あらゆる外国人との接触をＤＩＡに報告する義務があり、彼はその義務を果たさなかった。

フリンのメールの締めくくりは、アメリカの諜報員らしくなかった。自分を「ミーシャ将軍」と称していたのだから。

ミーシャはマイケルを表すロシア語だ。

ＤＩＡ長官時代のフリンをめぐっては多くの批判がある。局内でも、オバマ政権内部でも、彼の突飛な行動に対する懸念が高まっていた。ある筋はＤＩＡの情報源を引用しながら、フリンのイランに対する執着ぶりや、「線形思考」能力のなさを訴えた。また、彼には「跳び回る」傾向があり、「常軌を逸していると思われていた」と語った。

別の同僚たちは、フリンは陰謀論を好んでいたと指摘している。こうした傾向から、「フリン・ファクト（フリンにとっての事実）」という言葉が生まれた。現実の出来事に対して、フリンが事実の裏付けに乏しい独自の説明をすることを表した言葉だ。その様子は、政権の政策を意図的に破壊しているように見えることもあった。

別の元同僚から聞いた話では、フリンは軍にいた頃、いつも「保護者たち」に守られていた。統合特殊作戦コマンド（ＪＳＯＣ）の司令官、スタンリー・マクリスタル将軍もその一人だ。フリンはＪＳＯＣにいた頃に、イラクとアフガニスタンの戦場で軍の情報収集活動のあり方を変革した。押収した携帯電話や新聞の切り抜きなど、あらゆる情報源から入るデータがリアルタイムに分析官たちに送られ、それに基づいて即座に急襲作戦が実行されるようになった。その元同僚によれば、フリンにはもっと不快な傾向があったが、マクリスタルが制御していたという。

元同僚は、ＤＩＡ長官になったことで、フリンには導き手も監督者もいなくなったと語る。自分しかいなくなったのだと。すると、行動が早いこと、自分の考えに没頭すること、自分を信じて疑わないことといった彼の特性が、裏目に出始めた。「率直に言って、フリンは自分の能力を超えたところまで出世してしまった」というのが元同僚の見方だった。

そして、フリンの混沌とした組織運営スタイルが登場した。コリン・パウエル元国務長官はのちに流出するメールに、フリンは「部下に対して横暴」で「話を聞かない」と書いた。フリンが長官だった頃のＤＩＡでは、女性局員たちに服の選び方を助言するプレゼンテーションまであったという。地味な格好を避けたほうがいいとか、「化粧は女性を魅力的にする」といった内容だった。

二〇一四年八月、フリンは政府と軍を去った。これは予定より一年早かった。国家情報長官のクラッパーが時間切れだと伝えたらしい。その後、フリンは解任をめぐりオバマを痛烈に批判する。ＩＳＩＳについて強く警告された腹いせに、大統領は自分をクビにしたという言い分だった。二カ月後、ＤＩＡはフリンに書簡を送った。退職に伴いフリンに課される倫理規定を説明する書簡だ。そこには、国外の権力から金銭を受け取った場合、申告しなければならないと書かれていた。

フリンが次に取った行動は、いかにも元将軍というものだった。講演家のエージェントに加入してあちこちで話をしつつ、テレビ評論家になったのだ。さらに、フリン・インテル・グループというコンサルティング会社もつくった。それから本を書いた。マイケル・レディーンという右翼学者との共著で、暗く不安をかき立てるような、ネオコンの主張がとりとめもなく並べられた本だ。題名はホメロスの『イーリアス』のなかから借用した（『戦場：元国家安全保障担当補佐官による告発』中央公論新社、二〇一七年）。

フリンは同書でオバマに対する不満をぶちまけ、「史上最悪の大統領二人」のうちの一人だと言い放った（もう一人はジミー・カーターだという）。それから、ある持論を展開した。単純かつ病的な妄想だ。西洋は悪のイスラム武装勢力との国際的な戦いに敗れつつある。アメリカに必要なのは新たな指導者であり、それはオバマとは違う、強固な意志を持ち、愛国的で決断力のある人物である、と。

本には興味深い一節がある。フリンが亡き両親を回想している部分だ。それによると、父のチャーリーは軍で二〇年を過ごし、第二次世界大戦や朝鮮戦争に従軍した。また、母のヘレンは「素晴らしい、勇敢な」人だった。そして、一〇代だったフリンは「不法行為」で逮捕された。

フリンは当時の自分のことを、「意地悪で、乱暴な子ども。ルールを嫌い、生まれつき後先考えず正しいと思うことをするタイプ」と評し、「いわゆる常識外れの悪ガキ」だったと書いている。そのフリンを救ったのが軍だった。彼は将校になってからも、既存の仕組みに従わない者たちと自分を重ね続けた。アップルの有名なスローガンを借りれば、「はみ出し者、反骨者、厄介者」たちだ。

しかし、この本の大半は、怒った男が酒場でわめき散らしているも同然の内容だった。フリンはオバマの対ロシア政策を「軟弱すぎる！」と批判した。また、イスラム過激派を倒すため米ロは連携できると書いた。

フリンの反主流派的なものの見方と、イスラム世界に対する頑なさを考えると、彼がトランプと多くの共通点を抱えていることがわかる。報道によれば、二人が初めて顔を合わせたのは二〇一五年八月、トランプが大統領選への出馬を表明した数週間後のことで、場所はニューヨークだった。九〇分の会談は順調に進み、フリンは非公式の外交政策顧問として働き始めた。

このあいだに、フリンがロシア政府のレーダーから外れることはなかった。実態はむしろ逆だった。二〇一五年一二月、彼は再びロシアを訪れる。テレビ局ＲＴの創設一〇周年を祝う特別行事にロシア政府から招待されたのだ。

出席者にはロシア政府のお気に入りたちがそろっていた。ロンドンのエクアドル大使館を出られないジュリアン・アサンジも衛星通信で顔を出した。フリンはステージ上で、ＲＴのキャスター、ソフィー・シュワルナゼのインタビューを受け、一〇〇人の賓客を前にプーチンが喜びそうな質問に答えた。彼はRTの緑のロゴの前に座った。

もう一人、アメリカの有名人がいた。緑の党の大統領候補、ジル・スタインだ。晩餐会では二人に上座が用意された。

フリンにあてがわれたのは特等席だった。ウラジーミル・プーチンの隣である。

他の出席者には、大統領報道官のペスコフ、大統領府長官のセルゲイ・イワノフ、副長官のアレクサンドル・グロモフがいた。さらに、RT編集局長のマルガリータ・シモニャンのほか、オリガルヒやロシアの著名人たちも顔をそろえた。ヨーロッパからはドイツのヴィリー・ヴィマーという政治家や、ボスニアのエミール・クストリッツァという映画監督が来ていた（クストリッツァはRTの大ファンだった。彼はRTのインタビューに、自分がロシア人ならプーチンに投票すると言った）。

ロシアがフリンを招待したのはなぜだろうか。駐ロシア・アメリカ大使を務めたマイケル・マクフォールによれば、答えは単純で、フリンがトランプ候補に近かったからだという。

フリンはワシントン・ポスト紙のダナ・プリーストに対し、席順の決定にはまったく関与しなかったと述べている。プーチンの隣の席は、自分から要求したわけではないというわけだ。フリンはまた、プーチンとのあいだでは、紹介はされたものの会話はなかったと語っている。ただし、彼はそこで、プーチンがオバマをよく思っていないことや、「アメリカ合衆国に敬意を持っていない」ことを実感したという。

RTをめぐるプリーストとのやり取りは暴露話だった。フリンはどうやら、RTがロシア政府のプロパガンダ・チャンネルであることを忘れているらしい。

プリースト：ＲＴには定期的にご出演を？
フリン：アルジャジーラにも、スカイニュース・アラビア語版にも、ＲＴにも出ます。出演料はもらいません。メディアとは契約を結んでいないんです（中略）。ＣＮＮやＦＯＸでも（インタビューを受けている）……
プリースト：なぜＲＴに出るんです？　国営ですよ？
フリン：だったら、ＣＮＮはどうなんです？
プリースト：ええと、国営ではないですよ。何か言いたそうな目をしてらっしゃいますね。
フリン：だったらＭＳＮＢＣはどうです。つまりその、アルジャジーラは？　スカイニュース・アラビア語版は？　これまでいくつも（有償）契約の話があったが、それは望みではない。
プリースト：縛られたくないということでしょうか。
フリン：ええ、そうです。正しいと思うことを自由に話したいんです。

ＲＴからいくら受け取っていたのか、フリンは言わなかった。しかし、答えはのちにあきらかになる。三万三七五〇ドルだ。これは外国政府からの報酬だった。受け取る前に国防総省の許可を取らなければならなかったのだが、このときもフリンは申請しなかった。彼はほかにも二度、報酬を受け取ってワシントンで講演し、ロシアの利益を代弁している。

二〇一六年春までに、フリンはトランプを声高に支持し、トランプ陣営に外交政策の助言をするようになっていた。また、ツイッターではますます過激なクリントン批判を展開し、いかさま、不誠実、恐ろしい女などと呼んだ。さらに、他人がでっち上げた陰謀論（オバマは資金洗浄屋の「ジハード戦士」だ）を拡散させ、「イスラムを恐れることは理にかなっている」ともツイートした。この頃、トランプがフリンを副大統領候補にするかもしれないという話もあった。

副大統領候補の件は実現しなかったが、フリンはクリーブランドでの共和党全国大会で重要ポストを与えられた。このときの演説には、それから数カ月間、フリンに取り憑くことになる傲慢さが垣間見えた。しかしこれは、愚かで身の程を知らない浅はかなプライドへの天罰を招く演説になった。

ホール内は熱狂的な雰囲気に包まれていた。フリンは出席者に対し、「自分が法律より偉いと考えるような無分別な大統領はいらない」と言った。聴衆のあいだには「牢屋行き！」というコールが巻き起こった。

フリンはしかめっ面でうなずき、言った。

「そうだ、牢屋行きだ！」それから聴衆に、クリントンが私用メールサーバーを使ったことで「国の安全保障」が危険にさらされたと言い、あらためて「牢屋行き！」のコールを求めた。

フリンは続ける。

「まったく正しい。まさにそのとおりだ。何も間違っていない。私たちがなぜそんなことを言うのか、わかるだろう。その理由は、もし私が、この世界を知っている私が、彼女のしたことの一〇分の一、そう一〇分の一でもしていたら、いま刑務所にいるからだ。

だから、いかさまヒラリー・クリントンよ、いますぐこの戦いから去れ！」

二〇一六年の選挙戦の基準から見ても、際立って低レベルの演説だった。共和党支持者もアメリカの有権者も知らないうちに、ロシア政府に事実上雇われていた男が、恥ずべき下劣な攻撃をしている。すべてを知っていたのはロシア政府だけだ。ロシア政府は、このクリーブランドでの共和党全国大会をつぶさに観察していた。キスリャクがその場にいたからだ。

クリーブランドの直後、スティールは二通のメモをフュージョンＧＰＳに送った。「高位の、確かなロシア政府筋」との会話に基づく情報だという。

どちらの情報源もロシア政府内における「分断と反感」に言及し、イワノフとペスコフのあいだに不和があることを説明した。イワノフもペスコフも、ＲＴの祝賀イベントでフリンと同席していた人物だ。イワノフについては、プーチンの側近のなかでもセチンに次ぐ有力者だというのが一般的な見方だった。メモによると、イワノフは民主党全国委員会のメールのハッキングと公開、そしてロシアに対する非難という「このところの事態の展開に怒っていた」。ペスコフ率いる政府チームが身の丈をわきまえず、「行き過ぎた」と考えていたのである。そして、「いまやロシア指導部にとって唯一の現実的な道は、『粘り強く、すべてを否定し続ける』ことだ」と発言していた。

首相のメドベージェフも、イワノフと同じ懸念を抱いていた。メモによれば、「とりわけ、公私を問わず（アメリカに）行くことができるようにしておくため」、誰がアメリカの権力の座にあろうと、良好な関係を維持したいというのがメドベージェフの考えだった。またロシア政府内部には、トランプは「精神状態や、高い地位に就くための資質のなさが表向きの理由となって」、大統領選から撤退せざるをえなくなる可能性があるとの見通しがあった。

八月一〇日付の二通目のメモは、さらに詳しい。このメモには、イワノフが「八月上旬、自らに近い同僚に対して自信満々に話した」内容が書いてあった。元ＫＧＢ工作員で、国防相、第一副首相も務めたイワノフが、楽観的になっていた。もはやクリントンが選挙に勝っても、国内の分断の修復に手一杯で、「ロシアの利益を損なう外交問題」にそれほど力を割けないという手応えがあったからだ。イワノフが言うには、プーチンは「ここまでの反クリントン工作におおむね満足していた」。

メモには次のように記されている。

ロシア政府はこの一環として、さまざまなアメリカの政治家を支援していた。最近のモスクワ訪問の費用を間接的に提供したことも、その一例である。彼／彼女（情報源となったロシア政府当局者のこと）はこれに関し、リンドン・**ラルーシュ**、緑の党大統領候補ジル・**スタイン**、**トランプ**の外交政策顧問カーター・ペイジ、前ＤＩＡ長官マイケル・フリンの一団を挙げ、成果が見込まれているとした。

つまり、ロシア政府はフリンへの投資に満足していたということだ。有意義な金の使い方だった。メモの二日後、プーチンは意外にもイワノフを大統領府長官から解任した。おそらく、アメリカへのハッキングをめぐる意見の対立が理由だが、ロシア・メディアは何も伝えなかった。国営テレビでは、イワノフが「自らの希望」で提出した辞表をプーチンが受理する様子が放映された。イワノフは笑みを浮かべていた。なんとか威厳を保ちながら、この運命を受け入れようとしていたのだ。それでも、その顔には苦痛の色がうかがえた。

夏が終わる頃には、フリンは熱烈なトランプ信奉者となり、テレビやトークショーに頻繁に顔を出していた。さらに機密情報も受け取っていた。八月一七日、大統領候補向けの機密事項の説明がトランプ・タワーで行われたときも、フリンは同席した。アメリカ当局者はNBCニュースに対し、フリンはたびたび説明を遮り、ニュージャージー州知事のクリス・クリスティが落ち着くよう諭すほどだったと語った。本人はそんなことはなかったと否定しているが。

これと同時に、フリンはロビー活動でも報酬を得ていた。今度はトルコ政府からだ。大統領のエルドアンは七月に発生したクーデターを乗り切っていた。その後、多くの人が逮捕・解雇されるなか、エルドアンは、ペンシルベニア州で亡命生活を送っていた聖職者、フェットフッラー・ギュレンの支持者たちが反乱を企てたと非難した。一方、フリンはクリーブランドで、エルドアンは「オバマ大統領に近い」と言ってクーデターを歓迎した。

それから大統領選投票日までの二カ月間に、フリンはギュレンをトルコに引き渡すよう求め始めた。それどころか、ギュレンを「トルコのオサマ・ビン・ラディン」とまで呼んだ。何が変わったというのだろう。二カ月前との違いは、フリンのコンサルティング会社が新しく好条件の契約を結んだことだった。表向きの契約相手はイノフォBVというオランダ企業だ。しかし実のところ、この企業がトルコ政府とつながっていたのである。契約額は六〇万ドルだった。

証明されてはいないが、ロシアが契約をお膳立てした可能性があると疑われた。プーチンとエルドアンは二〇一五年一一月、トルコがシリアとの国境でロシア軍機を撃ち落としたことを受けて激しく対立した。しかし二人は、トルコがプーチン寄りになっているとの批判を受けながらも、二〇一六年夏までに和解を果たす。フリンの契約が結ばれたのは、プーチンとエルドアンがサンクトペテルブルクで会談した日だった。

フリンはこのときも、契約先を外国の機関として申告しなかった。大統領選の投票の翌日、エルドアンはトランプに電話し、祝意を伝えた。

任期切れ間近のオバマ政権内、あるいはアメリカの諜報コミュニティー全体に、フリンが安全保障分野で高い地位に就くのではないかという不安があった。この懸念はフリンの振る舞い全般からくるものだった。ロシアと結んだ契約は一件にとどまらず、外国から出所の不透明な金を受け取り、不適切な行動と欺瞞を重ねる。そのすべてが、政府高官としてのフリンの適性に対する疑念を呼び起こした。

オバマもトランプに同じことを言った。トランプ勝利という衝撃的な選挙結果が出た翌日、大統領執務室で対面したときのことだ。元当局者三人がNBCテレビに語った話によれば、オバマはトランプに対して、フリンを入れてはいけないとはっきり伝えた。しかし、トランプはその警告を無視した。三日後、国家安全保障担当補佐官にフリンを起用することを発表したのである。大きな権限のある参謀役だ。この人事は、トランプの国家安全保障チームのなかで、フリンが誰よりも多くの時間をトランプと過ごすことを意味した。

政権移行期にもフリンはキスリャクとの接触を続けた。一二月初旬、フリンはジャレッド・クシュナーとともに、トランプ・タワーでキスリャクと会った。ただし、写真は残っていない。キスリャクが裏口からこっそり入ったからだろう。

ロシアの駐トルコ大使がアンカラの画廊で銃を持った男に射殺された際にも、フリンはキスリャクに電話で弔意を伝えた。一二月中旬のことだ。またクリスマスにはテキストメッセージで季節のあいさつを送った。それから一二月二八日にも電話をした。このときは、トランプとプーチンの電話会談や、ロシアが近くカザフスタンで主催する予定だったシリア内戦の和平協議が話題になった。

アメリカ政府の元当局者によると、フリンは翌日以降もキスリャクに繰り返し電話をかけた。ロシア政府のハッキングに対抗し、オバマが外交官三五人を国外退去処分にしたのは、二九日のことだ。この電話は致命的だった。これが直後のフリンの転落と、ある質問につながったのである。初めてその質問がなされたのは一九七三年、ウォーターゲート事件の聴聞でのことだ。共和党のハワード・ベイカー上院議員は次のように聞いた。

大統領は何を知っていたのですか？　いつ知ったのですか？


フリンは一九八〇年代の初めにアメリカ陸軍に入隊した。当初は歩兵部隊に配属される可能性もあったが、実際は、新たに出現した戦場に加わった。電子諜報と電子戦を専門とする情報将校として訓練を積んだのだ。彼の任務は敵の通信を傍受することだった。

彼はパナマ、ホンジュラスなどの中央アメリカに派遣された。派遣先の国々では、ソ連が背後にいると思われる反政府勢力とレーガン政権の代理戦争が起こっていた。フリンは第三一三軍事諜報大隊に所属する小隊長としてカリブ海の島国グレナダへの侵攻に加わった。一九八三年のことだ。

フリンは先述の著書『戦場』で、反体制左翼武装勢力を打倒するためグレナダに派遣されたときのことを回想している。当時は極左武装勢力が首相のモーリス・ビショップを退任させ、キューバ人たちとまとめて処刑したばかりだった。フリンは部下たちとともに迅速に動き、首都セント・ジョージズの中心街にある電話会社を奪取した。そして、仕事に取りかかった。

フリンの本には「私たちは島の通信回線に盗聴器を取り付け、脱出しようとする人たちに向けたキューバの通信を傍受し始めた」とある。

その後、フリンはアメリカ軍支配下の空港に戻る。空港は「市内がよく見え、(グレナダの)南西部に沿った絶好の場所」にあった。

フリンはこのときのことを振り返り、「事実上、電気的にあらゆる通信を『見る』ことや『聞く』ことができた」と書いている。

そうしてフリンは、アメリカの通信傍受能力のすべてを知った。それこそが彼の専門分野だった。以後三〇年間でこの能力は向上した。元DIA長官の彼なら、ニューヨークやワシントンにいるロシア外交官たちが常に監視されていることは間違いなく知っていたはずだ。その傍受能力があったからこそ、一二月と一月の彼の振る舞いは本当に馬鹿げたものになったのだ。

スティール報告が表沙汰になった二日後の一月一二日、記者で作家のデイヴィッド・イグナティウスのコラムがワシントン・ポスト紙に掲載された。イグナティウスは、トランプ－ロシア関係をめぐるワシントンでの暗いドラマを、シェイクスピアの『ハムレット』の舞台、エルシノア城に取り憑いた幽霊や怪奇現象になぞらえた。そして「外国のスパイ計画に関する品のないリークが一週間続き、国民は、我が国の民主主義がどこか腐っているのではないかと考えているに違いない」と指摘した(オバマはこのたとえで、ロシアのハッキングという「卑劣な行い」を目の当たりにして狼狽するデンマークの王子の役だった)。

イグナティウスはコラムで、厄介な疑問をいくつか投げかけた。そして、ただの付け足しのような扱いで、ある「アメリカ政府高官」の発言を取り上げた。その発言は、オバマが外交官三五人の追放を発表した一二月二九日、フリンがキスリャクに連絡したという内容だった。プーチンが、モスクワにいるアメリカ人を誰一人退去させないという奇妙な反応を見せるのは、このあとのことだ。イグナティウスは、フリンはローガン法を破った疑いがあると指摘した。アメリカとの「紛争」に関わりのある外国政府に干渉することを目的に、当該国の政府と連絡を取り合うことを禁じた法律である。

フリンはキスリャクとの会話で非公式の取引をしたように見える。もちろん、正式に証明することはできないが。それでも、一連の出来事を合理的に説明しようとすれば、フリンが暗に何かを伝えたと推測できる。その何かとは、次期トランプ政権はオバマがロシアに科した制裁を解除するか、少なくとも緩和するというメッセージである。

トランプの政権移行チームはこの解釈を否定した。うち一人はワシントン・ポストに対し、「制裁はまったく話題にならなかった」と語った。トランプの広報担当者、ショーン・スパイサーも同じだった。フリン自身も二日後に副大統領候補のマイク・ペンスに同じ説明をしている。制裁の話はしなかった、と。ペンスと、のちに大統領首席補佐官になるラインス・プリーバスも、日曜朝のテレビ番組でそれぞれ同じ説明をした。プリーバスは「そんなことはなかった」と断言した。

しかし、フリンが嘘をついていたことはすぐにあきらかになった。

まず、ペンスに嘘をついていたのは確実だった。さらに、一月二四日にホワイトハウスで行われたＦＢＩの事情聴取で虚偽の供述をした可能性もあった。報道によれば、フリンは弁護士の同席なしに聴取に応じたとされる。連邦捜査官に嘘をつくのはまずい。犯罪だからだ。

フリンによる公の場での発言は、司法省の警戒を呼び起こしていた。機密指定されたフリンとキスリャクの会話の書き起こしが政府内部で回覧されていたのは間違いない。

オバマ政権で司法長官代理を務め、政権交代後も暫定で留任していたサリー・イエーツは、状況が制御不能に陥っていることに気づいた。フリンはペンスに嘘をつき、ペンスは国民に事実と異なる説明をしていた。しかも、ロシア人たちはこの食い違いを知っている。つまり、新任の国家安全保障問題担当大統領補佐官であるフリンが、脅迫に対して無防備になっているということだった。

ＦＢＩによる事情聴取の二日後、イエーツは大統領法律顧問のドン・マクガーンに電話をかけ、「話し合いの必要な非常に敏感な問題」があると伝えた。電話で話せる内容ではなかった。上院司法委員会の小委員会で本人が証言した話によれば、イエーツはその日の午後、ホワイトハウスにある執務室にマクガーンを訪ねた。会話は機密隔離情報施設（ＳＣＩＦ）という機密扱いの情報を精査するための部屋で行われた。

イエーツは状況を説明し、フリンの「水面下での行動」によってロシア政府が利用しうる「欠点が生じた」と述べた。また、ペンスは自分が伝えた情報が「事実ではなかった」ことを知るべきだと言った。マクガーンは、フリンに対するＦＢＩの聴取について、「彼はどんな様子だった？」と尋ねた。イエーツは詳細を知らなかった。供述の正式な要約であるＦＤ-３０２形式の報告書をまだ読んでいなかったからだ。イエーツはまだ概略しか知らされていなかった。

翌一月二七日金曜日の朝、マクガーンはイエーツに電話をかけ、もう一度ホワイトハウスに来るよう伝えた。そこで二人は、フリンが刑法犯になる可能性を話し合った。だが、マクガーンは不気味なほど無関心だった。イエーツの議会証言によれば、マクガーンは「ホワイトハウスの人間が別のホワイトハウスの人間に嘘をついたことが、なぜ問題なんだ？」と尋ねたという。

イエーツは「まったくそれどころの話ではない。言うまでもないが、国家安全保障担当補佐官がロシアに弱みを握られている状況は望ましくない」と答えた。

イエーツは、トランプ政権が何らかの対応をするだろうと考えた。しかし、政権の優先事項は違ったところ、すなわち、ＦＢＩがフリンについて何を知っているのかを探り出すことにあったようだ。マクガーンは証拠を見たいと言い、イエーツは司法省が週明けまでに準備すると応じた。

この時点で大統領のトランプが指導力を見せ、フリンを解任すべきだった。フリンの振る舞いや度重なる欺瞞によって、アメリカがロシアの謀略にさらされていたのだから。さらにまずい状況に陥っている可能性もあった。しかし、嘘に嘘が重ねられていた。トランプはイエーツのほうを解任した。トランプはこれに先立ち、イスラム圏七カ国からの渡航者のアメリカ入国を禁じる新たな大統領令を出したが、イエーツはこれを無視するよう司法省の検事たちに指示しており、解任はそのことを受けた処分だった。

マクガーンはイエーツの警告をトランプに伝えたのだろうか。なぜ政権は、こんなにも無反応だったのだろうか。答えはわからなかった。何が起こったのか、イエーツが知ることはなかった。

それから一八日間、フリンは職にとどまった。ウォーターゲート事件では、ニクソンの大統領執務室での録音のうち一八分半のテープが失われたが、民主党の上院議員、シェルドン・ホワイトハウスは、フリンの一八日間はニクソンの一八分半を思い起こさせると言って処分の遅さを指摘した（失われたテープに録音されていたのは、ニクソンとボブ・ハルデマン首席補佐官が一九七三年に交わした会話で、結局発見されていない）。

一月二八日、プーチンはトランプと電話で会談し、大統領就任への祝意を伝えた。フリンも大統領執務室で同席していた。会談は一時間続いたが、報道発表された会談内容は一パラグラフしかなかった。ワシントン・ポスト紙によれば、フリンは一週間後の同紙とのインタビューで、キスリャクと「制裁について話したことを断固否定した」

フリンはあきらかに、山積みになった問題がどこかに消えてくれるまで、ひたすら耐える戦略を取っていた。しかし、それも翌日には失敗に終わる。ニューヨーク・タイムズ紙が現職と退職者を含む政府当局者たちの言葉を引用し、本当は一二月末の通話で制裁が話題になっていたと報じたのだ。その後、フリン付きの報道官は、フリンは「その話題が出なかったことを確信できなかった」と述べた。一方、トランプは懸命にスキャンダルが起こっていないふりをした。大統領専用機での移動中、フリンに騙されたのかと記者団から尋ねられた際には、「その話は知らない」と答えている。

最後にもう一度、異様な光景が見られた。トランプがフロリダのリゾート地に所有する別荘マー・ア・ラゴに、トランプ、フリン、日本の安倍晋三首相がそろったときだ。三人は、北朝鮮がその日実行したミサイル試射への対応を協議し、他の食事客に見られながら（金持ち宿泊客のふりをした外国のスパイもいたかもしれない）、それぞれの携帯電話をじっとにらんでいた。

二月一三日、トランプはしぶしぶフリンを解任した。それで、いつものように、隠蔽や不正をして、その過程で連邦法を犯した可能性もある張本人ではなく、マスコミを批判した。いわく、フリンは「素晴らしい男」で、彼の身に降りかかったことは「本当に悲しい出来事」だったと。またいわく、「私の考えでは、彼はメディアにとても、とても不当に扱われた。私は何度もフェイクニュース・メディアと呼んできた」と。

フリンの在任期間は二四日だった。国家安全保障担当大統領補佐官としては史上最短である。二回解任されたという点も異例だった。フリンは辞表で、「不注意」によってペンスに不完全な情報を伝えたと認めた。また、トランプとペンス、彼らの優秀なチームに仕えたことは「極めて誇らしい」と書いた。そして、彼らは「アメリカ史上最高の大統領府として歴史に残る」だろうと称賛した。

歴史云々の部分は正しかった。歴史はトランプをなかなか忘れてくれないだろう。しかし、救世主をたたえるかのようなフリンの言い分は、現実に起こっていることとずれていた。政権はしくじりや過ち、愚かな自滅行為を繰り返した。フリンが墓穴を掘ったのは、ほんの一例にすぎない。しかし、フリンがこんな自爆じみた行動を取ったのは、一体なぜなのだろうか。

一つありえるのは、ロシアとの取引のなかで、よく考えもせず、フリーランスの個人のように仕事をして、大統領府がそれを把握していなかったというケースだ。

もう一つ、もっと厄介なケースがありうる。フリンが自分の意思で行動していなかった場合である。フリンはただ、トランプやトランプ周辺からの指示に従っていた。トランプ政権は制裁を撤廃するつもりだというメッセージを、キスリャクを通じてロシアに送るようフリンに指示が出ていた。フリンは、時間さえもらえれば望みを叶えると暗に伝えていた。

この仮定のとおりなら、早晩、トランプ自身がＦＢＩの捜査対象になるかもしれない。トランプとフリンが何らかの会話をしていたとしたら、それが鍵になる。失脚はしたが、立場上、フリンには並外れた影響力があるということだ。考えにくいことではあるが、もし彼が連邦捜査官たちに協力することを選べば、トランプを奈落の底に突き落とすことができるのだから。

それから数カ月、トランプはフリンを擁護し続け、励ましのメッセージを送ることさえあった。チャールズ・Ｍ・ブロウは五月、ニューヨーク・タイムズに「なぜこれほど献身的なのかがわからない」と書いた。「私には、何か別の、まだ知られていないことがこの場で起こっているように見える」と。

さらにブロウは「トランプのフリンに対する配慮は、献身による振る舞いというより、恐怖による行動のように見える。フリンが知っていて、トランプが世界に知られたくないと思っていることというのは、どんなことだろう」と疑問を投げかけた。

フリンが政権を去った三日後、私はロンドンのある駅でタクシーに乗り込んだ。自分の行き先を知ったのはその直前だった。この日は木曜で、学期の中休みの日でもあった。通りには子ども連れがいて、市内はにぎわっている。背の高いプラタナスの木の下には、顔を出し始めたスノードロップも見える。ハイドパーク沿いに南に向かうと、暗い雲の隙間から春の日差しが届いてきた。

私はフリーペーパーのメトロをぱらぱらめくった。一面にはドナルド・トランプの写真と、大見出し。「私を盗聴したスパイたち——怒れるトランプ、ロシアのリークめぐり安全保障部門と戦争」とある。記事によると、トランプは諜報機関の長たちが記者に説明をするやり方に腹を立てているらしい。彼は直近のツイートで次のように言っていた。

いま、本当のスキャンダルは、〝インテリジェンス〟によって、まるでキャンディーみたいに機密情報が不法に外部に与えられていることだ。非常に非アメリカ的だ。

タクシーは、中央に金の像が置かれたゴシック・リバイバル様式のモニュメントの角を曲がる。ビクトリア女王が愛した夫、アルバート公の像だ。目的地のロイヤル・アルバート・ホールに着いた。運賃を払い、コンサート会場の外周を歩いて、裏手にあるカフェに向かう。一〇分後、スティールが来た。一二月に会ったあのスティールだが、白髪がちのあご鬚が生えている。本人も友人たちに同じことを言ったそうだが、少しサダム・フセインのような見た目だった。カフェの奥の人目につかない場所に席があった。私はファラデー・バッグを取り出した。無線電波を遮断し、盗聴を防ぐ黒い袋のことだ。私たちは、そこに携帯電話を入れた。

会合の目的は、スティールが通常の生活に戻る方法を話し合うことだった。彼は一カ月以上、自宅を離れて暮らしていた。妻も子どもたちも、通りすがりに様子をうかがうことしかできない。それでも彼は耐えていた。ワシントンでの出来事をつぶさに観察し、トランプの仲間たちがロシアとの関係を否定するのを聞いていた。

スティールはきっぱり「全部嘘だ」と言った。

スティールは、共謀を裏付ける一番の答えは、大がかりな隠蔽が行われたモスクワにあると感じていた。私は、ロシア国内で情報を探し出すのは簡単ではないと指摘した。ロシア政府には言い逃れと、ごまかしがつきものだからだ。リトヴィネンコ殺害事件での私の調査は、二〇一一年二月に休眠状態に入った。当局とＦＳＢによって国外退去させられたせいだ。冷戦終結後では初めてのケースだった。

私たちは、アメリカでＦＢＩの捜査が進展し、いくつか証拠が出ているとの見方で一致した。より幅広い陰謀に関し、スティールは「巨大だ。本当に巨大だ」と言った。

当面の問題は、スティールが自分の仕事とビクトリアの事務所に戻れるかどうかだった。彼は防犯のため、サリー州の自宅の門を新しくした。それでも、相変わらずパパラッチは現れるという。解決策はスティールが再び公の場に姿を見せることだった。私は、多くを語る必要はないが、カメラの前で少ししゃべることになるかもしれないと説明した。そうした場を設けることはできる。それが終われば、マスコミはそっとしておいてくれるだろう。

スティールが先にカフェを出て、私はすぐあとに続いた。いい打ち合わせ場所だった。アルバート・ホールの裏手に続く階段は、一九六五年のイギリスの名作スパイ映画『The Ipcress File（邦題：国際諜報局）』に登場する。主役のハリー・パーマーをマイケル・ケインが演じた。作中では、イギリス諜報員のパーマーがはげ頭の参謀長ハウスマーティンや裏切り者ブルージェイと戦う。ハウスマーティンはパーマーに階段から突き落とされるが、うまく逃げおおせ、車で走り去る。

私はガーディアンの社屋に戻るため、赤い二階建てバスに乗った。二階の座席に座ってメトロの続きを読んだ。一面の記事は五面に続いていた。トランプはフリンを「いいやつ」と呼び、弁護しているらしい。その記事には、捜査の網にかかったトランプの仲間がもう一人登場した。

選挙運動を取り仕切り、トランプを大統領にした人物だ。そして、ミーシャ将軍よりもずっと、ロシア政府に近い人物だった。

第6章
うさんくさい連中との付き合い

2004～2017年
ウクライナ

「悪の天才」

――アレックス・コヴジュン
2016年夏、トランプの選対本部長
ポール・マナフォートに対する言葉。

その日の午前中。モミの木の街路樹が植わった美しい広場で、秋の日差しを浴びながら群衆が何かを待っていた。そこへ背の高い男がステージに飛び上がった。支持者たちが歓声を上げ、一斉に候補者の旗を振り始める。風船と選挙スローガンが見える。その候補者はスーツを着ており、モダンで西洋的な政治家に見えた。親しみを演出するためか、第一ボタンを外している。髪がふさふさしているのは、ドライヤーでブロウでもしたのだろうか。

そこはテキサス州でもないし、ラストベルト（錆ついた工業地帯）と呼ばれるミシガン、ウィスコンシン、アイオワ各州でもなかった。我々がいたのは東ヨーロッパ、もう少し詳しく言うとウクライナのオストロフである。ヘリコプターで現場に到着した私の目に最初に入ってきたのは、中世の城とその下にある金色のドームを頂いた修道院だった。その候補者はトランプではなく、再選を狙うウクライナの首相ヴィクトル・ヤヌコヴィチだった。

その日はウクライナ議会選挙の投票日を一週間後に控えた、二〇〇七年九月だった。群衆は「ヤヌコヴィチ」の名を連呼する。私はその少し前、ウクライナの首都キエフでヤヌコヴィチの最大のライバルであるユリア・ティモシェンコの支持者たちと会ってきた。彼らの多くは高学歴の中産階級だ。ぴったりしたオレンジのTシャツを着た学生たちは人当たりがよく、たいてい英語が話せる。

一方、ヤヌコヴィチの支持者たちは見るからに見栄えがしなかった。野暮ったく、ロシア語をしゃべる。その大半は、ソ連時代に生まれた、スカーフを巻いた年配の女性たちだ。支持者たちは手に手に青色の旗を持っている。ウクライナ議会の与党である地域党（親ロシア派の政党）を象徴する色だ。一部には正教会の聖像を掲げる者もいる。

数カ月にわたる政治的混乱のあげく、ウクライナでは選挙が行われようとしていた。親欧米の大統領、ヴィクトル・ユシチェンコは早期の選挙を求めていた。なぜなら二〇〇六年八月以来、首相のヤヌコヴィチとのにらみ合いが続いていたからだ。

二〇〇四年のオレンジ革命で、ヤヌコヴィチは仇役（かたき）となった。彼はロシアの支持を背負い、詐欺と脅迫で大統領選挙に勝とうとした。二〇〇四年の選挙運動期間中には、ユシチェンコはあやうく暗殺されるところだった。ダイオキシン中毒で顔が痘痕（あばた）だらけとなったのだ。証拠はないがロシアに疑いがかかり、再選挙の結果、ユシチェンコが勝利を得た。

ところがいまやオレンジ革命の主役たちは舞台を去る一方、欧米に注目されないうちに、ヤヌコヴィチが予想外のカムバックを遂げた。彼が率いる地域党は三二・九パーセントの支持率を得て、選挙戦を有利に進めていた。五月にヤヌコヴィチが大統領補佐官を引き抜いて地域党に加わらせると、ユシチェンコは選挙に打って出た。

その前夜、私はヤヌコヴィチの選挙戦復活を背後で支えた人物に会った。ロシア人ではない。ポール・マナフォートというアメリカ人だ。

マナフォートはコネチカット州出身の、ベテランの政治参謀だ。祖父のジェームズは一九一九年にシチリア島からアメリカに移住し、父はかつてニューブリテン市長を務め、町ではイタリア系アメリカ人コミュニティーのリーダーとして活動した。

バーナード・ショーの戯曲『ピグマリオン』（舞台映画『マイ・フェア・レディ』の原作）は、言語学者のヘンリー・ヒギンズがロンドンの下町なまりをしゃべる花売り娘イライザ・ドゥーリトルを上流階級のレディーに生まれ変わらせる話だが、マナフォートもヤヌコヴィチをソ連仕込みの無骨な負け犬から、それらしい西欧民主主義者へと変身させた。ウクライナ東部の工業地帯ドンバス地域（ドネツク州とルガンスク州の総称）で育ったヤヌコヴィチは、元々ロシア語を話していた。だが、国の公用語は西部地域で使われるウクライナ語である。そこでマナフォートは首尾よくヤヌコヴィチにウクライナ語を身につけさせることに成功したのだ。

私はガーディアン紙の特派員としてウクライナに飛び、キエフの中心街にあるドニプロ・ホテルに宿を構えた。ホテルは美しいクリの木の街路樹が植わったケレスチャティク通りの突き当たりに位置している。西側出身者としてヤヌコヴィチの新任アドバイザーとなったマナフォートが、候補者本人とのインタビューを約束してくれていた。その日の夜、私は後の外相のコスチャンティン・グリシチェンコを含むヤヌコヴィチ選対チームのメンバーに引き合わせてもらった。マナフォートの名を聞くのは初めてだったが、キエフの政治評論家たちによれば、ヤヌコヴィチの第一ボタンを外させ、選挙民に親しまれるジェスチャーを選挙演説に持ち込んだのは彼である。最初に彼の名を聞いたとき、私は取材ノートに「Maniford」と名前の綴りを間違ってメモしていた。

取材は、ホテルからラーダ（ウクライナ議会）へと続く石畳の道を少し上ったところにある閣議室で行われた。実際に会ってみると、マナフォートはどこから見てもワシントンのロビイストという出で立ちだった。高級なスーツに身を固め、地味な色合いのネクタイを締めている。長身でがっしりしており、髪は栗色に輝いている。驚いたことに、彼がアドバイスを与えているヤヌコヴィチに似ていなくもない。あるいはヤヌコヴィチがマナフォートに似ているというべきか。

二〇〇四年の大統領選挙ではロシア人の政治専門家たちが陰でヤヌコヴィチを操ったが、その結果はひどいものだった。出口調査ではユシチェンコがリードしていたのに、ふたを開けてみると勝利したのはヤヌコヴィチだった。ところがそれはヤヌコヴィチの選対チームが近くの映画館からウクライナ中央選挙管理委員会のサーバーに侵入し、ヤヌコヴィチの得票に一一〇万票を加えた結果だった。映画館があった場所は、皮肉にもモスクワ通りだった。不正選挙に抗議して、何万もの人々がキエフの中心街にある独立広場に泊まり込んだ結果、再選挙が行われ、ヤヌコヴィチは敗北に終わった。それはプーチンにとっても、まれに見る屈辱だった。

マナフォートは面白いエピソードを私に語ってくれた。彼の説によれば、ヤヌコヴィチは不当な扱いを受けており、欧米の特に偏向したメディアは、ほとんど故意に彼のことを誤解しているというのである。しかし二〇〇四年以来、ヤヌコヴィチは在野にいたときから比べて「成長し」「多くを学んだ」。その変化を象徴するのが、まさに目の前に座っているアメリカ人顧問である自分を採用したことだ、とマナフォートは言った。

「向こう側に立てば、ものは違って見えるものです」とマナフォートは言う。「多くの人がいまも二〇〇四年の色眼鏡をかけてウクライナの政治を見ていますが、状況は当時とまったく違います。前回の選挙の際にはこの誤解が作用していたことは確かです。ですが、いまやそうした誤解を正当化することはできませんよ」

つまりマナフォートはメディアを非難しているのだ。欧米メディアはヤヌコヴィチに親ロシアの操り人形という悪役を割り当てた。だが、彼は言う。「実際のところ、ヤヌコヴィチはロシアよりも西側に対して、もっと積極的にアプローチしてきたんです」切迫した経済状況は言うに及ばず、文化、歴史、地理に至るまで、ウクライナはロシアを無視しては成り立たない。だが、「首相はずっと西側との関係を深めようとしてきた」と彼は主張する。そして、そこにはアメリカからの「助言」があったというのだ。

　他の顧問たちも口をそろえた。「彼はかなり変わりました。民主主義者になったんです」と、ヤヌコヴィチ事務所の首席補佐官セルゲイ・リオヴォチキンが私に念押しした。ヤヌコヴィチはいま英語を学んでおり、アメリカ大使とテニスまで始めたのだという！

　マナフォートによれば、二〇〇四年にヤヌコヴィチが民主主義に対する陰謀を企てたというのは誤りである。「彼を候補に押し上げた組織が、ロシアと結び付いていた」にすぎない。そしてヤヌコヴィチが二〇〇六年に首相として政界にカムバックしたときには、「彼は独り立ち」しており、アメリカにも逆らわなかった。ウクライナに安定をもたらした強力なリーダーであり、計画性もあった。

　さらにマナフォートは付け加えた。「彼はいまも独り立ちしています。今回の選挙にはロシアの影響はありません。彼が西側の利益に反するロシア寄りの候補者だという認識は悪宣伝によるものです」

　結局、ヤヌコヴィチへの独占インタビューはできなかった。彼に質問できたのは、オストロフで一回だけ。騒々しい記者やテレビ・クルーとともに彼を囲んだ場でのことだ。私が外交の優先順位について尋ねると、ヤヌコヴィチは自分が政権についたらウクライナは「ヨーロッパとロシアをつなぐ頼もしい架け橋になるだろう」と答えた。

　にもかかわらず、マナフォートの話は面白かった。彼の話は、それが元アメリカ共和党の選挙対策本部長の言葉だけに、いっそう注目に値した。彼は一九七六年の大統領選挙でジェラルド・フォード陣営に参加したのを皮切りに、ロナルド・レーガン、ジョージ・W・ブッシュ、ボブ・ドールの選対参謀を務めた。かなり重要な役割を果たしてきたと言えるのではなかろうか。

私はマナフォートのインタビューをメモにとり、それを戸棚にしまっておいた。モスクワを追い出されるとき、そのメモもロンドンに持って出た。それから数年たってみると、マナフォートの語った認識が誤りどころの話ではないことがわかった。それは政治宣伝というか、情報操作以上のものだった。

彼が私に語ったことはすべて嘘だったのだ。

ウクライナはワシントンDCから八〇〇〇キロも離れている。金をバックにしたオリガルヒたちが権勢をふるう旧ソ連の片隅で、共和党の元フィクサーがやっていたことは実に不明朗なことだった。結局、莫大な金が目当てだったのだ。

最初、マナフォートはオレグ・デリパスカのところで仕事を始めた。デリパスカはロシアの億万長者で、一九九〇年代にアルミ産業で巨万の富を手に入れたオリガルヒの一人である。彼はマフィアとの関係を疑われて――彼自身は否定しているが――、数年にわたりアメリカへの入国ビザが下りなかった。ロシアの他の大富豪たちと同様、デリパスカはプーチンが何を求めているかを完全に理解していた。大統領からお呼びがかかればいつでも、どんな命令にも従うことだ（かつてロシア随一の富豪だった元ユコス社長、ミハイル・ホドルコフスキーは一〇年間を刑務所で過ごすことになったが、それはプーチンに逆らった者の運命を示す好例だ）。

AP通信によれば、マナフォートはデリパスカと年間一〇〇〇万ドルで契約を結んだ。その代わりマナフォートは欧米と旧ソ連内の反プーチン勢力を切り崩すために、多岐にわたる政治戦略を提案した。マナフォートの仕事の領域は政治分野、ビジネス、ニュース報道にまで及んだ。当然、それらの分野に対してプーチン政権の利益になるような影響を及ぼしたことだろう。

二〇〇五年のメモによれば、マナフォートはデリパスカにこう語った。「このモデルが成功に向けて適切に用いられるなら、プーチン政権に大きな貢献をもたらすものと信ずる」。それはクレムリンの政策を「内外から見直す優れたサービス」を提供するだろう、と。しかし、そのプランは公表されなかった。

この契約の下で、マナフォートがどのような働きをしたのかは不明である。次にデリパスカはマナフォートをウクライナで最大の富豪である仲間のリナト・アフメトフに紹介した。アフメトフは地域党のメインスポンサーだった。彼は自分の持ち株会社であるシステム・キャピタル・マネジメント社のロンドン株式市場への上場をもくろんでおり、ちょうど広報アドバイザーを求めていた。アフメトフの求めに応じて、マナフォートは二〇〇四年一二月にウクライナを訪れた。第二回大統領選挙と第三回大統領選挙のあいだの時期にあたる。ヤヌコヴィチの選挙戦は絶望的だというマナフォートの見立ては、結果的に正しかった。

二人が初めて対面したのは二〇〇五年夏、チェコのカルロヴィ・ヴァリという温泉保養地でのことだ。その街はロシアンマフィアと関係が深いことで知られ、ソ連とロシアの情報機関の古くからの工作拠点だった西ボヘミア地域に位置する。会合は首尾よく進み、その秋、地域党はマナフォートと彼のチームを顧問として雇い入れた。そこには彼の長年の右腕であるリック・ゲイツも含まれていた。

彼らアメリカ人は目立つことを避け、キエフのソフィア通り四番地にある変哲もない建物に秘密裏にオフィスを借りた。オフィスは一六番と一八番のトロリーバスの停留所とゴールデン・テレコムの建物の向かい側に位置しており、いつも窓には白いブラインドが降ろされていた。ウクライナきっての敏腕記者ムスタファ・ナイエムがそこを訪れると、丁重に追い返された。

だが、噂はしだいに広まっていった。後にリークされた二〇〇六年のアメリカ国務省への極秘電報によれば、在キエフのアメリカ人外交官たちは地域党が変革を遂げたことを伝えている。彼らが見るところ、地域党は、「長いことドネツクを拠点としたギャングとオリガルヒの天国だったが、〝大変身〟の真っ最中」だった。

地域党が「ワシントンのロビイスト街に集う政治参謀出身者たちに援助とアドバイス」を求めてきたという報告が、国務省にも届いていた。そんななか、マナフォートが経営するデイヴィス・マナフォート・アンド・フリードマンは「美容整形」にいそしんでいた。その目的は、ウクライナ内外の人々が抱いている地域党に対するがさつで粗野なイメージを消し去り、「合法的な政治勢力」へと転換させることにあった。

それ以来、私はマナフォートとは会っていないが、ウクライナには定期的に足を運んでいた。二〇〇九年には、ヤヌコヴィチが「ヤルタ・ヨーロッパ戦略会議」で演説するのを目にした。この国際会議はウクライナ国内の実力者と国際的な重鎮を集めて、毎年リヴァディア宮殿で開かれている。クリミア半島の海岸に面したこの宮殿は、一九四五年にチャーチル、ルーズヴェルト、スターリンの三巨頭が大戦後のヨーロッパ分割について話し合ったヤルタ会談の現場だ。

当時のヤヌコヴィチはまだパッとしない政治家で、演説もあまり印象に残っていない。いちばんの問題はそこだったが、マナフォートのトレーニングは効果を表しつつあった。私のメモにはこうある。「静かで、政治家然としており、落ち着いている」ヤヌコヴィチは再び首相の座に就くことはなかったが（彼が率いる地域党は二〇〇七年の議会選挙で第一党を占めたが、ユシチェンコと手を組んだユリア・ティモシェンコが首相となった）、その代わり彼はもっと上を目指した。二〇一〇年の大統領選挙に打って出て勝利したのだ。

二〇〇九年末までに、ヤヌコヴィチはじりじりとその野望へと手を伸ばしていった。ユシチェンコの支持率は見る影もなかった。マナフォートは親しくしているアメリカ大使に、ヤヌコヴィチが二桁のリードを保っていると明言した。私がキエフで小説家のアンドレイ・クルコフから聞いたところによれば、ユシチェンコが掲げた「半ば非現実的なウクライナ民族主義」に人々は飽き飽きしていた。ウクライナ国民はまた、ティモシェンコにもうんざりしていたが、彼女の選挙への情熱は相変わらずだった。

ヤヌコヴィチ陣営はティモシェンコに批判の矢を浴びせた。下馬評では、大統領選の決戦投票は彼女とヤヌコヴィチとの一騎打ちになるものと予想されていた。そこでヤヌコヴィチの選対は、彼女がウクライナの不安定な民主主義を危機に陥れようとしていると攻撃した。いわく、プーチンがウクライナのリーダーの座に就かせたがっているのはヤヌコヴィチではなくティモシェンコであり、彼女はウクライナの強力なオリガルヒを抑えることを目標に挙げているが、それはプーチンの力を借りてこそ可能なことだ、というわけだ。だが、まさにそのオリガルヒとは、リナト・アフメトフやガス業界の大物ドミトロ・フィルタシュら、ヤヌコヴィチを後押ししている中心勢力だった。

　選挙の結果は予想どおりだった。私は二〇一〇年一月にキエフでユシチェンコの敗退を見届けてから、ティモシェンコとヤヌコヴィチの決選投票に合わせて二月にまた戻ってきた。投票日の夜は、ほとんどのジャーナリストがキエフ・ハイアット・ホテルに詰めかけた。そこのしゃれた空間で開かれたティモシェンコの選挙キャンペーン・パーティーに参加するためだ。そこに来ていた多くが英語をしゃべる若者たちだった。カナッペをつまんでワインをたしなむ上流階級の人たちだ。

　しかし、祝杯をあげたのは地域党のほうだった。彼らは、ハイアットとソフィイシカ広場を挟み、ウクライナ外務省に隣接したインターコンチネンタル・ホテルに集った。インターコンチネンタルはマナフォートの選対本部として使われていた。一階の宴会場はヤヌコヴィチの支援者でごった返し、その多くは少し昔のマフィアのボスたちを連想させた。彼らはでっぷりと太っており、ディナージャケットから用心棒のような太い首を突き出していた。またティモシェンコのパーティーと比べて、女性の姿はあまり見えなかった。

　選挙活動を通じて、ヤヌコヴィチはウクライナ語を使っていた。これはマナフォートの戦略だ。しかし、これには不吉な側面もあった。地域党は元々、ロシア語が持つ政治的な強みを選挙戦の武器として使っていた。つまりロシア語は、伝統的なロシア語使用地域である東ウクライナの支持層を掘り起こすための選挙ツールだったわけだ。ところが同じ戦術をとれば、西ウクライナでは多数からそっぽを向かれ、過激なウクライナ民族主義に油を注いでしまう。

　そこでヤヌコヴィチはせっせとウクライナ語を学んだ（それでも彼はチェーホフを「ウクライナの詩人」と呼ぶという失言も犯している）。最終的に、彼のウクライナ語は十分に達者なレベルに達した。ヤヌコヴィチはその日の朝早くにホテルに姿を現した。パーティーの席でマナフォートの姿を見つけることはできなかったが、これが彼の勝利であることは間違いない。かつてソビエト時代には騒動を起こして二度までも刑務所暮らしをした悪党であり、木偶の坊として片付けられていたヤヌコヴィチが、いまや四五〇〇万の人口を擁するヨーロッパの一国で大統領の座に就いたのである。

ヤヌコヴィチはマスコミに向けて、短い声明を出した。彼はロシア語を使ったが、それはこれから起こることのサインだった。

それから間もない二月のある寒い朝、ヤヌコヴィチは大統領に就任した。著名な記者のセルゲイ・レシチェンコが就任式を見守るなか、燕尾服とイブニングガウンを着込んだ男女の群れがキエフのレーニン像へと急ぎ足で向かった。

レシチェンコはガーディアンにこう書いている。「エントランスでちょっとした騒ぎがあった。ウクライナ最大の富豪であるリナト・アフメトフとその右腕のヤヌコヴィチは目立たない一人のアメリカ人に道を譲ろうとした。その得体の知れないよそ者が誰か知っていたのは、私と数人の私の同僚だけだった。男はポール・マナフォートだった」

二、三カ月のあいだにあきらかになったのは、ヤヌコヴィチがオレンジ革命で獲得されたささやかな民主主義を逆行させることに躍起になっていたことだ。彼の目的は、とにかく反対派を潰すことにあった。それはティモシェンコとウクライナの体制の独立を破壊するということだ。

ヤヌコヴィチはすばやく裁判所、議会、検察、さらに新聞とテレビを掌握し、権力基盤を固めていった。ヤヌコヴィチが改心したという証拠はどこにも見出せず、権力の座に就いた彼は古典的なごろつきの悪党として振る舞った。そのことはマナフォートも承知していたであろう。ヤヌコヴィチの攻撃的な行動の下には、不安で臆病な人間像が透けて見えていた。

裁判所はティモシェンコの汚職を追及した。疑惑はティモシェンコがガスの女王として知られるようになった一九九〇年代までさかのぼる一方、最近のロシアとの取引も問題にされた。地域党は、「すべての者は法の下にある」と主張したが、真偽のほどはともかく、これはダブルスタンダードのように見えた。事実、同様な汚職の疑いはヤヌコヴィチを含むすべてのウクライナの政治家に対しても当てはまりそうだった。

ティモシェンコは結局、二〇一一年に投獄されることになった。西側諸国は彼女の釈放を何度か求めたが、ヤヌコヴィチはその訴えを無視した。外交面では、彼はロシア黒海艦隊のクリミア租借権を更新し、その見返りにプーチンはウクライナへの天然ガスの代金を引き下げた。その一方で、EUとの連合協定締結をめぐる交渉は続いていた。

ところが二〇一三年一一月、ヤヌコヴィチはEUとの協定締結を凍結し、ロシアから一五〇億ドルの経済支援を受け入れることを宣言した。その決定は、ウクライナが西欧への統合を放棄し、その代わりロシアの政治・経済圏の一部として残留することを意味する。そうなれば、ウクライナの将来と外交政策の重要な決定は事実上クレムリンに握られることになる。そしてヤヌコヴィチはプーチンの総督としてウクライナを支配する。経済支援はそのための賄賂なのだ。

一部のウクライナ人にとって、この未来像は好ましいものではなかった。しかも大統領が国を私物化した無法状態が四年も続くのだ。とりわけヤヌコヴィチは自分の家族と取り巻き連中の私腹を肥やすことに精を出した。歯科医である息子のアレクサンドルは数億ドルとも言われる資産を蓄積した。

ジャーナリストのナイエムはマナフォートに会ったことはなかったが、インターコンチネンタルのロビーで一度だけ見かけたことがあると私に語った。その一一月に、ナイエムがフェイスブックにこんな質問を書き込んだ。「誰か独立広場に行く人は?」彼がその投稿をして一時間もたたないうちに、一〇〇〇個以上の「いいね!」が付けられた。ナイエムは私にこう語った。「その日の夜、四〇〇〇人もの人が集まって朝六時まで広場にいたんです。ほとんどの人は私のフェイスブック友達で、いわゆる〝クリエイティブ・クラス〟（脱工業化した都市で新しい価値を創出し経済成長の鍵となる階層）と言われる人たちでした」

独立広場でのナイエムの抵抗は何度か繰り返された。最初の数週間は平和的な行動だったが、政府が暴力に訴えたことが逆効果を生み、デモはさらに拡大した。ウクライナの野党勢力からはヴィタリー・クリチコ、アルセニー・ヤツェニュク、オレーフ・チャフニボークらも顔を見せたが、いつもブーイングを受け、デモ隊から「あのピエロの三人組」と呼ばれていた。二〇一四年二月になると、キエフの雰囲気は熱に浮かされたようになった。目立った反政府活動家たちは姿を消した。ある者は遺体となって発見され、ある者は生きていても拷問の痕跡があった。金で動員された「チトゥーシキ」と呼ばれる親ヤヌコヴィチの悪党たちが街をうろつき、殺人や暴力を行ったのだ。反対派はバリケードを築いて抵抗したが、機動隊が催涙弾を撃ち込んだ。

革命にはさまざまな側面がある。ウクライナのそれは二〇〇八年のリーマン・ショック後にニューヨークやロンドン、マドリードの路上を占拠したオキュパイ運動とそう違わない。それはまた、ひどく古くさいスタイルだった。デモ隊は手作りの盾とヘルメットを身に着け、中世風のパチンコを使って警官隊に石を打ち出した。さらに市内のあちこちでレーニン像が引き倒された。一九九一年にウクライナがソビエト連邦を脱退したときには起きなかった反ソ革命が、遅れてやってきたと見ることもできる。

政権末期になると、政府が派遣した狙撃隊が数十人の市民を殺害した。動画を見ると、狙撃隊は広場を横切っていこうとする丸腰のデモ隊に向かって発砲している。警官側の死者も二〇人にのぼった。

ヤヌコヴィチはキエフ郊外の執務室にいた。自分の身に直接の危険は及ばなかったものの、彼は国外に脱出することを選んだ。三二〇億ドルを持ち（四年間におよそ一〇〇〇億ドルを着服していた）、ヘリコプターでロシアへと向かった。他の政府高官たちもコメディー映画のギャングのようにカバンに現金と宝石を詰め込んで逃げ出した。

プーチンの対応はといえば、クリミアを奪うことと、ウクライナの暴動は「ファシストのクーデター」だと宣言することだった。そして、かつてマナフォートがヤヌコヴィチの票田として狙いを定めていたウクライナのロシア系住民の保護を誓った。まもなくプーチンは東ウクライナで戦争を開始した。秘密部隊と工作員を動員した隠密の作戦だ。つまり二〇一四年にウクライナで勃発した紛争は、ロシアが主張するような内戦ではなかった。それはロシア政府によって生み出され、外的な軍事力と侵入による残虐な衝撃によって命を吹き込まれた、フランケンシュタインのような人工的な紛争であった。そして主要な役割を担ったのは、米民主党全国委員会（ＤＮＣ）の電子メールをハッキングしたとされるロシア連邦軍参謀本部情報総局（ＧＲＵ）だった。

クリミアではヤヌコヴィチが逃亡した一週間後に本物のクーデターが起きた。クリミア自治共和国の首都シンフェロポリで、覆面をした武装集団に議会の建物が占拠されたのだ。彼らは実はロシアの特殊部隊だった。一方、東部のドネックとルガンスクの都市では、親ロシア派のグループが政府庁舎に突入し始めた。

クレムリンは反ウクライナ勢力にすばやく武器を供給して、東部での紛争をエスカレートさせた。武器には戦車や大砲、対空砲までが含まれていた。その年の春から秋にかけて、しばしば「志願兵」と称するロシア兵が多くの戦闘に参加した。反乱が敗北の危機に陥ると、ロシア政府は正規軍を繰り出してウクライナ軍を粉砕した。

ロシアが介入しなければ、二〇一四年の戦争は起きなかっただろう。もちろん、キエフの中央政府とロシア系住民が大半を占める東部地域とのあいだには、緊張があったことは間違いない。自治や権限委譲、ウクライナ政府の度重なる失政、ロシア語の地位などをめぐる政治的議論は絶えることがなかった。それでもウクライナは分裂することはなかっただろうし、それほど多くの死者も出なかったことだろう。

要するにヤヌコヴィチは自分の国を外国の勢力に売り飛ばしたわけだ。彼は国を裏切り、莫大な金を盗み出したのである。

これらの出来事のうち、どこまでがマナフォートに関係しているのだろうか。ウクライナの惨事に彼は責任があるのだろうか。そしてヤヌコヴィチ一家の大統領職私物化は、どの程度までドナルド・トランプのモデルに生かされたのだろうか。

確かなことは、西のカトリックと東の正教会、ヨーロッパを目指す者たちと失われたソ連へのノスタルジーを追い求める者たちのあいだに広がるウクライナの断層は、マナフォートが登場する前から存在したという点である。マナフォートの罪は、無責任にもそれが何をもたらすかにお構いなく、これらの断層を短期間に選挙で支持を獲得するために利用したことだ。それはついに壊滅的な結果につながった。

二〇一六年春にトランプと契約する前、マナフォートはウクライナで一〇年以上働いてきた。ヤヌコヴィチは彼を雇って四度にわたる選挙活動を行った。一度は大統領選挙、あと三回は議会選挙だ。ヤヌコヴィチが国を去ってからも、マナフォートは没落した地域党のために働き続けた。彼は党の改革に手を貸したが、これはヤヌコヴィチの元首席補佐官であるリオヴォチキンからの依頼だった。マナフォートは党名を野党ブロック党と改名した。そして彼は二〇一五年末までキエフを訪れていた。

ナイエムによれば、トランプの側近のうちで最もロシアと親密な関係を持っているのがマナフォートである。ナイエムはマナフォートの政治的手腕を認めつつ、こう言った。「マナフォートはヤヌコヴィチを洗練させようとしたんです。彼はこんなことをヤヌコヴィチに言いました。『あなたは見た目は悪いけど、私が西側世界にデビューさせてあげますよ』」

ナイエムはマナフォートのことを「極めて冷笑的」と表現した。「彼はウクライナの歴史や国民のことなど考えていませんでした。ただウクライナをまるでテレビゲームのように扱った。国を三つの部分に分けて、衝突させたんですよ」

他の批評家たちは、マナフォートが「うさんくさい連中」を専門にしていたと指摘する。彼のこれまでのクライアント・リストを見ると、フィリピンの独裁者フェルディナンド・マルコス、内戦で死亡したアンゴラの軍人ジョナス・サヴィンビ、亡命先で客死したザイールの元大統領モブツ・

セセ・セコらの名が見える。「マナフォートは悪の天才です」そう言ったのは、ティモシェンコのイメージ戦略を担当していたアレックス・コヴジュンだ。「彼は政治家ではなく、独裁者やあらゆる悪漢を相手にしてきたんです」

コヴジュンはさらにこう続けた。「マナフォートは本来売れないものを売りました。死んだ馬を売りたければ、彼に頼めばいいんです」

マナフォートの特技は、コヴジュンに言わせると、「無知な多数派」をターゲットに金をふんだんに使ったキャンペーンを繰り広げることだ。「それはプーチンに投票したり、イギリスのEU脱退に賛成したり、トルコのエルドアン大統領を支持したり、トランプに好感を持ったりする勢力と同じです。マナフォートは最も低俗な層に働きかけます。まったく嫌な奴ですよ。言うことも汚いし。あいつが通った後には草も生えません」

コヴジュンは、ヤヌコヴィチと二〇一六年のトランプの選挙活動のあいだには共通点があり、同じ「動き」を見出すことができると言って、こう付け加えた。「彼はクライアントに陳腐なまねをさせます。口当たりのいい政治的スローガンや何の工夫もないソ連式のイメージを使わせるのです。ヤヌコヴィチの場合は『皆さんの声を聞きます!』、トランプの場合は『アメリカを再び偉大な国に!』でした」

一方、キエフでマナフォートの近くで働いていた人たちは、それとは逆の見方を示す。ヤヌコヴィチは二〇〇七年から二〇一〇年にかけてはマナフォートの言うことを聞いていた。ところが、それ以降は彼のアドバイスに耳を傾けなくなった。これはマナフォートの誤りではない、と彼らは言う。元外相コスチャンティン・グリシチェンコの側近だったオレグ・ヴォローシンによれば、マナフォートは非常に知性にあふれ、法律・歴史・公共問題に対する該博な知識を備えていた。戦略会議で、マナフォートは人の話にじっと耳を傾けた。ヴォローシンは言う。「彼はロシア語ができないので、通訳を付けていました。そして最後に、自分が一五分しゃべるのです」マナフォートのアドバイスは常にイデオロギー抜きだった。「このような人たちはあなたに投票しません。彼らは放っておけばいいのです」と冷静に説明し、そしてどのようなメッセージを打ち出すべきか助言した。

ヴォローシンによれば、マナフォートはアメリカの利益を代弁していた。それがあまりに露骨だったので、彼はCIAのために働いているというジョークが地域党のなかに出回るほどだった。彼はエクソンモービルやシェブロンのようなアメリカの石油会社を宣伝し、ウクライナとNATOやEUとの関係強化を支持していた。また、ヤヌコヴィチに対してティモシェンコを勾留しないよう警告した。

「もしマナフォートがいなければ、ウクライナはもっと早くロシアの影響下に入っていたでしょう」とヴォローシンは言う。「彼はヤヌコヴィチを西側へと引っ張った一人です。最終的にロシアは、ヤヌコヴィチを個人的に脅しにかかってきました。ヤヌコヴィチは頑固な男ですが、折れるときはポキリと折れてしまうのです」

結局、ヴォローシンが言うには、マナフォートがウクライナに関わったのは金よりもチャレンジすることが目的だった。だが、私はそれに納得できなかった。というのは、マナフォートは後になって、二〇一二年から二〇一四年の二年間に地域党を相手に一七〇〇万ドル以上を稼いだことを認めているからだ。「クライアントが悪党であればあるほど成功も大きくなる」と、ヴォローシンは言った。マナフォートは奇跡を起こす能力を持っていた、とも彼は言う。
「二〇〇四年にヤヌコヴィチは死にました。彼はロシアの操り人形のように見られていましたが、その彼をよみがえらせたのがマナフォートだったのです」

マナフォートとトランプとの関係はかなり前にさかのぼる。一九八〇年、マナフォートは政治コンサルタント会社を設立した。彼のパートナーの一人がロジャー・ストーンである。彼はトランプの古くからの政治顧問として選挙アドバイザーを務めていた。

ワシントン・ポストが伝えるように、ストーンは〝元祖〟ウォーターゲート事件で、小さいが見逃せない役割を担い、トランプのロシア疑惑では主役の座を演じることになる。一九七二年の共和党予備選挙で、ストーンはニクソンのライバルであるピート・マクロスキーに寄付をする。ところが自分の本名ではなく、青年社会主義同盟の名義で金を振り込んだのだ。そして彼は新聞社にタレ込んだ。「マクロスキーが共産主義者らしき人物から金を受け取っている」と。

ストーンは一九八〇年、レーガンの選挙運動への献金を求めてトランプと会った。後にトランプは、設立間もないマナフォートの会社のクライアントとなったが、そこにいたのがバラック、マナフォート、ストーン、ケリーである。トランプはストーンのアドバイスを受けて、マナフォートを顧問弁護士としてカジノと不動産業務の監督にあたらせた。それまでの何年間か、マナフォートはワシントンDCから遠く離れた中央・東アフリカ、フィリピン、ロシア、ウクライナを飛び回っていた。マナフォートが仕事を求めてやって来たときにトランプが彼のことを気に入ったのは、この外れ者とも言える経歴のせいである。

マナフォートがトランプと契約を結んだのは、ニューヨーク・タイムズによれば二〇一六年二月末のことだ。この時点でトランプは、共和党の予備選挙でニューハンプシャー州とサウスカロライナ州で勝利を収めて先頭を走っていた。しかしながら、激戦が予想されるオハイオ州クリーブランドでの党大会を前に、彼は共和党重鎮の強い抵抗に直面していた。勝利は決して盤石ではなかった。マナフォートの売り文句は、共通の友人のトーマス・バラック・ジュニアを通じてトランプに伝えられたものだったが、自己宣伝の達人と言っても過言ではない。彼は自分が世界中の大統領選挙を手がけてきたという事実をアピールする一方、二〇〇五年以来ワシントンを離れていたことを強調した。「私はワシントンに戻ることはないでしょう」とまで、彼は言った。バラックはマナフォートを「必殺の人材」であり、「経験豊富なマネジメントの最終兵器」だと言って、トランプの娘のイヴァンカとその夫のジャレッド・クシュナーに売り込んだ。

トランプはマナフォートに好印象を持った。その気分は二人が直接会うことで、さらに高まった。ニューヨーク・タイムズ紙の記事の出だしには、マナフォートがトランプ・タワーの上階に住んでいた話が出てくる（彼は〈デリパスカ〉の顧問となって間もない二〇〇六年、トランプ・タワーのマンションを三六〇万ドルで購入した）。マナフォートは自らの成功の要因として、ウクライナのオリガルヒをはじめとする国際的な人物との関わりを挙げた。トランプは側近たちに、マナフォートのやり方や日に焼けた顔が気に入ったと告げている。もちろん、マナフォートが六〇代半ばで栗色の髪をふさふささせていたことも注目に値しただろう。そして決定的な要因は、マナフォートが「自分は報酬を求めない」と言ったことだった。

一カ月後の三月二九日、トランプは新任の選挙参謀を発表する。その場で彼はマナフォートを、知恵と助言を提供してくれる「ボランティア」として紹介した。トランプはマナフォートを「大切な財産」とまで呼ぶとともに、候補者を選ぶのは「政界の重鎮」ではなく共和党の平党員たちであることを強調した。マナフォートは「トランプ氏の選挙戦」に貢献できることを「光栄」だと述べ、こう付け加えた。「私は彼が次期アメリカ大統領になることを確信しています」

マナフォートはすばやく新たな仕事に適応し、私が二〇〇七年にキエフで会ったリック・ゲイツを代理人とした。マナフォートが目指したのは、トランプに懐疑的な人たちを説得することだった。トランプはああ見えても実はそんな人物ではないのだ、と信じ込ませようとしたのだ。これは彼がヤヌコヴィチに関して使っていたという戦略と同じだ。トランプはライバルを見下したようにしゃべる、リアリティー番組の厚かましいキャラクターというイメージを持たれているが、実際の彼はそれとは違い、落ち着いて合理的な、政治家然とした人物だというわけだ。

マナフォートは四月、ワシントン・ポスト紙の取材にこう語っている。「トランプ氏がこれまで演じてきた役割は、いまや期待された方向へと進化しつつあります」

しかし問題は、トランプ自身が速やかに変身する必要性を自覚していなかったらしいことだ。たとえばテレビの討論会で、彼は自分の男性器のサイズについて語って非難を浴びた。共和党の対立候補マルコ・ルビオとの討論で、自分のモノのサイズには「何の問題もない」と口走ったのだ。

五月になると、マナフォートはトランプの選対本部長兼参謀長となる。コーリー・ルワンドウスキーが表向きは職務に就いていたが、事実上は一線を退いた。しかし、この調和の取れた状態は、七月にウィキリークスがロシアのサイバー攻撃で流出した民主党全国委員会（ＤＮＣ）のメールの第一弾を公表したことで終わりを告げた。ロシアの介入が大きく報じられると、マナフォートのロシア・ウクライナとのつながりに必然的に注目が集まることになったからだ。ジャーナリストたちが彼の周辺を嗅ぎ回り始めた。

ワシントン・ポスト紙によれば、インディアナ州知事のマイク・ペンスを副大統領候補に指名するようトランプを説得したのはマナフォートだった。トランプ自身は彼と似たトラブルメーカー、たとえばフリンとか、クリス・クリスティとか、元下院議長のニュート・ギングリッチのようなアウトサイダーが好みだった。それに対してペンスは、トランプに不安を募らせている共和党主流派からの支持を受けられそうな体制内の人物だ。一方、イヴァンカとジャレッドはマナフォートの選択を支持したと伝えられる。

マナフォートのトランプ選対補佐官としての日々は、八月中旬に突然終わりを告げた。ニューヨーク・タイムズ紙がトップ記事でこう伝えたからだ。「ドナルド・トランプの選対本部長に現金供与、ウクライナの秘密帳簿に記載」この帳簿は二〇一四年二月に反政府勢力が建物を捜索した結果、キエフの地域党本部の三階で見つかったものだった。

この帳簿を精査した一人が、ジャーナリストのセルゲイ・レシチェンコである。彼は現在、ヤヌコヴィチが去った後のウクライナ議会の議員となっている。帳簿は数百ページにおよび、そこには名前と日付が青いインクで手書きされていた。マナフォートの名は二二回にわたって登場する。伝えられるところによれば、二〇〇七年から二〇一二年までのあいだにマナフォートは一二七〇万ドルをキャッシュで受け取っている。あきらかにこれは秘密資金からの裏金だった。

しかし、この裏金がどこから来たのかははっきりしない。地域党の関係者はニューヨーク・タイムズ紙に、その部屋にはかつて一〇〇ドル紙幣が詰め込まれた金庫が二つあったと明かしている。

見たところ出口調査のような正当な選挙業務のためにいくらかは使われていたが、それ以外の金は（一例では二二〇万ドル）、ヤヌコヴィチ関連のNPO経由でマナフォートに流れていたのだ。

マナフォートはこの金に関して一切の関与を否定し、その帳簿は捏造だと主張した。事実無根であり、無意味で馬鹿げているというのだ。トランプも全面否定して、ニューヨーク・タイムズ紙を〝紙くず〟だと一笑に付した。

マナフォートは声明でこう述べた。「私はニューヨーク・タイムズの誤報にあるような〝裏金〟をびた一文たりとも受け取ったことはないし、ウクライナとロシア政府のために働いたこともない。さらに私が受け取った政治献金はすべて、運動スタッフ（国内・国外）の報酬、世論調査の費用、選挙の公正性確保、テレビコマーシャルなど、選挙チーム全体のために使われた」

一方、レシチェンコは八月にこう書いた。「ウクライナ人は公金横領に非常に神経をとがらせている。汚職の連鎖に終止符を打ちたいと考えている。多くの者がこの捜査でマナフォートの名前が挙がったことに対して懸念しているのもそのためだ」

ニューヨーク・タイムズ紙の報道のすぐ後、マナフォートは選対本部長を辞任した。トランプが彼を冷遇しているという噂のただ中で、彼は去って行った。ウクライナでの疑惑は「破壊的」だったと、トランプの息子のドナルド・トランプ・ジュニアはFOXニュースに語った。マナフォートの後任にはブライトバート・ニュース・ネットワーク会長のスティーブン・バノンが就任した。

以上がマナフォートとトランプに関する表向きの話だ。だが、スティール報告に目を通すと、マナフォートの役割はトランプの選挙演説の草稿に手を入れるだけにとどまらなかったことが見えてくる。スティールの初期のメモの一つによると、マナフォートはトランプの選対チームとロシア政府のあいだの「大がかりな陰謀」のキーマンだった。

七月末のスティールの「情報源E」は、この「陰謀への協力」は「首尾よくいっていた」と伝えている。陰謀の片棒を担いでいるのはロシア政権であり、もう一方の担ぎ手はトランプと彼の側近たちだ。

その陰謀について、スティールはこう書いている。

> トランプ側を仕切っていたのは共和党予備選の選対本部長ポール・マナフォートである。彼は外交政策顧問カーター・ペイジらを仲介人として使っていた。トランプ側とロシア側の双方は、民主党のヒラリー・クリントン候補に勝利することに共通の利益を見出していた。プーチン大統領はあきらかにヒラリーを嫌い、恐れていたからだ。

情報源Eは、ウィキリークスで民主党全国委員会のメールが公開された背景に「ロシア政府」が関与していると認めている。重要なのは、この疑惑が「**トランプ**と彼の選対幹部が承知しており、その支持の上で行われた」とされている点である。

つまり、マナフォートは繰り返し関与を否定してきたが、スティールの主張によれば彼もそれを承知していたことになる。

もしそうだとして、報告が挙げているもうひとつの問題であるロシアへの情報提供に、マナフォートがどこまで関与していたのかははっきりしない。アメリカ国内のオリガルヒとその家族の活動に関する情報が秘密裏にロシア政府に流されていた件についてだ。マナフォートが、ロシア政府から与えられた秘密情報を進んで受け取っていたことについては、後にあきらかになっている。確かに、マナフォートは有利な立場にいた。彼はこの世界に幅広い人脈を持っていたからである。

その報告はさらに、トランプの選対チームはロシアの介入に関する悪評については「比較的楽観している」とも述べている。

（この件は）メディアと民主党の注意を、トランプと中国その他の新興市場との取引からそらす役割をした。ロシアと違ってこれらの国々は経済的に豊かであり、多額の賄賂や見返りに関わっていることが公になれば、選挙活動にダメージをもたらしたことだろう。

マナフォートはそれ以降のスティールのメモにも登場する。そのうちの一つは、彼の八月の辞任に関するものだ。題して「トランプの選対本部長ポール・マナフォートの辞任」。そのメモによれば、ニューヨーク・タイムズ紙が帳簿問題を取り上げた翌日の八月一五日、ヤヌコヴィチはプーチンと極秘に会合を持った。会合の現場はロシア南部のヴォルゴグラードの近くで、ヤヌコヴィチの亡命先であるロストフ・ナ・ドヌから近い。

西側メディアがマナフォートとウクライナの問題を大々的に暴露した件について、メモはこう書いている。

ヤヌコヴィチは、自分の権限でマナフォートに相当額の見返りを支払うよう指示したことをプーチンに打ち明けるとともに、証拠になるような文書は一切残していないことを請け合った。だが、プーチンはヤヌコヴィチを粗野で間抜けな男だと考えており、常に疑ってかかっていた。このときも同様だった。報告にはこうある。

ヤヌコヴィチが過去の汚職の数々を隠蔽してきた（拙い）やり方を知っているプーチンらロシアの指導者たちは、マナフォートに関する彼の保証を真に受けることはできなかった。彼らはそのスキャンダルが尾を引くことを恐れた。特に、マナフォートはトランプの選対チームに加わった二〇一六年三月の時点では、まだウクライナでの仕事に関わっていた。だからロシア政府にとって、それは一つの弱みであり、頭痛の種だったのである。

ゴシップの種は他にもあった。トランプの選対で働いている匿名の政治コンサルタントによれば、ウクライナの件の暴露がマナフォートの辞任に一役買ったのは確かだが、それに加えてトランプの側近たち数人が彼を職務から外すように求めていたという。側近勢は「戦略とポリシーの構築」に対するマナフォートの影響力を弱めようとしたのだ。その中心人物が「**マナフォート**を個人的に嫌っており、**トランプ**と親密だった」ルワンドウスキーである。

スティール報告以外にも、マナフォートとウクライナの長い協力関係をめぐって、さまざまな疑惑がささやかれていた。ロシアの情報機関との関係も噂されていた。

マナフォートがトランプの選対本部長を辞任したちょうどその日、政治専門メディア、ポリティコがコンスタンティン・キリムニックの詳細なプロフィールを報じた。キリムニックは二〇〇五年からマナフォートの下で働いており、キエフのマナフォートの事務所を切り盛りして、下野した元地域党の勢力に助言を与えていた。二〇一六年、キリムニックは二度にわたりアメリカに飛び、マナフォートに会っている。一回目は五月、マナフォートがトランプの選対本部長に就任する二週間前だ。二回目は八月、ニューヨークの高級シガーバー「グランド・ハバナ・ルーム」でのことだった。キリムニックがワシントン・ポスト紙に語ったところによれば、二人はウクライナの次の選挙のことと未払いの請求について話をした。

それ以外に、マナフォートとキリムニックは個人的に大量のメールを交わしている。トランプが指名を受諾する二週間前のメールでは、マナフォートはキリムニックを通じてオリガルヒのデリパスカにメッセージを伝えている。マナフォートはデリパスカに対して、トランプの選挙運動の内情を説明するにやぶさかではないと申し出たという。マナフォートは七月七日、「もし必要なら、個人的に説明を提供する機会をつくることもできます」と書いている。デリパスカとプーチンとの親しい関係を前提にするなら、この説明がクレムリンに伝わることを意味する。二人はまた、さまざまなクライアントから受け取った金についてメールで相談をした。この金は遠回しな表現で「キャビア」と呼ばれていた。

だが結局、個人的な説明の機会は持たれなかった。マナフォートのスポークスマンが言うには、メールは「当たり障りのない」内容であり、そのオファーも「ありふれたもの」だった。

それでも、このメールのやりとりはさらなる疑惑を呼ぶ。キリムニックの特異な経歴のせいばかりではない。ソ連時代のウクライナで生まれた彼は、ソ連の軍学校で学び、そこで流暢(りゅうちょう)な英語とスウェーデン語を身に付けた。ポリティコによれば、彼の最初の仕事はロシア軍の通訳だった。その仕事は、必然的に軍の情報機関やGRUとの関係を意味する（スヴォーロフの時代、GRUは軍官に外国語を身に付けさせるために、さまざまな特恵を与えた。たとえば、西側の言語ができれば一〇パーセント、アジアの言語であれば、二〇パーセントが給料に上乗せされたという）。

一九九五年、キリムニックはモスクワの国際共和研究所（IRI）に参加する。そこにいる彼のアメリカの仲間たちは彼の過去を知っており、「GRUから来たコスチャ」と呼んでいた。このことは、IRIが微妙な仕事に関わっていないかぎりは問題にはならなかった。元職員の一人はコスチャのことを「聡明でイデオロギーにとらわれず、金に興味がある」と説明している。IRI出身者の一人フィル・グリフィンはマナフォートとの仕事のために彼を雇い入れた。

キリムニックはすぐに信頼されるメンバーとしてチームに溶け込んだ。マナフォートの飛行機でクリミアに飛んで通訳を務めることもあった。あるスタッフたちは、彼がまだ「ロシア政府の中枢」と関係を持っていると信じていたが、別の者たちは軍の諜報機関のエピソードは昔の話だと考えていた。

八月、私はキリムニックにメールを送ってみた。彼はマナフォートとの一件について話をしてくれるだろうか？　すると、彼から親しげな返信が送られてきた。その後にポリティコの記事が出たので、私は再びメールして、彼がスパイだったのかどうかを尋ねた。キリムニックの回答は辛辣だった。

幸いなことにポリティコは、私がプーチン大佐にドイツ語と柔道を教えたことに気付かなかったようだ。一九六三年一一月にダラスにいたことにもね。ヒュー、よく見逃してくれたもんだ(^^)（ケネディ暗殺にからめた冗談）

そして、こう続けた。

マジな話、ここでは誰もそんなことに構っちゃいない。あまりに馬鹿げた話だからね。この動きの真の狙いは、マナフォートをトランプと切り離して、勝利への芽をつぶすことにある。マナフォートが選挙に関わっているかぎり、トランプ勝利の可能性はあるからね。きっとトランプはそのことをよく理解しているから、ヒラリーの戦略はこれまでうまくいかなかったのだろうよ。

ウクライナ大統領（ペトロ・ポロシェンコ）ら関係者はマナフォートの役割を非常によく理解しているから、裏帳簿のようなたわ言を鵜呑みにはしない。マナフォートは昔なじみを相手に無料でPRの仕事をして、何億と稼ぐだろうね。そして新たにつかんだ名声で新規のクライアントを確保することだろう。

アメリカの政治ゲームのなかでは、私の存在などちっぽけなものだ。正直言って、ウクライナの現状や未来とは何の関係もないからね。私がこの国でもっと大物だったら、ずっと深刻なトラブルに巻き込まれていたことだろうね(^^)　その代わり、スパイ小説が書けたかもな(^^)

さてと、ＫＧＢに給料をもらいにいかなくちゃ(^^)

Ｋ

キリムニックの楽しげな文体には、どこかやるかたのない冷笑が入り混じっていた。彼はそのメールで、自分をプーチンのエージェントだなどと言う人は不合理な話を信じ込む陰謀論者だと、暗に批判していた。裏帳簿、反マナフォート・キャンペーン、ヒラリーへの中傷——これらはすべてアメリカ左派が無から紡（つむ）ぎ出した、メディアのヒステリックな妄想だと言うのだ。

ところで私が戸惑ったのは、キリムニックが笑顔の顔文字を使っていることだった。確かにロシア人には顔文字が好きな人が多い。私はこれと似た文を、前にも見たことがあった。二〇一三年、ロンドンで政治的な工作活動をしていたロシアの外交官がいた。彼はセルゲイ・ナロビンという名で、ロシアの情報当局と深い関係にあった。彼はＫＧＢの大将の息子で、兄弟の一人はロシア連邦保安庁（ＦＳＢ）に勤務していた。ナロビンはいかにも海外で諜報活動に従事する職業軍人という雰囲気だった。もしかするとＫＧＢで「レジデント」（海外駐在の諜報部員）と言われる参事官だったのかもしれない。

ナロビンのツイッターの自分紹介にはこうあった。

プーチン独裁体制の残忍なスパイ(^^)

二〇一七年春、マナフォートは捜査の渦中にあった。ＦＢＩはトランプの選挙活動とロシアとの関係を捜査しており、上下両院では公聴会が開かれていた。さらに米財務省はマナフォートの件について入念な調査に乗り出していた。ＦＢＩは手がかりを求めてウクライナにも捜査の手を伸ばしたという。

東欧におけるマナフォートの行動は、通常の政治活動のレベルをはるかに超えていた。彼はヤヌコヴィチのためにワシントンでもロビー活動を行ったが、ナイエムによれば、これはヤヌコヴィチのアメリカでの利益を考えた大規模な作戦だった。計画にはヤヌコヴィチ大統領と随行員のためのビザとトップレベルの会談の手配、さらに各種の商談までも含まれていた。

暴露されたメールによれば、マナフォートとゲイツは二〇一二年から二〇一四年のあいだにアメリカで密かにロビー活動を繰り広げてきたが、その目的はニューヨーク・タイムズ紙やウォール・ストリート・ジャーナル紙などにヤヌコヴィチに対する肯定的な報道をさせることを意図したものだった。というのは、ヨーロッパ各国政府はヤヌコヴィチにティモシェンコの釈放を求めていたからだ。そのキャンペーンにはアメリカでのティモシェンコに対する同情を弱体化させようという狙いがあった。

ゲイツはワシントンにあるマーキュリーとポデスタ・グループという二つのロビー活動会社をリストアップし、それらの会社にゲイツの直接の指示で活動費二二〇万ドルを支払った。金はヤヌコヴィチ関連の、ある「基金」を経由して送られた。マナフォートが外国政府のためにロビー活動をするなら、外国のエージェントとして登録すべきケースだ。だが、彼はそうしなかった。

一方、マナフォートの裏帳簿に関する説明は、二〇一七年の時点で完全に破綻していた。AP通信が公開した帳簿の取引を見ると、マナフォートの名で少なくとも一二〇万ドルがアメリカにある彼のコンサルタント会社に支払われた記録がある。支払いがあったのは二〇〇七年と二〇〇九年で、それぞれ四五万五二四九ドルと七五万ドルである。これは争う余地がない。

以前、マナフォートは帳簿のことを捏造だと片付けていた。だが、明々白々な証拠を前に、彼は説明の仕方を変えた。彼はＡＰ通信に対して、その取引は「政治コンサルタントの仕事に対する正当な報酬であり……私からクライアントに請求して電信送金で支払われ、アメリカの銀行を通じて私が受け取った」と説明した。さらに支払い方法はクライアント側が指定したものだと述べた。

それにしても、この支払い方法は奇妙なものだった。その「クライアント」は彼に直接支払うのではなく、海外ルートを利用していた。そのルートを突き止めるのは難しい。七五万ドルはまず中米のベリーズに登録されているネオコム・システムズという会社に送られた。そこからバージニア州のアレクサンドリアにあるワコビア・バンクのマナフォートの口座に入金された。もう一件の支払いはベリーズの別のダミー会社を経由している。

彼のクライアントであるオリガルヒと同様、マナフォートはダミー会社を頻繁に利用していた。ＡＰ通信の報道によれば、さらに一〇〇万ドルが正体の知れない会社からマナフォートの関係の会社に送られている。二〇〇九年一〇月の支払いはキプロス銀行経由だった。その翌日、金は約五〇万ドルずつに分けられて、持ち主のはっきりしない別々の口座に振り込まれた。ちなみにキプロスはマネーロンダリングのセンターとして、またロシアの怪しげな資産の預け先として有名だ。

海外の金融機関を使うことやマナフォートが自分の潔白を主張することは、法的になんら問題ない。にもかかわらず、タックスヘイブンやダミー会社の利用、大きな現金取引など、その金の動きには目を見張らざるをえない。裁判資料によれば、マナフォートは多くの銀行口座を使っていた。米財務省の金融犯罪取締ネットワークはキプロスの筋を洗っているとＡＰ通信は報じている。

さらにニューヨークの不動産に関しても不可解な取引がある。

二〇〇六年から二〇一三年のあいだに、マナフォートはニューヨーク市内に三カ所の不動産を購入した。トランプ・タワーの自宅マンション、ブルックリンの高級住宅、ソーホー地区の土地である。これら三つの不動産の代金は、すべてダミー会社を通じて現金で支払われている。彼はそれらの不動産を自分の名義で登録したうえで、不動産の価値を上回る多額のローンを組んでいる。トランプ大統領就任の三日前、マナフォートは四年前に三〇〇万ドルで購入したブルックリンのユニオン・ストリートの家を抵当にして七〇〇万ドルを借り入れている。

マナフォートはこれらについて、身元を完全に公開した、透明で通常の商取引だと主張する。だが裁判資料によれば、マナフォートが不動産取引を使ってウクライナとロシアのオリガルヒの友人たちのためにマネーロンダリングをしたのではないかという見方もある。

二〇一一年、ティモシェンコはマナフォートをニューヨーク地方裁判所に訴えた。彼女は長い訴状のなかで、マナフォートが「陰謀と裏金作りで重要な役割を果たした」と述べている。その手口はウクライナの天然ガス取引から「かすめ取った」金を見込んだものだった。その一部は「迷宮のようなニューヨークのダミー会社と銀行口座を通じて」資金洗浄（マネーロンダリング）された。その金は「ヨーロッパに還流」され、ウクライナの当局者に対する賄賂として使われたと、ティモシェンコは断言している。

特に彼女はヤヌコヴィチの支持者である富豪のドミトロ・フィルタシュを非難している。フィルタシュはロシアから輸入される天然ガスの仲買業者ロスウクルエネルゴ社の表の顔だった。ティモシェンコの訴状によれば、同社は大々的な汚職の装置になっており、会社の実質的なオーナーはセミオン・モギレヴィッチといい、ＦＢＩから指名手配を受けているロシア系ウクライナ人のマフィアである。彼はモスクワに潜伏していると信じられている。

フィルタシュはマナフォートの不動産取引に投資した。マナフォートの手口の一つは、マンハッタンの取り壊されたドレイク・ホテルの敷地を購入して、約九億ドルの費用をかけて再開発することだった。フィルタシュは少なくとも二五〇〇万ドルをこのプロジェクトにつぎ込んだが、ティモシェンコが断言するには、そのプランは真剣なものではなく、目的はマネーロンダリングで、アメリカに送金するための手段にすぎなかった。

フィルタシュはそれを否定している。また、連邦裁判所はアメリカ法の管轄外に関する申し立てだとの理由でティモシェンコの訴えを却下した。

フィルタシュにとって、もっと重要な問題があった。二〇一七年二月、ウィーンの上訴裁判所が収賄の嫌疑で彼の身柄をアメリカに引き渡すべきだと裁定したのである。マナフォートのかつてのビジネスパートナーであるフィルタシュは、スペインからもマネーロンダリングの疑いで手配されていた。

共謀、背信、タックスヘイブン、海外のダミー会社、東欧からキプロスを経てマンハッタンの中心に至る資金移動の痕跡――この複雑な問題は、何らかの解明が必要だろう。全貌をあきらかにするために仕事に取り組むＦＢＩ捜査官に同情したくもなる。これは手間のかかる作業であり、簡単に捜査が進むようにも見えなかった。

ひとつ慰めになったのは、ＦＢＩ長官のジェームズ・コミーが一〇年の任期のうち、まだ四年しかたっていなかった点だ。ＦＢＩ長官の長い在職期間は、アメリカの用意周到な制度的特徴といえる。それは捜査機関のトップを政治や党利党略から切り離すために策定されたものであり、誰もそれをいじろうとは思わないだろう。重要なのは、法律に基づく、着実で公正な正義の追求だからである。たとえ、その捜査の手がホワイトハウスへと伸びたとしても。

第7章
火曜日の夜の虐殺

2017年の春から夏にかけて
ワシントン

「頭がおかしい」
——ドナルド・トランプ
ジェームズ・コミーについての発言。
ロシアのセルゲイ・ラブロフ外相と
駐米ロシア大使セルゲイ・キスリャクに。

二〇一七年春にワシントンを巻き込んだスキャンダルは、ごく狭い範囲で起きたことだった。発端はサウスキャピトル・ストリート四三〇番地、民主党全国委員会(DNC)の本部だった。その現場を歩いていると、DNCの建物を取り囲むフェンスに注意書きが貼ってある。しかし、実際に起きた事件のことを考えるなら、それはまったく意味をなさないように見えた。注意書きにはこうあった。「警告　監視カメラ作動中」

建物への侵入者は、肉体を持っていなかった。壁を乗り越えたり窓を破ったりする代わりに、ロシアのハッカーたちは止めようのない幽霊の大群のように、電子的に侵入したのだ。そして望みのものを手に入れると、そこから出て行った。いや、もともと建物のなかにいたわけではなかった。ニューヨーク・タイムズ紙には、建物の内部を撮影した印象的な写真が掲載されている。そこには古いコンピューター・サーバーに並んで、一九七二年のウォーターゲート事件の際に荒らされた古いファイリング・キャビネットが写っていた。

私が訪れたのは日曜日だったため、DNCのオフィスは閉まっていて、誰もいなかった。春の日差しを浴びながら、私は外に座ってメモに走り書きした。それは丸みを帯びたモダンな建物で、窓には星条旗が掲げられている。歩道には水仙の花壇があり、高架道路を車が音を立てて走り、少し向こうには工場が灰色の煙を吐き出している。何の変哲もない街の風景だ。

前庭がパンジーで彩られたれんが造りの家が立ち並んでいる。その木陰の道を二ブロック上ると、もう一つのビルが見えてくる。ファースト・ストリート三一〇番地。共和党全国委員会（ＲＮＣ）が入っている建物だ。表にはピンクの花をつけた桜並木が見える。情報当局の話を信じるなら、ロシアのハッカーはここにも侵入していた。ＲＮＣのメールは公表されなかったが、モスクワのサーバーのどこかに蓄えられているのだろう。

そこから二、三〇〇メートルほど北に行けば、米連邦議事堂のあるキャピトル・ヒルだ。ここが調査の舞台であり、それは上下両院の情報特別委員会、上院の司法委員会、下院の監視・政府改革委員会という四つの委員会からなる。

そこで扱われるさまざまなテーマは、ツイッターで「#Russiagate（ロシアゲート）」とか「#Kremlingate（クレムリンゲート）」というタグのもとに論じられている。その名称はまだ固まったものではないが、その政治スキャンダルは現実のものであり、ますます拡大しつつあった。

その近くで、もう一つの調査が行われている。キャピトル・ヒルから斜め方向にペンシルベニア大通りを歩いて行くと、Ｊ・エドガー・フーヴァー・ビルの前に出る。ＦＢＩの本部だ。外見からは、この鉄壁のビルが機密を完全に守っているように見える。だが、トランプはそれを変えてしまった。一九七〇年代に建てられたその建物は見栄えのしないコンクリートの塊で、周囲の木々がわずかに柔らかな印象を添えるにすぎない。ところがいまでは、ワシントン有数の穴だらけの建物、リークの殿堂に変貌してしまった。

すぐ隣にはワシントンＤＣのかつての郵便局と時計台があったが、トランプは二〇一六年秋、それを豪華なホテルにつくりかえた。彼が四五代大統領に就任する直前だ。私がそこを訪れたときには雨が降っていた。服を乾かそうとホテルのなかに入る。吹き抜けの広いロビーには巨大な星条旗が吊されており、イヤホンをつけたガードマンが警備にあたっている。バーの壁面の上のほうにはテレビがあり、FOXとCNNが流されていた。家族連れがランチをとっていて、母親と娘たちは幅広のヘアバンドをつけ、父親はゴルフセーターを着ていた。

トランプはここで二、三週間前の二月末にディナーをとった。そのときに飛び入りで参加したゲストが、ナイジェル・ファラージだった。ファラージはブレグジットの立役者で、移民反対政策を唱えるイギリス独立党の党首、さらにトランプの応援団でもある。ほかのゲストはイヴァンカ、ジャレッド、そしてフロリダ州知事のリック・スコットだった（その一〇日後にイギリスに戻ったファラージは、エクアドル大使館でジュリアン・アサンジと会っている）。

いまやトランプの執務室となったホワイトハウスは目と鼻の先だ。周辺の街路には記者たちが張り込んでいる。Fストリートにはマザー・ジョーンズ誌、ファラガット・スクエアにはガーディアン紙の記者の姿があった。ある者はホワイトハウスで起きていることを調べ、ある者は執務室の外の出来事を取材していた。その日の夜、Nストリートにあるタバード・インで、私はある人物に出会った。そのホテルにはイギリス独特のカントリーハウス・スタイルのバーが併設されており、そこでは記者たちと官僚がいっしょにペール・エールをあおっている。ワシントンのとびきりの情報が四方八方に流れ出していた。

大統領選以前、情報当局はトランプのことをあまり真剣に受け止めていなかった。私が話を聞いたある人物によれば、彼らはトランプを風変わりで面白い人物だと見ていた。そして、どうせトランプが勝つわけはないという予測が大半を占めていた。いまや大統領執務室に居座ったトランプを前に空気は一変し、落ち着かない雰囲気となった。その人物はこう言った。「職場は不安でいっぱいだよ。どの機関も同じだ。みんなが心配しているのは、トランプとはいったい何者で、何をたくらんでいるのか、ということだ。それと彼の側近についてもね」

以前は、FBIの三万五〇〇〇人余りの職員は政治を避けようとする傾向があった。彼らは毎日サンドイッチを持って仕事に行った。現場の捜査員しかり、情報アナリストしかり、サポート担当職員しかり。そして大半が共和党員だった（事実、聞くところによるとFBIのニューヨーク出張所の職員たちは、彼女の「火のような情熱」ゆえにヒラリーを嫌っているという）。しかしトランプとモスクワとのあきらかな関係は、彼らがもはや政治から逃れられないことを意味していた。

捜査員たちは、自分たちが前代未聞の混乱の渦中に放り込まれていることに気づいた。

FBIの内部では、こんな厄介な問答がやりとりされていた。新任の大統領は果たして愛国者なのだろうか？　その答えは次第に「ノー」であることがわかってきた。「トランプにとって大切なのは、彼の個人的な利益を守ることだ。しかも、その利益と国家の利益とは必ずしも一致しない」の情報源はこう言うと付け加えた。「重要なポイントはロシアとの微妙な関係だ」

その情報源はこう続けた。「（情報当局者の）多くの者が、こんな大統領は初めてだと言っている。ポリシーに賛成できない大統領はこれまで何人もいたが、それでも根本的に愛国者かどうか疑問を抱くようなことはなかった」

この混乱の時期にFBIの舵とりを任されていたのが、二〇一三年九月から長官を務めていたジェームズ・コミーだった。コミーはどちらかと言えば共和党支持者である。彼は二〇〇八年と二〇一二年の大統領選で、それぞれジョン・マケインとミット・ロムニーに運動資金を寄付している。コミーはまた、腕利きの法律家でもあり、検事としてテロ事件を追及し、司法副長官を務めた。

司法副長官として、彼はジョージ・W・ブッシュに立ち向かった。それはブッシュ政権下でも最も異常な時期だった。ブッシュとディック・チェイニー副大統領は司法省に対して、極秘の国内課報プログラムを認めさせようとした。つまりアメリカ国民を対象としたスパイ活動を許容させようとしたのだ。彼らは大病を患って入院中のジョン・アシュクロフト司法長官に対してその裁可を迫ったが、アシュクロフトはそれを拒んだ。

そこでホワイトハウスはアシュクロフトの病室に代理人を送り、ベッドサイドで説得するに及んだ。そこへ真っ先に駆けつけたのがコミーだった。その甲斐あってアシュクロフトは意志を曲げず、ホワイトハウスは激怒した。ブッシュが改めてそのプログラムを推進しようとすると、コミーは辞表を書いた。彼はFBI長官に就任する際の指名承認公聴会で、「破滅的な事態」(つまりコミー自身が「根本的に間違っている」と考えるような方針を命じられた場合)に直面したらどうするか問われて、自分がかつてブッシュに言ったことを引用している。

コミーはブッシュにこう語ったという。「私は政治のことは気にかけていません。その場逃れの方便や友情についても同様です。私が気にかけているのは、自分が正しいことをしているかどうかです」

次にコミーが大統領執務室に呼ばれたとき、彼はブッシュに対して、自分が辞任したらロバート・モラーFBI長官もいっしょに辞めるだろう、と伝えた。それを聞いたブッシュは慌ててモラーを電話で呼び出した。ところがコミーとモラーはいっしょにホワイトハウスを後にすると、防弾仕様の公用車の後部座席に座ってしばらく雑談をしていた。ついにブッシュは折れて、監視プログラムを修正することにした。

この二〇〇四年のドラマがコミーの評判を高めることになる。コミーは必要とあらばそれが大統領であろうと、政府に対して立ち向かうことをいとわない人間だ、という評価が確立したのだ。つまり、彼はワシントンの最高権力層と堂々と渡り合えることを示したわけだ。彼の忠誠の対象は政治家個人ではなく司法省、そして彼の言葉で言えば「自分の背後にいる多数の人々」なのである。このエピソードは彼を一躍有名人に仕立て上げた。

コミーの仕事ぶりは興味深いものだ。ザ・ニューヨーカー誌に描かれた彼の一日のルーティンはまるで事務員のようである。ブッシュとの会合のすぐ後でコミーはブラックベリーの電源を入れ、司法省の同僚六人にメールで何があったのかを書き送った。その場で起こったことの痕跡を残すためだ。彼は記録を残すことの重要性を理解している。そうすることで、意見の対立する問題で、相手は後々嘘をつきにくくなる。それはまた、歴史を念頭に置いてのことでもあるだろう。

いまのコミーは再び破滅的状況に直面していた。いや、これは二〇〇四年にブッシュに立ち向かったときよりも困難な問題をはらんでいた。トランプは大統領候補者だったときには、ヒラリーのメール問題を再捜査するというコミーの決定を称えていた。二〇一六年一〇月にはミシガン州での遊説で支持者たちを前に、コミーの決定は「大した度胸だ」と持ち上げ、こう述べた。「私はコミーには反対の立場だったし、彼のファンでもなかった。だが、彼の行動は再び彼の評判を上げることになった」

大統領就任から二日後、トランプはホワイトハウスで開かれた司法関係者のレセプションでコミーの姿を見かけた。「おお、あれはジェームズじゃないか。彼は私よりもずっと有名人だよ」と、トランプが声を上げると、コミーは青の部屋を横切って大統領のほうにおずおずと近づいた。トランプはコミーをハグして耳元でこうささやいた。「君といっしょに働くのを楽しみにしていたんだ」その出会いは気まずい雰囲気だった。二メートルを超す長身のFBI長官が、上司である大統領を見下ろす格好になったのだ（コミーは後に、自分はカーテンに隠れてトランプを避けようとしたと明かしている）。

そうこうしているうちに、下院情報特別委員会がコミーとマイク・ロジャーズ国家安全保障局（NSA）長官を召致して証言を求めた。二〇一七年三月二〇日のことだ。二人は最重要証人で、彼らの証言は強く待ち望まれていた。同委員会は二〇一六年の大統領選挙におけるロシアの影響を調査していたため、二人を招いての公聴会は、必然的にトランプまたは彼の側近がロシアと共謀していたのかどうかを確認しようとするものになった。

民主党幹部のアダム・シフが冒頭のあいさつで、これまでに明確になった点と不明な点を簡単に説明した。「ロシア政府は露骨にアメリカの内政に干渉してきた。しかも、それは独裁者ウラジーミル・プーチンの直接の指示によるものだ」シフは、プーチンの目的はトランプを支援することにあったとしながら、こう付け加えた。「先の選挙のような接戦にあっては、ロシアの介入が決定的要因になったかどうかは誰にもわからないだろう」

そしてこう続けた。

ロシアがトランプ陣営関係者を含むアメリカ市民の協力を得たかどうかは、まだわからない。大統領自身も含めてトランプ陣営の多くがロシアに関係し、あるいはロシアの利益につながりがあることは確かだが、それ自体はもちろん犯罪ではない。しかし、もしトランプ陣営やその関係者がロシア側に手を貸したとなれば、それは重大な犯罪であるばかりか、アメリカ民主主義の歴史に対する最も衝撃的な裏切りだと言えよう。

シフはスティール報告を引き合いに出して、「スティールはアメリカの情報当局から高く評価されているそうだ」と述べた。シフによれば、非常に多くの状況証拠がある。ペイジと彼のモスクワへの旅行、マナフォートとウクライナに対する軍事支援の中止、フリンとキスリャク駐米大使との度重なる会話などだ。もちろん、これらはいずれも関係がない可能性もある、と付け加えた。同様に、これらは「ただの偶然ではない」可能性もあり、「ロシア人がアメリカ人を買収するためにヨーロッパやその他の地域で同じ手口を使ったのかどうか、我々は国のためにあきらかにする義務がある」と、シフは述べた。

これまでのところ、ＦＢＩの捜査では共謀について正式な確証はとれていなかった。ＦＢＩは通常、捜査中の案件について何も語ることはないからだ。それが機密に関わる諜報活動に関するものであればなおさらのことだ。

だが、コミーはここで前例を破って公式に声明を出した。

ＦＢＩは司法省から権限を与えられたうえで、スパイ防止活動の一環として、二〇一六年の大統領選に対するロシア政府の介入に関する捜査をしている。それにはトランプ陣営の選挙活動とロシア政府との個人的な関係がどのような性質のものか、また選挙活動とロシアの動きのあいだに何らかの協力関係があったかどうかに関する捜査も含まれる。

ほかのスパイ防止活動と同様、これは「犯罪に関連するかどうかに関する判断を含む」と、コミーは述べた。

それまでも、この話は事実だと考えられてきた。ここで確認されたことで、FBIの対スパイ活動は単なる想像やでっち上げではないことがはっきりしたわけだ。トランプはこれまで、ロシアと共謀したという主張は民主党の負け犬がたくらんだ馬鹿げた言い訳にすぎないとして退けていたが、いまやテレビ画面とスマートフォンの通知はトランプを批判する速報一色となった。

さらに生々しい詳細が語られた。コミーによれば、捜査は二〇一六年七月末、民主党全国委員会のメールが最初に暴露された直後にさかのぼる。それから八カ月が経過していたが、コミーによれば、「捜査はかなり短期間」に行われた。FBIの業務は「非常に複雑」で、結論が出るまでの予定表はないに等しいからだ。

コミーは続けて、ホワイトハウスにとってさらに不利なニュースを伝えた。トランプは自分は盗聴の被害者であり、それはオバマが命じてイギリス政府通信本部（GCHQ）がトランプ・タワーに仕掛けたものだと断言していた。

ところがこの主張をさかのぼると、モスクワに行き着くことがわかった。その陰謀説をRTを通じて広めたのは、疑惑の的となっている元CIA分析官のラリー・ジョンソンだった。そして、FOXニュースの法務アナリスト、アンドルー・ナポリターノはその情報をもとに、『Fox & Friends』という番組のなかで、「オバマがアメリカの諜報機関を迂回(うかい)するためにイギリスの機関を利用した」

と述べた。この根拠のない幽霊のような主張がトランプに伝わり、トランプ政権の大統領報道官ショーン・スパイサーがＦＯＸの報道を引用して大統領の主張を補強した。

だが、そのストーリーはもちろんデタラメだ。これはロシアの国営テレビがでっち上げたプロパガンダが国際的なメディア環境のなかに入り込んで反響し、そこにトランプ寄りメディアやオルタナ右翼が飛びついた一つの例である。この嘘は、その終着駅であるトランプの脳に入り込んだ。ＲＴとＦＯＸの錬金術を経て、「オルタナティブ・ファクト」（もうひとつの事実）が生まれたわけだ。

イギリス政府通信本部は腰を抜かした。盗聴要員は口が固いことで知られている。通常、諜報内容について語ることはない。だが、今回ばかりはあまりに馬鹿げた話に対して反論し、ナポリターノの主張を「ナンセンス」と切り捨てた。同本部のスポークスマンはこう言った。「まったくお話にならない。そんな言いぶんは無視されるべきだ」

公聴会で、シフはこの件に関するトランプのツイートを読み上げた。

ひどい話だ！　大統領選勝利の直前、オバマがトランプ・タワーの電話を「盗聴」していたことがわかった。何も見つからなかった。これはマッカーシズム（赤狩り）だ！

シフはコミーに「これは事実か」と尋ねた。コミーはさりげなく答えた。「ＦＢＩはこのツイートを裏付ける情報は何も持っていません」この判断は司法省も共有している、と彼は述べた。さらに次のような問答が続いた。

シフ：コミー長官、あなたはマッカーシズムに関わったことはありますか？
コミー：私はマッカーシズムも含め、いかなるイズム（主義、主張）にも関わらないように努めています。

この機転の利いた答えに、委員会では笑いが広がった。しかし、テレビで公聴会を見ていたトランプは、これを半ば侮辱であり、背信行為として受け取ったかもしれない。
このやりとりに手応えを感じたシフは、さらにトランプのツイートをもう一本読み上げた。

オバマ大統領を見損なっていたよ。神聖なる選挙期間中に私の電話を盗聴するとは。まるでニクソンのウォーターゲート事件だ。悪い（でなけりゃ病んでる）やつだ！

コミーはウォーターゲート事件のときに自分がまだ子どもだったこと、そして学校でそれについて詳しく習ったことを認めた。また、トランプの不正確で馬鹿げた主張が、アメリカの最も親しい同盟国であるイギリスの情報機関との関係を損なうようなことがあるかと聞かれて、ロジャーズは首を縦に振った。「主要同盟国に失望を与えることはあきらかだと思います」
ここで問われていることは、非常に重大な問題だ。国内の侵入者による盗聴ではなく、外国の政府がサイバー攻撃を仕掛けたことになるからだ。委員会は超党派からなっていたが、多数派を占める共和党議員たちは共謀を調査することにあまり興味を持っていないように見えた。彼らの関心事は、ここでもほかの公聴会でもリークについてだった。誰がリークしたのか。記者はどうやって情報を手に入れたのか。ＦＢＩはリークした者を特定して逮捕するために何をしているのか。

これは共和党のデヴィン・ニューネスとトレイ・ゴウディが率いる一種の陽動作戦である。トランプとロシアとの関係から目をそらさせ、情報入手のプロセスに焦点を当てようとしているように見えた。ゴウディは前職・現職の高官たちがジャーナリストの取材に応じていることに立腹していた。とりわけワシントン・ポスト紙の一本の記事には九人もの前・現高官が関わっていた。

一九七〇年代、ニクソンと側近たちも、ウォーターゲート事件捜査の初期段階でメディアへのリークに激怒した。リークしたのはＦＢＩ副長官のマーク・フェルトだったが、彼が情報を暴露したのは、ＦＢＩの捜査が打ち切られて真相が隠蔽されることを恐れたからだ。またそれと同じことが起きているのだろうか。

コミーとロジャーズは情報のリークが「重大な犯罪」であることを認めていた。両者とも宣誓したうえで、自分たちは決して機密情報のリークには関わっていないと述べた。だが、リークは特に目新しい出来事ではないと、コミーは指摘した。「この週末に読んだ本によれば、ジョージ・ワシントンとエイブラハム・リンカーンもリークについて不満を漏らしていたそうです。しかし私が見たところ、この六週間、約二カ月にわたって、機密情報に関わる多くの会話がメディアに漏れています」

二人の長官の証言は老練だった。特にコミーの雄弁かつ温厚な語り口には好感が持てた。そして、彼はひとつも臆することがなかった。それはつまるところ、自分には後ろ暗いことはひとつもないということだ。コミーとロジャーズの二人は、打てば響く関係のように見えた。そしてコミーは、自分の所属する閉ざされた組織と、議会での公の審問という緊迫した場という二つの異なる世界に置かれながらも、落ち着き払っているように見えた。

民主党のデニー・ヘックが、事件の全体像を描く役割を買って出た。彼はさまざまな証拠について「非常に憂慮すべきだ」と述べた。「これはある意味、アメリカ人による内部の犯行でもある。自分から共犯を買って出たのか、あるいはだまされやすい人間なのか、その両方か、そのような人物がロシアによるアメリカの国家と民主主義に対する攻撃の手助けをしたのだろう」

ヘックはコミーにこう尋ねた。もしロシアがアメリカ人を使って「我々の民主主義」に揺さぶりをかけているとしたら、何が問題だと思うか、と。

コミーはこう答えた。「ロジャーズ大将と同じく、私は心底からこう信じています。ある偉大なアメリカ人の言葉どおり、私たちがいる場所は丘の上に輝く町（一七世紀にアメリカに渡った清教徒の牧師が聖書から引いた言葉で、ケネディ以来アメリカ大統領がたびたび演説で用いているフレーズ）なのであり、私たちが世界に範を示せるのは、アメリカの素晴らしい、しばしば厄介でありながら自由で公正な民主主義と、それを支える選挙制度なのだ、と」

トランプは相変わらずＦＢＩの捜査を気に病んでいた。彼を手こずらせているのが、自分が公に吐いた毒舌であることはあきらかだった。四月、彼はワシントン・イグザミナー紙に対して、ロシアとの件は「でっち上げ」だと語った。ＦＯＸに対しても、その話は「窮地に立たされた」反対勢力が言い触らした「与太話」だと断言した。

二人の政治顧問がポリティカに語ったところによれば、トランプはロシア問題を収拾できないことに激しくいら立ち、側近たちに繰り返し、「なぜ捜査が止まらないのか」と愚痴をこぼしながら、周囲の同意を求めた。また、ときどき捜査を伝えるテレビ画面に向かって怒鳴りつけた。

ヒラリー・クリントンから見たら、それはでっち上げでもなんでもなかった。彼女は大統領選後のニューヨークでの敗北宣言で、「完全に自分個人の責任」だとして自らの誤りを認めた。にもかかわらず、彼女は選挙に影響を与えた要因として、ニュース・メディアにはびこるミソジニー（女性嫌悪）と「誤った等価関係」（まったく異なる二つの事柄の共通項を指摘し、あたかも両者が同じであるとする誤謬）などを挙げた。

とりわけ次の二つは彼女の戦いの足を引っ張る要因となったとヒラリーは言う。一つは、「『アクセス・ハリウッド』のテープ（トランプが芸能番組に出演した際に司会者と交わした卑猥な会話が収録されていた）が公表されて一～二時間後に」ヒラリー陣営の選対本部長ジョン・ポデスタのハッキングされたメールが公表されたこと。もう一つは、コミーが一〇月二八日の議会あて書簡で、ＦＢＩがヒラリーの個人メールサーバーに対する捜査を再開したと発表したことだ。ヒラリーはさらに、プーチンは「私のファンクラブのメンバーではない」と述べるとともに、ロシアの介入は「前代未聞のことだ」と主張した。「さまざまないかがわしい行為が行われている」と彼女は付け加えたが、それは疑いもない事実だった。

一方、コミーは再び証言に備えていた。今回は五月三日に上院司法委員会で開かれる年次の監査公聴会だった。そこではロシア問題についてのさらなる質問が議事の中心を占めることになった。

公聴会でのコミーの様子は、まるでそれを楽しんでいるようでもあり、もっと質問に答えたがっているようにさえ見えた。彼の答弁は、「権力者たるものは、常に自分が大いなる魂を持っていると考える」という、アメリカ第二代大統領で建国の父の一人ジョン・アダムズがトーマス・ジェファーソンにあてた手紙の引用から始まった。そしてコミーは、悪を防ぐ道は「厳しい質問への答えを要求すること」――つまり説明責任を持つことにあると語った。

「私が仕事についてこんなふうに語るのを、どうかしていると考える人も多いでしょう。しかし、私はこの仕事を愛しています。なぜなら、その使命を愛し、ともに働く人々を愛しているからです」

公聴会はいまやおなじみの方向へと流れていった。共和党議員たちはしきりに誰がリークしたのかを探ろうとした。コミーは落ち着き、毅然とした態度を保った。ある質問に対しては、機密が保てない状況では答えられないと言ってやり返し、またほかの質問に対しては二つ返事で認めた。特に印象的だったのは、ダイアン・ファインスタインら上院議員から「なぜクリントンへの捜査を公表したのか」という質問へのコミーの回答だった。

その回答に納得するかどうかは別としても、コミーは率直にこう答えた。自分は沈黙を守るか(そして隠したという非難に直面するか)、議会に告げるかのどちらかという不当な選択を迫られた。「捜査が選挙に何らかの影響を与えるかもしれないと考えると、少々不快でした。しかし正直に言うと、そのことは我々の決定に影響を与えませんでした」彼はヒラリーとトランプを同様に捜査の対象として扱うことにこだわり、捜査開始からわずか数カ月で、双方についての結果をあきらかにした。

トランプとロシアとの関係について聞かれると、コミーは「結果がどうあれ証拠に従うのみです」と決意を語った。だが万が一、問題が大統領にまで及んだらどうするのか。彼は、すでに委員長と委員会の有力メンバーに対して、誰がいま注目の的になっているのかを簡単に伝えたと述べたうえで、「以上が捜査の現状です」と、民主党のリチャード・ブルーメンソールに告げた。

ブルーメンソール：では、トランプ氏の選挙活動とロシアの選挙介入に関する捜査では、大統領本人もターゲットになる可能性があるということですね？

コミー：それにお答えするのはちょっと……。不公正な憶測を招くことが憂慮されますので。我々は証拠をたどるのみです。その結果がどうであれ、証拠を求めて可能なかぎりの努力を傾けたいと思います。

共和党出身のチャック・グラスリー委員長は、スティールに関していくつかの敵意に満ちた質問を投げた。ＦＢＩはスティールと接触があったのか？　または彼に報酬を与えたのか？　それに対するコミーの答えは、「この委員会ではお答えできません」だった。

そのころスティールは、イギリスのサリー州の自宅で公聴会の模様をテレビで見ていた。彼は数週間前から仕事に復帰していた。申し合わせにより、イギリス通信協会がスティールの経営するオービス・ビジネス・インテリジェンス社の玄関前で、ひげをそった彼の写真とビデオを撮影した。彼が発表した談話は、まるで社会主義国の政治局員のようなつまらなさだった。「温かなメッセージをくださり、この数週間にわたり私を支えてくださったすべての方々に、心からお礼を申し上げます」そして今後は自分の会社の「幅広い利益」に重点を置いていくと語った。

コミーの今回の上院公聴会は、スティールにとって心配の種だった。ＦＢＩ長官は何を言うつもりなのか。ある友人は私にこう語った。「コミーにとって最善のシナリオは、スティール報告を認めることだった。最悪のシナリオは何か否定的なことを言うことだ」そして結果的には、「納得のいく中立的態度」だったと、その友人は付け加えた。

五月八日月曜日。この週は春に別れを告げ、夏を迎える時期だ。太陽が輝きを増し、気候も暖かくなる。ワシントンの雰囲気は熱に浮かされたようで、街は落ち着かなかった。トランプ政権の破壊的なテンポは、すべての人を疲労困憊させた。まるで雷雲からいまにも土砂降りの雨が降り出しそうだった。

一方、ＦＢＩの捜査は速度を増しつつあった。バージニア州アレクサンドリアにある連邦地検は慌ただしかった。ＣＮＮによれば、最初の召喚状がマイケル・フリンの同僚たちに対して出された。大陪審（重大な刑事事件で起訴の有無を決定する非公開の陪審）が開かれたのだ。私が聞いたところでは、ポール・マナフォートに関してもニューヨーク州南部地区連邦地裁で密かに連邦大陪審が開かれていた。

その週もコミーは多忙だった。木曜日には連邦議会に戻ることになっていた。上院情報委員会の前にもう一つの公式な会議が予定されていたのだ。そんななか、彼は秘密の任務のため、大統領に即座に連絡がとれる通信装置を伴ってフロリダに飛んだ。その次の目的地はカリフォルニアで、ＦＢＩ捜査官のためのフォーラムに出席する予定だった。

ロサンゼルスに到着してすぐ、コミーはＦＢＩ職員にあいさつするより先に、テレビ画面に流れる緊急ニュースに目を奪われた。ニュースは、トランプ大統領がＦＢＩ長官を罷免したと伝えていた。長官とは彼のことにほかならない。これは警護部隊か誰かが仕組んだいたずらに違いない――コミーは思った。

しかし、ニュースは本物だったのだ。コミーは解任された。しかも、乱暴なやり方で。トランプは直接コミーに解任を告げず、出張のあいだに不意打ちしたわけだ。デスクの整理も、部下への退任のあいさつも、私物の持ち出しもできなかった。

コミーはＦＢＩロサンゼルス支部の小部屋に身を置いて、自分が本当に解任されたことを確かめた。この時点でもホワイトハウスは、彼に対して何も告げていなかった。ほどなくして、古くからトランプの個人ボディーガードをしているキース・シラー（元警官でホワイトハウスの警護スタッフの一員となった）が現れ、トランプからＦＢＩ本部にあてた文書を手渡した。それは茶封筒に入れられていた。

その日は五月九日火曜日だった。ホワイトハウスの便箋に綴られた「前略　コミー長官」から始まる手紙の最初の部分には、ジェフ・セッションズ司法長官とロッド・ローゼンスタイン司法副長官がコミーの解任を勧告したとある。そしてトランプは彼らの助言を受け入れ、「これによって君は解任された。可及的速やかに職場から去ること」と命じていた。

次の従属節から始まる段落は非常に奇妙だった。「三つの別々の事件について私が捜査対象でないと教えてくれたことに関しては君に感謝する。だが、司法省は君が職場を効果的に率いることができていないと判断した。私はそれに同意せざるをえない」

手紙はさらに続く。「重要な法執行分野での公の信頼を取り戻すため、ＦＢＩを率いる新たなリーダーを探さねばならない。今後の君の活動に幸運があることを祈る」そして最後にトランプのハリネズミのようなギザギザのサインが添えられていた。

その手紙には、何よりもトランプの気持ちがよく表れていた。ロシアに関してだ。そこに書かれている「捜査」とは、クレムリンとの共謀に対するコミーの拡大捜査のことを意味している。トランプによれば、コミーは三回にわたってトランプの無実を伝えた。少なくともトランプはそう主張している。

ところが、同封されたセッションズとローゼンスタインの手紙は、まったく違う内容だった。コミー解任の理由を、クリントンのメール問題での対応の誤りにあるとしていたのだ。セッションズの手紙は曖昧だった。それによると、コミーは司法省の「ルールと原則」を踏み外していた。セッションズは、自分は司法長官として「高いレベルの清廉性……を保つことに努めている」と述べた。この最後の言い分はどこか滑稽だ。セッションズは一月の指名承認公聴会で、二〇一六年の大統領選挙期間中にロシア政府関係者と接触したかと質問を受けた。宣誓したうえでの彼の回答は「ノー」だった。ところが後にあきらかになったところでは、彼は二〇一六年の夏と初秋にキスリャク駐米ロシア大使に少なくとも二回会っている。フリンとペイジのように、いきなり記憶喪失に襲われて、大使と会ったことも忘れてしまったのか。民主党が偽証の責任を追及して辞任を要求したが、セッションズはそれをはねつけた。だが、その代わり、ロシアとのすべての関係から手を引かざるをえなくなった。

ローゼンスタインの手紙でわからないのは、次の部分だ。彼の手紙によれば、コミーは二〇一六年七月にヒラリーに対する捜査打ち切りを公表したが、それは司法長官の職権を侵害する誤った行為である。コミーはまた、調査の再開をメディアに公表したが、「これは連邦検事と捜査官にとって禁じられている行為の典型例である」という。コミーは自らの誤りを認めようとせず、したがってそれを正すことも期待できなかったと、ローゼンスタインは書いている。

となると、コミー解任の表向きの理由は、ヒラリーに対するＦＢＩの対応にトランプが不服だったからだ、ということになる。この説明は実に不合理で、信頼性に欠けるものだ。これが事実なら、なぜトランプは五月九日まで解任を待ったのか。どうしてヒラリーに対して急に同情的になったのか。むしろトランプはすでにコミーの解任を決断していて、セッションズに適当な理由を考えさせただけではないのか。

ニューヨーク・タイムズ紙とワシントン・ポスト紙によれば、トランプはその前の週末、ニュージャージー州の自分のゴルフ・リゾートでイライラしながら過ごしていた。彼は日曜日のテレビのトークショーを見ていて、コミーに「どこか誤り」があると結論付けた。トランプは前々からコミーを長官の座から降ろすべきだと考えていたが、特に今回コミーが議会で証言に立ったのを見て、「強くそう思う」ようになった。

とりわけトランプを怒らせたのは、ヒラリーのメール問題への介入が選挙に影響を及ぼすかもしれないという可能性について、コミーが「少々不快」だと述べた点だ。トランプは「自分は正統性のある大統領ではないかもしれない」との思いにさいなまれているようだ。彼が不安を抱えているのはあきらかだ。だからトランプは、コミーが自分の大統領としての資質に疑問を呈し、勝利させまいとして足を引っ張り、敵であるヒラリーに迎合しているように見えたのだろう。

トランプは自分の決断をペンス、マクガーン、クシュナー、シラーら、少数の側近たちに伝えたという。彼らの意見はコミー解任で一致した。バノン首席戦略官は反動を恐れて解任を遅らせたほうがいいと主張した。だが全体的に言ってホワイトハウスは、民主党も以前はコミーに不満を抱いていたのだから長官解任を歓迎するだろうと本気で思っていたようだ。

トランプの決定は衝動的で、見境のないものだった。もちろん、大統領にはFBI長官を解任する権限はある。そのことは憲法でも定められている。だが、それは見事な自滅行為ともなるだろう。

その決定はトランプ政権が連邦政府とその関係機関に対して持っている根深い不信に基づくものだ。マイケル・ヘイデンが私に説明してくれたように、トランプ政権は従来の政府要員を取り換えつつあるが、それは彼らが「ほとんど軽蔑とも言える不信感」を抱いているためだ。彼らは情報機関がオバマのために働いていると信じている。それはまったく事実とは違うが、その考えが頭にこびりついているのだ。ヘイデンは言う。「情報機関の要員たちは、誰が大統領であるかをまったくと言っていいほど意に介しません。我々は出だしからつまずいたのです。トランプという人間が、すべてを悪い方向へと持って行ったからです」

コミー解任に伴う世論は大統領にとって破滅的なものになるかと思われた。共謀の件については懐疑的だった人たちまでが、やはり何かあったのではないかと疑い始めていた。なぜコミーが解任されたのか、世論は納得しなかったのだ。

一方、FBIの職員たちも大いに困惑し、憤慨していた。元捜査官のボビー・チャコンはこの解任について「全職員がみぞおちにパンチをくらったようなものだ」と述べた。彼はガーディアン紙に対して、解任は無礼で言語道断な行為であり、FBIの評価を汚すものだと断言した。ほかの者たちは、これは進行中のロシア関連の捜査に「萎縮効果」をもたらすだろうと予測した。「気まぐれによる支配ではなく、法による支配が優先されるべきだ」と語る者もいた。

五月九日夜、ホワイトハウスのショーン・スパイサー報道官と同僚のケリーアン・コンウェイがホワイトハウス西棟から姿を現した。スパイサーはホワイトハウスへの入り口付近に立ち並ぶテントの一つで、FOXとのインタビューに応じた。周囲にはガーディアン紙のデイヴィッド・スミスも含めて一〇人ほどの記者たちがたむろしていたが、スパイサーが急に姿を消したので、みんなきょとんとしていた。結局、スパイサーはまもなく植え込みのある道から姿を現した。彼はいくつかの質問を受けることを承諾したが、テレビカメラはオフにすることを求めた。

闇のなかでのスパイサーの非公式記者会見というこの奇妙な出来事についてワシントン・ポスト

紙が報じると、ホワイトハウスがそれに反論した。スパイサーのいた場所が報道とは違うというのだ。「民主主義は闇に死ぬ」というワシントン・ポスト紙のスローガンが、これほどぴったりくる場面はないだろう。同紙は次のように訂正に応じた。スパイサーは植え込みの「なか」に隠れたのではなく、植え込みの「あいだ」に隠れたのだと。通常、訂正を出すのは恥ずかしいものだが、この訂正は「してやったり」とほくそ笑んでいる顔が見えるようだった。

スパイサーの公式発言によれば、ローゼンスタインが自分からコミー解任の判断に至り、それに基づいてトランプが速やかに決定を下したのだ、隠し立てすることは何もない、とのことだった。コンウェイは記者に「この件はロシアとは何の関係もない」と述べ、コミーはただ周囲の——部下や議会、そしてもちろん大統領も含め——信頼を失っただけだと説明した。スパイサーの副報道官サラ・ハッカビー・サンダースはロシア問題について「率直に言って、まったく馬鹿げた話だ。そんなものは存在しない」と切り捨てた。

いくらホワイトハウスが機能不全に陥っているとはいえ、これらの出来事はあまりに奇妙で理解を超えている。コメディアンのジョン・オリバーがズバリ言ったように、目のくらむようなスピードで展開しているものは、続ウォーターゲート事件というより、喜劇版ウォーターゲートと言うほうが似合っていた。それは滑稽な愚か者たちと能なしの脚本家によって再演される、一九七〇年代のオリジナル政治スキャンダルのパロディー版だ。喜劇版ウォーターゲートは本編よりも展開が早いが、結末（大統領の弾劾？）はまだ見えない。

ニクソンの時代を知っている者たちは、コミー解任を「土曜日の夜の虐殺」になぞらえた。これはニクソンが司法省高官に命じて、ウォーターゲート事件の特別検察官だったアーチボルド・コックスを解任させた事件だ。司法長官のエリオット・リチャードソンと司法副長官のウィリアム・ラッケルズハウスはそれを拒んで辞職し、結局、その下の訟務長官だったロバート・ボークが大統領の求めに応じた。

今回はそのような抵抗はなく、セッションズとローゼンスタインはトランプの要求にもろくも崩れ去った。コミーの解任は火曜日だったので、このエピソードは「火曜日の夜の虐殺」として知られることになった。特にローゼンスタインの行動は多くの人々を失望させた。ウォーターゲートの特別検察官を務めた存命メンバーの一人であるフィリップ・アレン・ラコバラはローゼンスタインに対して、なぜそんなに従順なのか説明を求めるとともに、ローゼンスタインは「たった一人の信頼を得ようとして、一般からの信頼性を損ねてしまった」と書いている。

トランプが政権の座に就いてから一〇〇日ちょっとが過ぎた。その間、彼の醜い人間的特性が痛々しいほどにさらけ出された。そのうちの一つは、トランプには部下やチームに対する愛情が驚くほど欠けている点だ。彼は自分のいまのニーズや衝動を満足させるためなら、ホワイトハウスのスタッフたちを犠牲にし、評判をおとしめ、彼らの政治的信用をないがしろにすることをまったく意に介さない。一方、彼は部下に対して絶対的な忠誠を要求する。

コミー解任問題でワシントンに動揺が広がるなか、トランプはNBCニュースのレスター・ホルトのインタビューに応じた。これはトランプにとって、「自分はコミー解任に何の関係もない、ただ司法省のアドバイスを聞き入れただけで、手続きに則っただけだ」と弁明する機会であるはずだった。

ところが彼はこう言ったのだ。
「私はただコミーをクビにしようとしただけだ。私の決定だ。それは……」
ホルト：それは司法長官がホワイトハウスを訪れる前に決定していたわけですね。
トランプ：あー……、私はコミーをクビにするつもりだった。だが、その……、時間がなかったからね。
ホルト：でも、ご自身の手紙で大統領はこう書いてますが……。
トランプ：彼らはね——彼らは……
ホルト：……私……私は彼らの助言を受け入れた、と。
トランプ：ああ、そう、彼らも……。
ホルト：とすると、大統領はすでに決断されていたということですね。
トランプ：ああ、私は助言と関係なくクビにするつもりだったよ。

さらにトランプはこうも言った。

「実際、そのことを決めたとき、私は自分にこう言ったんだ。『いいか、このロシア問題と自分との関係など、でっち上げなんだ。これは民主党が勝てるはずの選挙で負けたことの言い訳にしているだけさ』ってね」

つまり、トランプは司法長官らと会うより先に、コミーの解任を決めていたことを認めており、そのとき彼の頭にあったのは何よりも「ロシア問題」だった。さらにトランプは、自分がＦＢＩの捜査対象になっているかどうかコミーに尋ね、それに対してコミーは「ノー」と回答した、と言った。

もしコミー解任に対する大統領の言葉が真実なら、それはホワイトハウスの広報チームがアメリカ国民に対しそれまでの四八時間にわたって誤解を与えてきたということになる。そしてコミーについて、トランプはこう述べた。「彼は目立ちたがり屋で、スタンドプレーが好きなんだ。FBIは大混乱だったよ。君だって知っているだろう。私は知っていた。誰もが知っていたことさ」

この驚きの告白を聞くと、次のホワイトハウスの賓客たちに関する話はさらに疑わしいものに思えてくる。コミーがFBIを去った翌日、二人のロシア人が大統領執務室を訪れた。一人は顔肌が荒れ、しゃがれ声で（ヘビースモーカーのようだ）皮肉っぽい調子の話しぶりだった。長年にわたってロシア政府で働いてきた。もう一人は青白い顔で、二重顎、白髪で丸太りの、ちょっとおどけたような雰囲気の男だった。彼らはモスクワ外交部門のツートップ、セルゲイ・ラブロフ外相とセルゲイ・キスリャク駐米大使だった。

オバマ政権の高官たちは、しぶしぶながらも敬意を持ってキスリャクと付き合っていた。しかし、時代は変わった。トランプのチームとの関係を持つ男としてのキスリャクは、ただ厄介なだけでなく犯罪捜査の対象だった。フリン、セッションズ、カーター・ペイジ、クシュナー……彼らは皆、キスリャクに会ったことがありながら、後にその事実を隠していた。大使がトランプに話しかけた。

アメリカ人記者は一人もこの会談の取材を許されなかったのに、ラブロフはイタルタス国営通信のカメラマンを同行させていた。ソ連時代のタス記者は、一般にKGBかGRUの職員だった。そのカメラマンは執務室に装備一式を持ち込んだが、実際のところ、それは何だったのだろうか？

写真を見ると、トランプはラブロフと親しげに握手を交わしている。別の写真では、彼はラブロフの肩をたたいている。また、トランプがにっこりと笑ってキスリャクと並んでポーズをとる写真もある。

トランプは楽しげで、友人たちとリラックスしているように見えた。彼の振る舞いを、例えばアメリカの古い同盟国であるドイツのメルケル首相と三月に会見したときの、不機嫌で握手もしない態度と比べると、実に対照的だ。

数日後にニューヨーク・タイムズ紙にリークされた情報によれば、ロシア人たちとの会話はやはり友好的なものだったようだ。そして会話には驚くべき内容が含まれていた。「この前、ＦＢＩ長官をクビにしたんだ。彼はクレイジーだった。頭がおかしい」と、トランプはラブロフに告げた。「ロシアの問題ではずいぶん悩まされたが、それは取り除かれた。私は捜査対象ではないんだ」トランプは、キスリャクと会ったことがなかったのは自分だけだ、とジョークを言い、ロシア問題はでっち上げであり、アメリカ国民はトランプ政権とロシア政府との健全な関係を望んでいる、と付け加えた。

外交問題に関する議論もあった。報道によれば、トランプは個人的にウクライナ紛争に対して懸念は持っていないが、ロシアが紛争解決に手を貸すつもりがあるのかどうか尋ねた。シリア情勢に関する話も出た。

ここでトランプは、自分が報告を受けた最高機密のディテールを漏らしてしまったのだ。その情報はアメリカにとって中東地域で最も重要な同盟国であるイスラエルからもたらされたＩＳＩＳの謀略に関するもので、第三者に伝えてはならないはずのことだった。ところがトランプはロシア人たちに、その情報の源であるシリアの都市の名前を教えてしまったのである。おそらくイスラエルはＩＳＩＳの中枢に二重スパイを送り込んでいるのだろう。確かなことはわからないが、そのスパイはノートパソコンに爆発物を隠して飛行機で密輸する企ての詳細を報告してきたらしい。

いまやロシア人にこの情報源がどこか知られてしまった。おそらくロシアと友好関係にあるシリアのアサド大統領にも伝わったに違いない。これはひどい裏切り行為だ。ある元諜報部員はこう語っている。本当に重要なのは、情報を共有することではなく、協力者から得た情報をどう伝えるかだ。「床に敷かれたカーペットの色でさえ、協力者の許可なく他言してはならないのです」と、彼は言った。別の元情報部員はこの話を聞いて、「とうてい信じられない」と叫んだ。驚いたホワイトハウスの高官は、ＣＩＡに知らせた。

フリンの後任として大統領補佐官に就任したＨ・Ｒ・マクマスター陸軍中将は、秘密情報は一切漏らされていないと述べて、トランプの失態を弁護した。その一方でトランプは、自分は大統領として、好きな相手とテロに関する秘密情報を共有する「絶対的な権利」があるとツイートした。ロシア外務省はそれに同意するとともに、この話はフェイクニュースの最新バージョンだと述べた。

そもそもトランプは、ヒラリーが個人のメール・サーバーを利用したことを問題視して、彼女を逮捕するよう求めていた。ところがいまや、トランプ自身がトップシークレット扱いの極秘情報をロシアへリークしたのである。自分がやったことなら問題ない、とでも言いたいのだろうか。共和党員でさえ、トランプの節操のなさには失望を隠せなかった。

このトランプの行為は二つの理由から説明できるが、どちらにも問題がある。一つは、スティール報告で暴かれた陰謀が真実である、もう一つは、大統領が間抜けで——少なくとも連邦政府の流儀をわきまえておらず、自分が何をしているのかわからない、そのどちらかだ。この二つの説明は両立しないが、トランプの忠臣であるポール・ライアン下院議長は後者の説明を選ぶことにした。ライアンはその後の数カ月にわたり、大統領はまだ仕事に慣れておらず、ルール違反を犯しても責任を持てない善意の新参者だと主張することになった。

このラブロフとキスリャクとのエピソードにはオチがある。アメリカのメディアは会談後にトランプとロシア人ゲストが一緒にいる姿を取材できると考えていた。ところが、その代わりに彼らが目にしたのは、まもなく九四歳になろうかという、ある有名な老人がトランプと並んで座っている姿だった。老人は背が縮んではいるが、その茶色の瞳にはフクロウのような鋭い眼光が宿っている。それはニクソン時代の国務長官、ヘンリー・キッシンジャー博士だった。彼の突然の登場は、まるで壮大なジョークのようだった。ウォーターゲート事件の時代を彩る主役の一人が文字どおりカムバックしたのだ。

キッシンジャーはアメリカの政治・文化を代表する存在だ。ニクソン政権下で大統領法律顧問や内政担当補佐官を歴任したジョン・アーリックマンは、ウォーターゲート事件に連座して刑務所で一年半を過ごした。彼の小説『ザ・カンパニー』（角川書店、一九七八年）は、その当時を舞台にしたフィクションだが、その作品のなかでキッシンジャーはカール・テスラーという名で登場する。アーリックマンはテスラーの姿を、頭でっかちで胴回りが太く、手足のきゃしゃな「特異な身体」の持ち主として描写している。テスラー＝キッシンジャーは「優れた頭脳」を持つ地政学者であり、自分を「外交問題の世界的英雄」だと見なしている。そして自身を「厳しい自己統制」下に置き、その「隠された本性」をめったにあらわにはしない。

アメリカ大統領は代々キッシンジャーの助言を求めてきた。オバマは例外で、それに従わなかったが、それはあきらかにキッシンジャーのことを快く思っていなかったからだ。キッシンジャーはトランプを支持していなかった。にもかかわらず、この場に登場し、世界最大の権力を持つアメリカ大統領とロシア人との会談の中心に復活したのだった。まるで冷戦時代のようだ。キッシンジャーはウォーターゲート事件のことを「国内の受難劇」だと説明していたが、彼は再びスキャンダルにまみれた大統領の隣に座っていた。

記者団はトランプに対して、なぜコミーを解任したのかを尋ねた。

「彼の仕事のやり方が間違っていたからだ」トランプはカメラの放列に向かって答えた。

キッシンジャーが大統領執務室にカムバックしたのは、仲介者になるためだった。しかし、それは単なる一九七〇年代への後戻りではない。キッシンジャーはクレムリンと頻繁に接触し、プーチンとは長い交友関係を保っており、モスクワに行けばＶＩＰとしてもてなされていた。特に二〇一六年にはその回数も多かった。キッシンジャーもトランプと同様、プーチンを肯定的に見てきた。彼はプーチンのことをドストエフスキーの小説の登場人物になぞらえ、ロシアの歴史に「深く根ざしている」と述べた。

加えて、キッシンジャーは外交政策のリアリストだ。彼はプーチンやおそらくトランプと同様、国際関係を決定づける要因は価値よりも取引だと信じている。ロシアの野党党首で元チェス世界チャンピオンのガルリ・カスパロフは、私にこう説明してくれた。キッシンジャーの最大の望みは、引退からカムバックして歴史的な米ロ協調を仲介することだろう、と。それが外交に対する彼の最後の奉公なのだ。米ロ両国（おそらく中国も）は世界を分割して統治することだろう。それは新たな

「グランド・バーゲン（一括妥結）」構想だ。

しかし、「ロシア問題」のせいで、モスクワとの親善は政治的に不可能だった。少なくとも現時点では無理な話だ。

一方、ロシアとの協力関係の噂を何とかして晴らしたい大統領にとって、その会談はマイナス以外の何物でもなかった。

ニューヨーク・タイムズ紙はトランプとラブロフの写真を一面に掲載し、その下にホワイトハウスの内部で撮影された写真を添えたが、キャプションには「ロシア外務省提供」と書かれていた。

コミーは解任の翌日、バージニア州の自宅にいた。車庫へのアプローチに白いキャップをかぶった彼の姿がちらりと見えたところを、カメラが捉えた。つらい二四時間だったに違いない。コミーの気持ちは想像するしかないが、ショックと義憤、そしてトランプとの衝突は本当に避けられなかったのかという思いに包まれていたことだろう。

しかし、状況はさほど悲観的ではなかった。コミーにとって有利な点は二つあった。一つは彼の信仰である。もう一つは形のあるもの、つまりトランプとのやりとりをすべて記録した一連のメモだ。

確かに、彼のキリスト教への信仰は重要だ。ガーディアン紙のジュリアン・ボーガー記者は、コミーのプロフィールをこう記している。「アメリカ政治の世界ではまれに見る、複雑な個人史を持つ国民的知識人」

コミーはニューヨーク市郊外のヨンカーズで、民主党支持のアイルランド系カトリックの家庭に生まれた。バージニア州のウィリアム・アンド・メアリー大学に進学したコミーは、家庭で培った宗教に背を向けて、福音主義のさまざまなバリエーションを信仰するようになる。卒業論文は、福音派の牧師ジェリー・ファルエルがラインホールド・ニーバーの教えをどのように具体化したかについての考察だった。ニーバーは二〇世紀中葉のアメリカで最も偉大な神学者で、一九三二年に出版された著書『道徳的人間と非道徳的社会』(白水社、二〇一四年)は、キリスト教思想の古典とされている。

ニーバーの世界観は悲観的だ。彼は自分自身を「幻滅の世代」の一人と位置づけ、戦争と全体主義、人種的不正義、経済不況の時代から説き起こす。彼はこう考えた。個々の人間は道徳的に行動する能力があるが、集団と国家はその集団的エゴイズムゆえに戦うため、社会的紛争は避けられない。

ニーバーは人間の欠陥を残酷なほど正直にえぐり出す。現代アメリカの文化は「いまだに理性の時代の幻想と感傷にどっぷりと浸かっている」と、彼は言う。ニーバーは政治の世界には善良さが介在する余地がなく、「貪欲、権力への意思、その他さまざまな形態の自己主張」が集団の政治を支配することをあきらかにしている。

コミーの所属会派は後に福音派からメソジスト教会へと移ったが、それ以降もニーバーへの興味を保ち続けた。『ギズモード』誌によれば、コミーはニーバーの名でツイッターの個人アカウントを開いている。政治的には右派で共和党支持者である。トランプの登場までは、社会的に保守的な傾向を保っていた。

ニーバーはおそらく、トランプという人間や彼の恥知らずな政治的態度に驚くことはなかっただろう（その代わりに彼はその偉大な宗教的知性をもって、「ほら、言わんこっちゃない」と言ったかもしれない）。二〇一七年夏にワシントンを支配しようとしていた光景は、まさにニーバー的状況だと言えるだろう。そこにいたのは、利己的な権力に対して真実を言う正義の人、まさに道徳的人間だった。ここで利己的な権力とは、不実な大統領と言い換えてもいいだろう。

コミーはホワイトハウスとの戦いに臨むにあたり、神の導きや預言に頼ることはなかった。彼が頼ったのは自分のメモである。そのメモは、トランプとのやりとりがあるたび、その直後に彼が自分でタイプした記録だった。そのメモは全部で九本あり、うち三本は直接会って話したときのもので、残りの六本は電話での会話の記録だ。それらのやりとりはトランプの大統領就任前の一月から就任後の四月にかけてのもので、読めばいずれも問題含みのものであることがわかる。

トランプはコミーのことを見くびっていたが、それが誤りだったことはすぐにあきらかになった。コミーは連邦政府のポリシーと官僚組織の仕組みを完全に理解していたが、トランプは違った。ザ・ニューヨーカー誌の表現によれば、ワシントンＤＣは「手続きとルールの上に築かれた法律家の町」だ。コミーはそれを熟知していた。彼のメモは、自らとＦＢＩに対する評価を、今後ありうる中傷から守るための企てだった。彼の目から見た事実経過を裏付けることで、トランプの嘘に対抗しようとしたのだ。

ワシントンのある消息通は言う。「彼（コミー）はシステムをよく理解しています。彼はこれまで、随所で着実に切り札を使ってきました。しかし、トランプは何の手がかりも持っていません。大統領としての強大な権力はあっても、それをどう使っていいかわからず、ミスの上にミスを重ねています」

コミー解任から二日後、ニューヨーク・タイムズ紙は去る一月二七日にコミーとトランプが会食したときの模様を記事にした。ディナーの場はホワイトハウスだったが、二人のほかには誰もいなかった。同紙によると、二人はあいさつ代わりに大統領選挙と就任式の群衆のことから会話を始めた。次にトランプは話題を変えると、コミーに対して事実上、自分に忠誠を誓うよう求めた。記事によれば、コミーはそれを拒絶した。

しかし、ホワイトハウスはその記事を否定した。トランプもNBCニュースで、忠誠を誓うよう求めることなどありえないと主張した。トランプのやり口を見て、コミーは自分の疑いが正しいことを確信したことだろう。つまり、トランプは二人きりで会話したことについて、平気で嘘をつくということだ。

次にトランプは脅しという手を使った。次のツイートがそうだ。

ジェームズ・コミーはマスコミにリークする前に、私と会話したときの「テープ」が存在しないことを祈ったほうがいい！

そのツイートはトランプの期待とは逆の効果をもたらした。コミーが言うには、彼はその二日後、深夜に目を覚ました。ホワイトハウスが彼の会話を密かに録音していた可能性は十分にある。だが、これはむしろいいことだ。テープがあれば、かえってそれは彼の説明を裏付けることになる。一方、コミーは巷(ちまた)で実際にどんな話がささやかれているのか、確かめる必要を覚えた。

彼は旧友のダニエル・リッチマンに連絡をとることにした。リッチマンは元連邦検事で、コロンビア大学ロースクールの教授をしている。彼はこれまでの数カ月、コミーが攻撃の的になっていたときも、FBI長官の仕事は「政治的に中立かつ独立したものだ」と言ってコミーを弁護してきた。コミーはリッチマンにこう指示をした。「必ずこのメモを公表してくれ」リッチマンはニューヨーク・タイムズ紙の記者マイケル・シュミットと連絡をとった。リッチマンはコミーのもう一つの破壊力のあるメモから細部を付け加えた。それは二〇一七年二月一四日に大統領執務室での会合を記録したものだ。その日はフリンがペンス副大統領に嘘をついた責任をとって辞任した翌日だった。メモによれば、トランプは会合の後でコミーだけをその場に残してこう言った。「この件、フリンの件はもう終わる筋道がはっきり見えるよう願っているよ」

そしてトランプはこう付け加えた。「彼（フリン）はいいやつだ。この件は終わりになるよう願っている」

この「願い」については今後、大いに議論の的となる。これは一部の共和党の重鎮たちが言うように単なる願望なのか？　あるいはこれは最高司令官の直接の命令なのだろうか？　コミーは明言を避けてこう言った。「ええ、彼（フリン）はいいやつですね」

FBIはさまざまな容疑でフリンを捜査していた。いずれも小さな問題ではない。そのなかには、FBIの重大犯罪取り調べ用調書であるFD‐302形式で記録された供述に偽証があったとされる件も含まれている。コミーはトランプの発言に大きな懸念を覚えた。コミーが見るに、トランプは彼に対して犯罪捜査の中止を求めていた。それは司法の破壊をもたらすものだ。独立した捜査機関としてのFBIの使命に傷がつくことになる。

後は司法省の対応に任された。ニューヨーク・タイムズ紙の暴露に対応することをセッションズ司法長官が拒めば、ナンバー2のローゼンスタインにお鉢が回ることになる。民主党はトランプ－ロシア関係の捜査を監督するために、ホワイトハウスと司法省から独立した特別検察官の必要を強調し、ローゼンスタインに対してその任命を求めてきた。

共和党は「必要ない」として特別検察官の任命に反対してきたが、コミー解任に対する懸念の声が上がるに伴い、その流れが変わった。ローゼンスタインはあきらかにジレンマに陥っていた。特別検察官の任命に同意すれば、それは彼の評判の回復につながるかもしれない。だが、それは同時に大統領の激怒を買い、結局は自分も解任されるかもしれない。

ニューヨーク・タイムズ紙はローゼンスタインへの公開質問状で、「司法副長官は民主主義の守護者である」と主張した。同紙の編集委員は言う。司法副長官は「政府への国民の信頼」を回復する役割を担う特別な存在であり、「それは大きなプレッシャーであることは我々も理解している」さらに同紙はこうも指摘した。トランプはローゼンスタインが三〇年の公職で培ってきた「誠実さを利用した」。そして、そのやり方はトランプが人の金を無造作に浪費するのと同じである、と。

ローゼンスタインはニューヨーク・タイムズ紙が提案した「気高く勇敢」な行動へと踏み出し、特別検察官の任命は「公共の利益」にかなうことだと表明した。彼によれば、それはまだ犯罪があったと決めつけたわけではなかった。ローゼンスタインはトランプとの相談なしに命令書にサインをしたが、この悪いニュースを執務室に知らせる役目は、大統領法律顧問のドン・マクガーンが担うことになった。

トランプは、「自分は無実だ」と言った。報道によれば、トランプはいつもとは違い、けんか腰ではなかった。トランプは声明で、自分の選挙活動では「いかなる外国の組織」とも共謀したことはないと強調した。

このエピソードは、トランプの自己破滅傾向を示す好例だ。彼は「圧力を取り除く」ためにコミーを解任したせいで、さらなる危機を呼び込み、決然たる意思を持つ特別検察官の任命を早めることになったからだ。特別検察官に任命されたのは、ロバート・モラーだった。モラーは二〇〇一年から二〇一三年にわたり、ブッシュ政権とオバマ政権の下で一二年にわたってFBI長官を務めた。これはJ・エドガー・フーヴァー以来の最長在任記録である。その後を継いだコミーとは盟友関係にあると言っていい。

モラーの評判は確たるものだった。モラーがFBI長官職にあったのと同時期にNSAとCIAの長官を務めたヘイデンは、彼のことを私にこう説明してくれた。「矢のようにまっすぐな男だよ。彼のことをどう形容すればいいかな。一徹で、生真面目で、優しくて、それでいて原則を曲げないんだ」このような評価は民主党・共和党を問わず一致している。それはコミーがモラーのことを「アメリカの最も偉大なプロフェッショナルの一人」であり、「毅然として粘り強い人」と称えているのと共通している。

ヘイデンはモラーが任務を厳正にこなすだろうと予想しつつも、司法妨害でトランプを有罪にできるかどうかについては懐疑的だった。司法妨害は、ニクソン弾劾手続きの際にも第一の訴因とされている。「しかし、だからと言って重大な問題が存在しないという意味じゃない。私は議会の調査がより重要だと思っているんだ」とヘイデンは示唆した。

これまでのところ、コミーはトランプに対して優勢を保っている。彼は巧妙に情報を公表して、トランプを困惑させ、その実情を明るみにした。それがモラーの特別検察官任命にもつながった。コミーにはまだ奥の手がある。それが発揮されるのは、上院情報委員会で彼が私人として証言台に立つときだろう。

だが、これは実現するだろうか。トランプが自分とコミーとの会話は機密事項だと言って大統領特権を主張するかもしれないとの見方もある。理論的には、裁判所はコミー証言の差し止めができるが、ホワイトハウスはここで問題を抱えている。ウォーターゲートのときに裁判所は、行政機関による不法行為を隠蔽するために特権を使うことはできないと規定したからだ。

加えて、コミーに関するトランプの連続ツイートを見れば、機密を理由に大統領特権を行使する意味はまったくないことがわかる。あるワシントンの法律家はこう語った。「トランプは信じられないほど馬鹿馬鹿しいことを四六時中やっているんだ」

六月になると、ワシントンは狂乱状態になった。弾劾に向けた足音が、低く、しかし着実に聞こえてくるようになった。この足音はさらに大きくなりつつある。バーで、カフェで、そして公共の場で、トランプが一期目の任期を全うできるかどうかが話題となり、憲法修正第二五条が議論の的となった。この条項は職務遂行能力がないことを根拠に大統領を罷免できるとしている。弾劾は時間がかかり不確実だ。内容は曖昧だが、修正第二五条のほうが手っ取り早いかもしれない。

カギを握るのは、今後のコミーの証言だ。もしフリンに関する会話の彼の説明が本当だと認められれば、トランプを司法妨害容疑で追及できるかもしれない。共和党の議員たちは大統領を退任させる気はなかった。つまり彼らはいまだ、税削減法案を通過させるための最大の望みがトランプにかかっていると思っているからだ。だが、マケイン上院議員が見るように、状況は「その程度においても規模においても」次第にウォーターゲートに近づいてきている。

コミーは準備万端だった。上院情報委員会での証言の前日、彼は公に声明を出し、公聴会のための原稿を書き上げた。それは穏やかな調子で「大統領当選後から就任後にかけてのトランプ」との四カ月のやりとりについてまとめられていた。

その文書は巧みなストーリーテリングで、明快かつ簡潔だった。また、コミーの人柄が随所に輝いており、何と言っても信憑性があった。これは密室の向こうで起こったことの生々しい報告だった。全体的な印象は、正義を貫こうとする官僚のプロと、たまたまアメリカ大統領の座についている気まぐれな人間という図式である。

それを読むと、コミーとトランプの出会いは最初から気まずいものだったことがわかる。それは二〇一七年一月六日、トランプ・タワーの会議室でのことだ。コミーを含むアメリカの情報機関の長官たちが、大統領選挙と国家安全保障チームに対するロシアの介入について説明をした。

ほかの長官たちが出て行った後、コミーはその場に残った。彼は会議のあいだに拾い上げた情報を元に、新しい大統領に、一言で言うと「何か性格的に敏感な傾向」があるとまとめている。それはスティール報告に関するものだった。コミーによれば、アメリカの情報機関はスティール報告が「猥褻（わいせつ）かつ確証が得られない」にもかかわらず、二つの理由からトランプに報告することを決めた。

一つ目は、メディアがスティール報告をリークしてまもなく記事になると思われたからだ。二つ目は、トランプに事前に警告を与えておけば、誰かが彼の体面を傷つけようとしたときに、その効果を「鈍らせる」ことができるからだ。その役目は事前の了解でコミーが担うことになった。すでに退任を表明していたジェームズ・クラッパー国家情報長官がコミーに単独で説明をするよう求めたからである。というのは、「その文書が関係しているのは外国のＦＢＩにあたる情報機関」だったからだ。そしてトランプにとって恥となるような部分は「最小化」して報告するように告げた。トランプはその報告を快く思わなかったようだ。トランプがどう反応したかは記録がないが、コミーはトランプを疑っているわけではないと断言する必要があった。

コミーはこう書いている。

私は大統領当選者と交わした初めての会話をメモに残しておかねばならないような気がした。正確に言うと、私は会合を終えて出てきた瞬間、トランプ・タワーの前でＦＢＩの車に乗るやいなや、ノートパソコンで会話を打ち込み始めた。それ以来、トランプ氏との一対一の会話をしたら、その直後に記録に残しておくことが私の習慣になった。

ちなみにコミーはオバマ大統領との会話は「記録に残して」はいない。だが、トランプは同じ大統領でも、まったく種類が違った。そのことは就任式の一週間後、一月二七日の対面でもっとあきらかになる。コミーは言う。その日のランチタイムにトランプから電話があり、午後六時半からの夕食に誘われた。後にコミーが言うには、そのために妻との約束をキャンセルしなくてはならなかった。

ほかにどんなゲストが来るのかと思いながらホワイトハウスに着いてみると、「そこにいたのは私とトランプだけだった。私たちは緑の部屋（グリーンルーム）の中央に置かれた小さな楕円形のテーブルを挟んで座った」。二人の海軍士官が、ただ食事と飲み物を出すだけのために、コミーとトランプを迎えた。

トランプは開口一番、コミーに対してFBI長官に留任したいかどうかを尋ねた。コミーのメモによれば、その質問は「奇妙」なものだった。というのは、トランプはすでに二回にわたって、コミーが長官に留任することを希望すると彼に告げていたからだ。すでに話したように自分は一〇年の任期を全うするつもりだ、とコミーはトランプに告げた。するとトランプは、長官になりたい人は「いっぱいいる」から、「自分からやめる」つもりになったらすぐ知らせてくれと言うのだった。

コミーの書き方は客観的だが、トランプの露骨な手法にぞっとし、あぜんとしたことはあきらかだ。コミーはこう書いている。

私は本能的に思った。なぜ二人きりの場で、冒頭からわざとらしく私の地位について尋ねてくるのか。つまり夕食に誘った理由の一つは、私にいまの仕事に残りたいと自分から言わせて、一種の主従関係をつくろうということだろう。FBIが伝統的に行政機関のなかで独立した地位にあることを考えるなら、これは非常に憂慮すべき問題だった。

コミーの予感は的中した。彼はトランプに対して、自分の政治的センスはあてにならないが、常に真実を言うことにかけては期待してもらっていいと告げた。また、これは大統領にとって一番の利益だと付け加えた。対してトランプはこう応じた。「私が求めるのは忠誠心だ。忠誠心が大事なんだ」

一瞬、時間が止まったようだった。コミーはこう書いている。「私は顔をこわばらせたまま、身動きすることも、話すこともできなかった。気まずい沈黙の時間が続いた。私たちはただ黙って、お互いに見つめ合っていた」

トランプはディナーの最後に、再びこの話題に戻った。トランプが企てた取引は、古典的なギブ・アンド・テイクだった。つまり、コミーが職務に残りたいなら、組織よりもトランプ個人に対して仕えるべきだというわけだ。トランプは自分の要求を繰り返した。「私は忠誠心を求めているんだ」コミーはこう答えた。「大統領に対して、常に誠実でありたいと思います」。するとトランプは言った。「それだ。私が求めているのは、誠実な忠誠心だ」

コミーはその言葉に同意したが、それは「非常に気まずい会話」を終わらせるためだった。「私の説明で、トランプ大統領は私に何を期待できるのか明確にわかったはずだ」とコミーは書いている。

さらにひどい話もある。トランプはコミーをわざと執務室に残して、クシュナーとセッションズも含めて全員を追い出してから、「フリンの件が終わりになるのを願っている」という旨の発言をした。電話で泣き言を言うこともあった。そのうちの一つが、三月三〇日の電話だ。トランプはロシア問題を「暗雲」に例えた。そして自分はロシアとは関係ないし、ロシアの売春婦とも関係はなく、「ロシアではずっと言動が記録されている」と常に思っていたと、コミーに告げた。

その一二日後、再びトランプから電話があった。彼はコミーに、自分が個人的に捜査の対象になっていないという事実を「公表する」ように強く求めた。コミーはそれを拒んだが、その理由は、公表した場合、状況が変われればそれを「訂正する義務」が生じるからだと答えた。

コミーの七ページの文書は、見事な現代史の記録だ。そこには起きたことの時間的な流れと詳細が、その場の雰囲気を除き、すべて記されている。四月一一日のトランプのコミーに対する最後の意見表明は、もちろん確かなことは言えないにしても、ほとんど悲しそうに見える。トランプはこう言った。「私は君にずっと忠誠を尽くしてきたよ。誠意を見せてきた。あの件についてもそうだ」

コミーはこう書いている。

私は彼に答えなかったし、「あの件」が何を意味するかも尋ねなかった。私はただ、こう言った。それに対処する道はただ一つ、ホワイトハウスの法律顧問に言って、司法副長官代理に電話させることです、と。彼はそうしようと思っていると言って、電話は切れた。

それがトランプ大統領との最後の会話だ。


傍聴席を目指す行列はどこまでも延びている。行列の先頭の人は午前四時一五分から並んでいた。七時三〇分になると、三〇〇人がハート上院オフィスビルのなかに行列をつくった。広々とした吹き抜けを見渡す廊下に沿って、人間の鎖がヘビのように曲がりくねっている。行列の先にあるのは二一六号室だった。ここでコミーが証言をすることになっていた。

ワシントンの人々は大きな政治的イベントに慣れている。それでも今回は特別だった。将来トランプ政権が破滅するとしたら、これがその決定的瞬間となるはずだ。基本的な筋書きはできあがっている。不当な扱いを受けた男、裏切り者のボス、非合法の（？）におい、巧妙に仕掛けられた隠しカメラ。

全国ネットの一二局がコミーの証言をライブ中継していた。ブルックリンのボンド・ストリートからサンフランシスコのサター・ストリートに至るまで、スポーツバーとカフェは客のためにテレビ中継を流していた。あるワシントンの酒場ではＦＢＩをテーマにしたサンドウィッチが売り出され、ロサンゼルスでは早朝コミー・ヨガパーティーが催された。
アメリカは以前にも政治スキャンダルを経験している。ウォーターゲート事件、そして一九二〇年代にウォーレン・ハーディング政権を揺さぶったティーポット・ドーム事件（内務長官アルバート・フォールが国有油田の貸し出しの見返りに資金提供を受けた汚職事件）。だが、公聴会の会場の席を何とか確保したガーディアン紙のジュリアン・ボーガーが書いているように、それらの事件はアメリカ国内の内輪もめだった。アメリカ人の政治家グループ同士が言い争ったにすぎない。

ところがこのスキャンダルは外国の敵を巻き込んでいた。もしコミーの主張が正しければ、敵は権力を乱用しようとした大統領のそばをうろついていた。権力の乱用とは、この場合、捜査官に対する威嚇を意味する。コミーが真実に近づいたことが大統領に不快感を与え、そしてその結果、彼は解任されたのだ。

午前一〇時〇二分、コミーが部屋に入ってきた。人々のざわめきが静まる、それに代わってカメラのシャッター音が滝のような音を立てた。前FBI長官は血の気のない、険しい表情で、腫れぼったい目をしている。コミーがデスクの向こう側に座ると、カメラマンが彼を半円形に取り囲む。部屋は上院議員と職員、そして報道陣の群れでいっぱいだ。上から見下ろすと、その模様はまるでルネッサンス期の厳粛な一幅の絵画のようだった。

コミーはきっとトランプを批判する、そんな気配が漂っていた。前FBI長官の怒りがどれほど大きいかは、彼が宣誓をしてすぐにあきらかになった。コミーは手始めに、トランプから解任されたことについて、いかなる理由からでも、あるいは理由がないとしても、それを受け入れると述べた。だが、解任に至った正式の理由は「まったく理解できない」し、特に後にトランプがテレビで、実はロシア問題のせいで彼を解任したと言ったのを聞いて、さらに疑問は深まったと語った。

「ある意味、私が解任されたのは、進行中だったロシア関連の捜査のやり方に影響を与え、変えさせようとする試みの一環でした。これは私個人に関わるだけでなく、もっと大きな問題です」と、コミーは言った。

そして、ホワイトハウスは「私を中傷する」ことにしたのだ、と彼は手厳しく批判した。FBIは無秩序で、規律がなく、職員は長官に対する信頼を喪失している、というのがホワイトハウスの言い分だ。「これは端的に言って嘘です」とコミーは断言し、「FBIの職員とアメリカ国民の耳にこのような話が入ったことを、私は非常に残念に思っています」と述べた。

トランプの否定的な主張とは逆に、FBIの組織は崩壊などしておらず、「誠実」かつ「強靭」だ、とコミーは述べるとともに、こう強調した。「FBIは独立した組織です。そしてこれからも独立性を保ち続けるでしょう」

トランプは彼の三一七〇万人のフォロワーに対して、公聴会についてライブのツイートをするだろうと見られていた。しかし全国民の注目の前で、トランプは珍しく沈黙を守っていた。コミーは、自分がトランプを最初から信頼していなかったことを明かした。そしてトランプの人となりに疑問を抱き、会話を記録するきっかけとなった会議のことについて説明した。

基本的に、コミーはトランプのことを非倫理的な人物、さらには嘘つきでさえあると見ていた。

「私は大統領が私たちの（一月の）会合の性格について嘘をつくのではないかと、心から心配していました。そこで記録を残すことが重要だと考えたのです」

ほかにも興味深い場面があった。リチャード・バー委員長は、スティール報告に描かれたいくつかの「犯罪の疑惑」に関して、ＦＢＩが裏付けをとることができたのかどうかを質問した。するとコミーは、「公開の場」でその質問に答えることはできないとして、回答を拒んだ。そこからわかることは、ＦＢＩは疑惑のいくつかについて確認をしようとしてきたが、その多くは秘密情報だということだ。

コミーは自分のトランプ・メモはモラーに渡したので、トランプの「フリン発言」が司法妨害にあたるかどうかを決めるのはモラーの役割なのだと述べつつも、コミー自身は大統領の言葉を「命令」として受け止め、その発言に彼は「あぜんと」なったと言う。ＦＢＩ職員にそのことを言わなかったのは、「仕事への萎縮効果」を恐れたからだ。

公聴会のなかで、コミーはしばしば沈黙を選ぶ場面があったが、それは逆に話したことの破壊力を増す効果を生んだ。ワシントン・ポスト紙のコラムニスト、ユージン・ロビンソンが注目したように、その公聴会には「謹厳さを求める空気」が流れていた。コミーに質問する上院議員たちも、大人らしく節度を守っていた。もちろん民主党の議員たちはトランプを非難し、共和党議員たちはトランプの潔白を証明しようとしたが、危機のありかについては全員の共通理解があった。

コミーの断固たる態度もまた、思いもよらない称賛を彼にもたらした。ニュースサイト　デイリー・ビーストのリジー・クロッカーはコミーの「魅惑的な高潔さ」を称賛するとともに、クビになった五六歳のＦＢＩ長官がいま「ホット」な理由についてこう解説した。

彼のどこかくたびれた表情と目の下のたるみは、確かにしぼみかけた風船を連想させた。にもかかわらず、彼はハンサムであり、内面的・外見的な魅力を備えた多くのセックスシンボルたちと同様、気高さや、複雑な感情のひだ、そして物静かななかに秘めた確かな自信といった、世の誰もがあこがれる人間の品性というものを備えていた。

彼が「ホット」かどうかはともかくとして、コミーのベスト・スピーチは、いまアメリカが直面する問題を状況のなかで捉えた、以下の部分だろう。

この大きく乱雑な素晴らしい国では、お互いの争いが絶えることがありません。しかし、何を考え、何のために争い、何を求めて投票するかを私たちに教えてくれるのは、やはりほかのアメリカ人たちだけです。この素晴らしい事実は、同時にしばしば苦痛を伴うものでもあります。ですが、いまここで問題になっているのは、技術的に侵入したりほかの手段を用いたりして、私たちの考え方や選挙や日常行動に影響を与えようとしている外国の政府です。この大きな問題に、私たちは気づくべきです。

多くのアメリカ人と同様、私はこの様子をテレビの中継で見ていた。そのとき私の心を打ったのは、コミーの情熱ある言葉を引き出した次の質問だ。民主党のジョー・マンチン上院議員は、「ロシアが何をしようとしているかについて、（トランプは）何らかの関心や興味を示したことがあるか」と尋ねた。

コミーの答えは「ノー」だった。トランプは一月六日の状況説明のときに二、三の質問をしただけで、それ以降は何も聞かなかった。

つまりトランプは、アメリカの民主主義に対するロシアの攻撃について、まったく無頓着らしいということだ。大統領候補者だったときも、大統領になってからも、彼はプーチンの関与を強く否定してきた。同時にトランプはコミーやほかの者に対して、自分はロシア政府と何の関わりもないと主張している。

だが、これは真実ではない。トランプのロシアとの関係は、古くにさかのぼる。それはほぼ間違いなくＫＧＢがアレンジしたと見られる旅行に始まる。

第8章
共謀

1984 ~ 2017年
モスクワーニューヨーク

「アメリカ人を取り込む能力を改善するために、
より多くの努力が求められている」

——ＫＧＢ年次報告書
１９８４年

一九八四年のことだ。ウラジーミル・アレクサンドロヴィチ・クリュチコフ上級大将は、ある問題に頭を悩ませていた。上級大将はＫＧＢ（ソ連国家保安委員会）で最高位の役職である第一総局長の座にあった。海外の情報収集を担う、ＫＧＢでも栄誉ある部門のトップだ。

クリュチコフの人生は、ソ連のサクセスストーリーの一例である。彼はプロレタリアートの家庭に生まれた。父親は労働者、母親は主婦で、彼の社会生活の振り出しは工場労働者だった。夜には通信教育で勉強をし、その甲斐あって地方検察局の仕事にありつけた。その後、外務省高等外交学校に入学した。

それ以来、彼はトントン拍子に出世を続けた。ソ連の外交官として、ブダペストでユーリ・アンドロポフ大使の下で五年間働いた。ちょうど一九五六年のハンガリー動乱をソ連の戦車が押しつぶした時期にあたる。一九六七年にアンドロポフがＫＧＢ議長に就任すると、クリュチコフもＫＧＢに入り、次々と重要なポストを任される。勤勉で献身的な幹部として評判だった。

一九八四年になると、クリュチコフが掌握する部署はかつてなく大きくなり、職員の数は一九六〇年代の約三〇〇〇人から一万二〇〇〇人にまでふくらんだ。モスクワ南郊の森を抱くヤセネヴォの本部も拡張された。建設労働者が忙しく働き、二二階建ての別館と一一階建ての新館を完成させた。

一方、政治の世界では変化の兆しが漂い始めていた。まもなくクレムリンに新顔が登場した。ミハイル・ゴルバチョフ書記長だ。ゴルバチョフが打ち出した西側とのデタント政策は、従来の書記長たちの国際紛争の時代とは鮮やかな対照を示したが、それは海外を対象にした第一総局の仕事がいっそう重要性を増すことを意味していた。

クリュチコフはさまざまな難題に直面していた。一つはアメリカでロナルド・レーガンというタカ派の大統領が就任したことだ。KGBはレーガンの前任者ジェラルド・フォードとジミー・カーター両大統領を弱体政権と見なしていたが、レーガンのことは手強い敵だと考えた。クリュチコフは次第に、アメリカがソ連に対して先制核攻撃をたくらんでいるという誤った先入観にとらわれるようになる。

彼のもう一つの難題は、情報収集に関する問題である。KGBの海外駐在員たちの成果には見るべきものがなかった。彼らはしばしば極秘ルートからの情報を入手したと偽って、その実、新聞記事やランチタイムに記者から仕入れた噂話を使い回ししていた。また、海外派遣機関の多くが「ペーパー・エージェント」を抱えていた。現地の人間を抱き込んだはいいが、彼らは書物に頼るだけで、本物の機密情報とは縁もゆかりもなかったのである。

そこでクリュチコフは、世界各地のKGB地域本部長に一連の極秘メモを送った。かつてデンマーク駐在のKGB職員で、後にイギリスに移ったオレグ・ゴルディエフスキーは、そのメモをコピーしてイギリスの情報機関に渡した。後に彼は歴史家のクリストファー・アンドルーとの共著で、そのメモを『Comrade Kryuchkov's Instructions: Top Secret Files on KGB Foreign Operations 1975-1985（クリュチコフ同志の指令：KGB海外活動のトップシークレット・ファイル一九七五－一九八五年）』というタイトルで出版した（私はこの本を大英図書館で読んだが、非常に面白かったので自分でも一冊購入した)。

一九八四年一月、クリュチコフはモスクワで開かれた半期ごとの報告会とその半年後の臨時会議でこの問題を取り上げた。緊急の課題は、いかにエージェント取り込みの方法を改善するかである。クリュチコフは職員たちに、もっと「クリエイティブ」になるよう求めた。従来、彼らは包摂の対象を左翼や労働組合員など、イデオロギー的にソ連に近い者に絞っていた。一九八〇年代半ばになると、そういう人材は少なくなり、KGB職員は「物質的刺激をより大胆に活用すること」を迫られた。つまり金を使ったのである。さらに相手をおだてることも重要なツールだった。

アンドルーとゴルディエフスキーの著書によれば、KGBの中枢は特にアメリカ人協力者の不足に頭を痛めていた。LINE PR(KGB海外駐在組織に常設される政治諜報部門)は、「取り込むべきアメリカ人のターゲットか、または少なくとも公然接触先」を探すよう明確な指示を与えられた。クリュチコフは「有能なエージェントを獲得することに主要な努力を集中させるべきだ」とも述べている。

一九八四年二月一日付のそのメモは、読んだら速やかに破棄することとされていた。メモにはこうある。「情報収集」能力の改善にもかかわらず、KGBは「主要な敵(アメリカ)に対する作戦において、大きな成功を挙げられないでいる」

一つの解決策は、「友好的な情報機関の施設」、たとえばチェコスロバキアや東ドイツのスパイ網を広く活用することだった。

そして「エージェントの工作活動をさらに改善するには、極秘で特別な非公式接触を、より十全に幅広く活用することが求められる。それは主に政治的・社会的著名人、経済・科学分野の代表的な重要人物のなかから確保されるべきだ」と述べている。そして彼らは「有益な情報をもたらしてくれる」だけでなく、その国の外交政策が「ソ連にとって有利な方向」へと向かうよう、「積極的な影響を与える」はずだ、とある。

もちろん取り込みの作業にはさまざまなレベルがある。一般的に作戦要員はターゲットをランチに誘うが、そのターゲットは「公然接触先」にまずは分類される。ターゲットの反応がよければ、彼（まれに彼女）は「発展対象（オブイェクト・ラズラボートキ）」へと昇格する。そして作戦要員は、公然・非公然の資料からなるファイルを作成する。そこにはＫＧＢ技術チームによる盗聴を通じて得た会話からの情報も含まれるだろう。

ＫＧＢはまた、秘密の人物アンケートを配布している。それは包摂工作成功のためにどこに目を付けるべきか、作戦要員にアドバイスするためのものだ。一九八五年四月、このアンケートは「西側の重要人物」というタイトルで改訂された。その目的は、ターゲットを「エージェント、または内密・特殊・非公式の接触先」など、「我々とのある種の協力関係」へと引きずり込むことにあった。

このアンケートのフォームには、姓名、職業、家族関係、物質的生活環境などの基本的なディテールを書き込むようになっているが、それ以外にも、「対象者が権力の座に就く」（大統領や首相の座を占める）見込みがあるか、という質問もある。性格に関する調査もある。たとえばこんな質問だ。「対象者の生まれつきの性格に、プライド、傲慢、エゴイズム、野心、虚栄心が存在するか？」

最も意味深い項目は、「コンプロマート」（政治家や有名人の不名誉な情報、政治的な弱み）に関するものだ。その文書は「対象者に関する、金融や商行為での不法行為、陰謀、投機、賄賂、汚職……地位を利用して私腹を肥やす行為などの恥ずべき情報」や、「国家の権威と一般大衆の前に」恥をさらすような「その他の情報」を求めている。当然、ＫＧＢは「秘密を暴露」するぞと相手を脅すことで、この情報を利用できるわけだ。

文書は最後に、「女性に対する態度も興味をそそられるところだ」と述べ、「対象者は女性と密通する習慣があるか？」と聞いている。

ＫＧＢがドナルド・トランプについて調査を始めたのはいつだろうか。はっきりしたことはわからないが、東側情報機関の記録によれば、早くも一九七七年には開始されたようだ。この年、トランプは当時二八歳のチェコスロバキア出身のモデル、イヴァナ・ゼルニーチコヴァーと結婚している。ゼルニーチコヴァーは共産圏出身者だ。彼女はしたがって、チェコの情報機関であるＳｔＢと、アメリカのＦＢＩ、ＣＩＡの双方から関心の的とされていた。

冷戦時代、チェコのスパイはそのプロ意識の高さで知られていた。チェコとハンガリーの情報要員は、特にアメリカ合衆国とラテンアメリカをはじめ海外でのスパイ行為に使われることが多かった。モスクワから送られるソ連の工作員よりも目立たないせいだ。

ゼルニーチコヴァーはチェコ東部モラヴィア地域のズリーンで生まれた。航空機生産で有名な町だ。彼女は最初にオーストリアの不動産業者と結婚し、一九七〇年代の初めにカナダに移住した。当初はトロントに住み、次にモントリオールに移って、スキーのインストラクターをしていたボーイフレンドと一緒になる。アメリカの情報関係者によれば、その当時チェコスロバキアを出国することは想像できないほど困難だった。ゼルニーチコヴァーはさらにニューヨークに引っ越して、一九七七年四月にトランプと結婚した。

二〇一六年に機密解除されたチェコ政府のファイルによれば、チェコのスパイはトランプとイヴァナのカップルを監視していた（監視役を担ったエージェントの暗号名はアル・ジャルザとルボスだった）。彼らはイヴァナから父親のミロシュ宛に送った手紙を開封した。ミロシュは技術者をしており、エージェントやスパイではなかったが、チェコの秘密警察と業務上の付き合いがあり、娘が外国でどうしているかという質問に答え、その代わりにイヴァナの帰国許可を得ていた。アメリカのトランプ一家に対しても周期的な調査が実施され、イヴァナとドナルド・トランプ・ジュニアがチェコスロバキアにいるミロシュを訪ねたときには、さらなるスパイ行為の対象として監視されることになった。

他の東側の機関と同様、チェコも収集した機密情報をモスクワのKGBに流したことだろう。トランプはさまざまな理由から関心の的となっていたと思われる。第一に、彼の妻が東欧出身者だったこと。第二に、クレムリンがペレストロイカの実験に踏み出した一九八五年以降、トランプが不動産王として著名だったことだ。チェコのファイルによれば、イヴァナは自分の夫が政治に興味を持ち始めたと語っている。ある時期からトランプは政治家になることを考えていたのだろうか。

KGBが誰かをモスクワに招待するのは、決して相手のためではない。招待旅行でソ連を訪れる要人には、一般に左翼的な作家や文化人が多かった。ソ連は外貨を使って旅行者を招待し、その代わりに彼らはソ連の暮らしぶりについて肯定的な話をする。そしてメディアが彼らの見解を折り紙付きで報じる、という仕組みだ。

ゴルバチョフは雪解け政策を進めたものの、依然としてソ連の指導者であった。KGBも西側を疑り深い目で見続けた。KGBは西側の機関に対する転覆工作を続け、秘密情報の確保にいそしんだが、その諜報戦略の第一のターゲットはNATOだった。KGBもまさか足元に政治的大変動が差し迫っているとは予測しておらず、職員たちはソ連がずっと続くものと思っていた。一方、アフガニスタンでソ連は泥沼の戦争を継続していた。

この時点で、KGBがトランプをどう見なしていたのかはあきらかではない。外国人がKGBの専属エージェントになるには、二つのことに同意する必要がある（ロシア語やイギリス英語で「エージェント」は秘密情報筋を意味する）。一つは「共謀への協力」、もう一つは進んでKGBの指図に従う意思だった。

アンドルーとゴルディエフスキーの『クリュチコフ同志の指令』によれば、この二つの基準に満たないターゲットは、「コンフィデンシャル・コンタクト（内密の接触先）」、ロシア語で「ドヴェリチェリナヤ・スヴャーズィ」と呼ばれる。できれば、信頼できる「接触先」を一段階上の本格的なエージェントへと転換させることが望ましい。

クリュチコフが説明するように、KGBの職員たちは協力者の包摂にあたり、「型にはまった手法」を捨て去ることが求められた。必要なら相手の妻や家族の手を借りることも含め、より柔軟な戦略を使うべきだと言うのだ。

トランプが言うには、初めてモスクワに行こうと思ったのは、彼がユーリ・ドゥビニン駐米ソ連大使とたまたま同席したからだ。それは一九八六年秋、エスティ・ローダーの息子でビジネスマンのレナード・ローダーが主宰した昼食会でのことだった。ドゥビニンの娘のナタリアは「トランプ・タワーについて本で読んだことがあり、すべてを知っていた」と、トランプは一九八七年に出版されたベストセラー『トランプ自伝―アメリカを変える男』（早川書房、一九八八年）』に書いている。

この本はゴーストライターが書いたものだ。

トランプは続けてこう書いている。「いろんなことが重なり、いまや私はソ連政府と手を組んで、クレムリンの向かい側に豪華ホテルを建設したいと考えるようになった」

この昼食会について、トランプは口頭ではあまり語っていない。ナタリアによれば、ソ連政府はトランプをつかまえるために並々ならぬ努力を傾けたというのが実際のところだ。一九八五年二月、クリュチコフは「在外機関の多くがアメリカ人の包摂作業で目立つような結果を得られていない」ことに不満を述べている。ドゥビニン大使がニューヨークに来たのは一九八六年三月のことだ。彼の前の仕事は国連大使だった。ナタリアはすでに家族とともにニューヨークで暮らしており、彼女はソ連国連代表部の一員だった。

ドゥビニンの正式の仕事は諜報ではなく、ＫＧＢの求めに応じることもなかっただろう。だが、彼はモスクワの権力機構に近く、他の小物の大使たちよりも大きな信任を得ていた。

ナタリアは父親を空港まで迎えに行ったと言う。ドゥビニンにとってニューヨークは初めてだった。彼女は父親に市内を案内したが、真っ先に訪れたのが五番街にあるトランプ・タワーだった。以上はナタリアがコムソモリスカヤ・プラウダ紙に語ったことだ。ドゥビニンはそのビルに目を見張り、ぜひオーナーに会いたいと言ってビルのなかに入っていった。そしてエレベーターに乗って最上階まで行き、ナタリアが言うには、二人はトランプに会った。

「英語が流暢で交渉術に長けた」ドゥビニン大使は、こう言って多忙なトランプを引き留めた。「ニューヨークに来て真っ先に見たのが、あなたのビルなんですよ！」

ナタリアは言う。「トランプはたちまち心を許した。彼は情に動かされやすい、いくぶん衝動的な人物だ。いつも人から認められたいと思っている。そしてもちろん、彼はくれるものなら何でも喜んでもらう人間だ。父の訪問はミツバチに蜜を与えたようなものだった」

この出会いはレナード・ローダーとの昼食会の半年前のことだ。ナタリアの記事では、彼女の父親がトランプを引っかけようとしていたことを認めている。ドゥビニンは何を見ても歓声をあげるような純真な少女ではない。フランスとスペインに駐在経験のある老練な外交官だった。ニキータ・フルシチョフがパリのエリゼ宮でシャルル・ド・ゴールと会談したときには、通訳も務めた。目を見張るような建物はいくらでも見たことがあるに違いない。トランプとの最初の出会いから一週間後、ドゥビニンは駐米大使に任命されてワシントンに移った。

ナタリアの役割は興味深い。ミトロヒン文書によれば、ソ連国連代表部はKGBとGRUの巣窟だった。国連事務局で働くソ連国籍者三〇〇人の多くが、国連事務総長の個人秘書まで含めて、正体を隠して働く諜報部員だった。エージェントを見つけたり、政治的な秘密情報を手に入れたりすることにかけては、ソ連国連代表部はKGBのニューヨーク駐在機関よりも大きな成功を収めていた。

ドゥビニンのもう一人の娘であるイリーナは二〇一三年に亡くなった父親を回想して、大使としての任務を精いっぱい務めていたと述べている。彼女によれば、その任務とはアメリカのビジネス・エリートと接触を持つことだった。ゴルバチョフ時代の政治局が資本主義を理解することに興味を持っていたのは事実だ。しかしドゥビニンがトランプをモスクワに招待したのは、KGBの全面的協力と承認の下での、昔ながらの教化工作の一環だったと思われる。

『トランプ自伝』でトランプはこう書いている。「一九八七年一月、私はユーリ・ドゥビニン駐米ソ連大使から一通の手紙をもらった。手紙の書き出しにはこうある。『モスクワからのよい知らせをお伝えできることをうれしく思います』その手紙には続けて、ソ連国営の大手海外旅行会社であるゴスコミンツーリストが、モスクワでのホテル建設と経営の共同事業推進に興味を示していると書かれていた」

一方、ドゥビニンを嫌っている同僚もいた。ソ連の外交官アンドレイ・コヴァレフはドゥビニンと一九六八年に初めて会ったが、彼のことを「無節操」で「自分の自慢話ばかり」しており、容姿にうぬぼれており（「ハンサム」であることは認めている）、国内で権力者に取り入ることに忙しい「見栄えばかりに気を遣うクジャク」のような男だと説明する。コヴァレフはさらに私に対して、ドゥビニンはアメリカのどこに行くのにも、KGBの職員だというガードマンを引き連れていたと語っていた。

しかし、アメリカには野望に満ちた不動産開発業者がごまんといるのに、なぜソ連はトランプに白羽の矢を立てたのだろうか。

元GRU軍事スパイのヴィクトル・スヴォーロフらによれば、KGBはインツーリストという旅行会社を経営していた。一九二九年にスターリンによって創設されたインツーリストはソ連政府の公式旅行会社であり、KGBの補助機関という機能を持っていた。その業務はソ連に入国するすべての外国人を検査・監視することにあった。「私がいた頃は、訪問者に入国許可を与えるのはKGBの役割でした」とスヴォーロフは言う。KGBの第一総局と第二総局が定期的に、ビザ申請書類に基づく入国予定者リストを受け取っていた。

スヴォーロフはGRUのスパイではあったが、ライバルのKGBの業務である包摂工作に個人的に関わっていた。彼によれば、ソ連のスパイ機関は「野心的な若者」、つまり将来有望なビジネスマンや科学者など、「未来のある者」たちを教化することに、常に興味を抱いてきた。

かつてのソ連では、そうした若者たちが気前のよいもてなしを受けた。「すべてタダでした。素敵な女性のいる楽しいパーティーが開かれ、サウナもあるし、女の子もいるし、ありとあらゆることが楽しめるんです」ホテルの客室や別荘は「監視カメラなどにより、二四時間体制で管理」されていたと、スヴォーロフは言う。「目的はただ一つ。そこで収集したある種の情報を、将来のために保管しておくのです」

スヴォーロフによれば、この汚いトリックを使った工作は、すべて長期の目標のためだった。KGBは開発途上国、とりわけアフリカからの学生を対象に全力を傾けた。一〇年か二〇年後、無名のままで終わる者もいるが、ある者は国家に影響力を持つ地位に上りつめる。

「そこで相手を訪ねていって、こう言うのです。『コンコン！　モスクワでの素晴らしい時間を覚えていますか？　お酒もたくさん飲んで、楽しい夜でしたよね。おや、忘れましたか？　では、いい思い出をお見せしましょう』」スヴォーロフはこう説明した。

まだ共産国だった頃のドイツ民主共和国（東ドイツ）で、クリュチコフの三四歳の部下がラテンアメリカからの留学生を包摂しようと忙しく働いていた。部下の名はウラジーミル・プーチン。プーチンがドレスデンに来たのは一九八五年八月。身重の妻リュドミラと一歳の娘のマリアも一緒だった。一家はKGBのアパートに暮らすことになった。

マーシャ・ゲッセン（ユダヤ系ロシア人の作家。二〇一三年アメリカに亡命）によると、プーチンの任務の一つはドレスデン工科大学の外国人学生と友達になることだった。目的はこうだ。もし包摂できたら、そのラテンアメリカ人はアメリカ合衆国で覆面エージェントとして働き、KGB本部に情報を送ってくれるかもしれない。プーチンは二人のKGBの同僚と、引退したドレスデンの元警察官とともに、その任務にとりかかった。

プーチンがKGB第一総局員としてドレスデンで働いていたとき、何をしていたのか正確にはわからない。仕事でドレスデンを訪れる西側の旅行者や、西ドイツに親戚がいる東ドイツ人を包摂する仕事も含まれていたのかもしれない。だがゲッセンが思うに、プーチンの試みはほとんど失敗に終わったようだ。彼はコロンビア人の学生を何とか包摂したが、全体として彼の工作実績は地味なものだった。

一九八七年一月、トランプはクリュチコフ・メモが求める「重要人物」にさらに一歩近づいた。ドゥビニンはトランプのことを、モスクワ旅行をアレンジするのに十分な価値のある人物だと判断したのだ。アメリカに駐在するもう一人の三〇代の外交官ヴィタリー・チュルキン（後の国連大使）が、旅行をアレンジする手伝いをした。一九八七年七月四日、トランプは初めてモスクワへと飛んだ。イヴァナとその秘書を務めるイタリア系アメリカ人リサ・カランドラも同行した。

トランプは「モスクワへの旅は桁外れの経験だった」と書いている。トランプ一行は赤の広場の近く、トヴェルスカヤ通りの奥にあるホテル・ナショナル（ガスティーニッツァ・ナツィオナーリ）のスイートルーム、レーニンのあいだに滞在した。七〇年前の一九一七年一〇月、レーニンと妻のナジェージダ・クルプスカヤは、ここ一〇七号室で一週間を過ごした。ホテルはガラスとコンクリート造りのインツーリストのビルに隣接しており、事実上KGBの支配下にあった。レーニンのあいだもきっと盗聴されていただろう。

そこから少し歩くと、防腐措置を施したレーニンの遺体を安置した霊廟がある。また、クレムリンの壁伝いにしつらえられた英雄墓地にはスターリン、ブレジネフ、アンドロポフ（クリュチコフの元上司）、ジェルジンスキーなど、ソ連の指導者たちが葬られている。

『トランプ自伝』にはこうある。「私はホテルの建設候補地を五、六カ所見て回った。そのうちいくつかは赤の広場の近くにある。私は取引にかけるソ連当局者の野心に深く感銘した」トランプはレニングラード（現サンクトペテルブルク）も訪れた。写真には、宮殿広場に立つトランプとイヴァナが写っている。トランプはスーツ姿で、イヴァナは赤い水玉模様のブラウスを着ており、首にはパールのネックレスをつけている。二人の背後には冬宮とエルミタージュ美術館が見える。

同じ七月に、ソ連の新聞はある外国の著名人の訪問を大々的に書き立てた。コロンビアのノーベル賞作家でジャーナリストのガブリエル・ガルシア＝マルケスだ。プラウダ紙はガルシア＝マルケスとゴルバチョフの長い対談記事を掲載した。その対談のなかでガルシア＝マルケスは、彼自身も含めて南アメリカの民衆がいかに社会主義とソ連に共感しているかを語った。また、ソ連政府は彼を映画祭に招待した。

トランプのソ連訪問は、そこまでの注目は集めなかったようだ。モスクワのロシア国立図書館に保管された新聞資料を見る限り、彼に関する記事は見当たらない（もともと報道されなかったか、こっそり関連記事を削除したかのどちらかだ）。一方、西ドイツ高官の訪ソやインド文化フェスティバルの新聞切り抜きはあった。

それとは対照的に、KGBの秘密報告ではトランプのことが大きく扱われている。数ページにおよぶそのプロファイルには、盗聴を通じて収集されたデータを含め、新鮮な情報が詰まっていた。

その旅行は、少なくともロシアでのビジネスチャンスという意味においては、何の成果もなかった。このような失敗のパターンは、その後のモスクワ訪問でも繰り返されることになる。だが、トランプは新たな戦略的方向性を携えてニューヨークに戻ってきた。彼はそこで初めて、真剣に政治家を目指す兆しを示したのだ。それも市長や知事や上院議員ではない。

大統領選に打って出ようというのである。

ソ連への冒険旅行からまだ二カ月もたたない一九八七年九月二日、ニューヨーク・タイムズ紙にこんな見出しが躍った。「トランプ氏、大統領選へ意欲か」

記事はこう始まる。

能弁で知られるニューヨーク最大手のデベロッパー、ドナルド・J・トランプ氏は昨日、ニューヨーク市政に関わるつもりはないと述べるとともに、大統領選はまた別物だとほのめかした。共和党員のトランプ氏は今朝、全米三大紙に全面広告を打ち、自らの外交政策を披歴(ひれき)した。さらにある顧問は、トランプ氏が一〇月にニューハンプシャー州を訪れる予定だと明かした。同州では最初の大統領予備選挙が行われる。

ニューヨーク・タイムズ、ワシントン・ポスト、ボストン・グローブの三紙に掲載されたその広告は、世の注目を集めた。それは「ドナルド・ジョン・トランプからアメリカ国民へ」と銘打ち、見出しは「アメリカの対外防衛政策、気骨さえ持てば問題は解消できる」と謳っていた。

本文ではこう述べている。

数十年にわたり、日本など諸外国はアメリカを利用してきた。その状況はいまも変わらず続いている。アメリカは自分たちの石油の確保にとってさほど重要性のないペルシャ湾を防衛しているが、日本などの国々はそこに全面的に依存している。なぜこれらの国々は、アメリカが「彼らの」利益を守るために失った生命と何億ドルという金にただ乗りしているのか。

またトランプは、掃海艇のアメリカへの貸与を拒んだサウジアラビアを批判する。彼はこう続ける。日本と「その他の国々」はアメリカの寛大さに乗じて豊かになった、と。いまや「アメリカ国内の農民、病人、ホームレスを救うべきときだ……この偉大な国をこれ以上笑いものにさせておいてはならない」と、彼は締めくくった。

このメッセージがトランプ自身のものであることは間違いない。後の実際の大統領選でも、彼はこのテーマを繰り返し語っている。いわく、アメリカ・ファーストと同盟国のただ乗り論だ。同時にトランプの公的な発言はロシア政府を喜ばせてきたことだろう。

一九八四年の極秘計画に見るように、クリュチコフ上級大将は常にアメリカと同盟国との軋轢を助長することに精を出していた。KGBの工作活動における「国際的優先順位」には、具体的な方法を記した長いリストが含まれていた。これらはもちろん極秘の活動だ。アンドルーとゴルディエフスキーによれば、優先順位の第二にくるのは「NATO域内において、ある種の軍事的戦略実行のアプローチをめぐる同盟国間の葛藤を深めること」と、「その他の方針においてアメリカ、西欧、日本の相互の食い違いを増幅させること」だった。

ニューヨーク・タイムズ紙は、トランプが最近ロシア訪問から帰ってきた事実を報じ、ゴルバチョフと面会したとしている（もし事実なら、ソ連の新聞はこれを報じなかったことになる）。同紙は言う。「両氏の会談の表向きのテーマは、トランプ氏がソ連に豪華ホテルを建設する可能性を探ることにあった。しかしトランプ氏による核軍縮提案についても、ロシア人のあいだではよく知られている」

トランプの声明は、いまも謎として残っている。第一、彼は外交政策についてほとんど知識がない。が、「あの広告の内容はほとんどトランプ自身のものです」広告担当重役のトム・メスナーはワシントン・ポスト紙に語った。メスナーは一九八四年の大統領選挙で再選を目指すレーガンの選挙運動に関わったことがあるが、彼のチームはトランプの文章にほとんど手を入れなかったという。広告の費用は九万四八〇一ドルで、それはすべてトランプが支払ったとニューヨーク・タイムズ紙は伝える。広告はニューハンプシャー州で多くの購読者を持つ新聞に掲載された。

これまでのトランプと同様、このときの大統領選出馬表明が単なる売名行為なのか、あるいはもっと真剣な意図があるのかは測りがたかった。奇行で知られる有名な共和党員マイク・ダンバーはトランプをニューハンプシャー州に招き、「トランプを出馬させる運動」を立ち上げた。ジョージ・H・W・ブッシュ（父ブッシュ）が大統領候補のチケットを手に入れればトランプが副大統領候補に指名されるのは確実だという噂もあったが、結局ブッシュはインディアナ州選出のダン・クエール上院議員を選んだ。

トランプはその後もモスクワでの不動産事業にチャレンジし続けたが、それは同様に失敗に終わった。威勢よく打ち上げ花火を上げたものの、後がどうもパッとしなかった。ソ連がトランプにつきまとったのは、ソ連側の事情だったのだろうか。あるいは彼のロシア訪問は、自分を西側の資本主義圏と東側の共産圏を股にかけた世界的プレーヤーに見せかけようとする、単なるトランプ流の誇大宣伝だったのだろうか。

一九八七年一二月、ミハイル・ゴルバチョフと妻のライサは初の訪米を果たした。そのアメリカ訪問は歴史的なものとなった。米ソという超大国が画期的な軍縮条約を結び、初めて核兵器の削減に合意したのである。クリュチコフもゴルバチョフとともにアメリカを訪れた。KGBの第一総局長が書記長とともに西側を訪れたのは初めてのことだ。

トランプは記者に対して、ロシア人から電話があり、ゴルバチョフ夫妻に五番街とトランプ・タワーを見せてやってほしいと頼まれたと語った。だが、ソ連の指導者とファーストレディーは姿を現さなかった。その代わりトランプは、アメリカのテレビ局に雇われたゴルバチョフのそっくりさんとの会見でからかいの的となっていた。

ワシントンでは、クリュチコフがCIA副長官のロバート・ゲイツと夕食会を持った。ゲイツにはあずかり知らないことだったが、クリュチコフのアメリカ人包摂指令は驚くべき成果を挙げていた。KGBはアメリカの諜報機関に二人の二重スパイを確保していたのだ。CIAのオルドリッチ・エイムズとFBIのロバート・ハンセンである。二人ともアメリカの諜報機関を裏切り、ソ連に秘密を渡していた。

一九九一年夏、スティールがモスクワで隠密裏に活動していた頃、クリュチコフはKGBを率いてゴルバチョフに対するクーデターを起こした。上級大将はこれがソビエト連邦を守る唯一の道だと信じていたのだが、結局は逮捕者の群れの一人となった。

それはトランプが社会主義崩壊後のモスクワに戻る五年前のことだ。この時点で、彼とイヴァナの結婚生活は終わりを告げていた。彼はまた、人生最悪の時期を経験したところだった。一九九〇年、借金まみれの彼のビジネス帝国が崩壊して、トランプは事実上破産したのだ。

一九九六年のトランプのモスクワ再訪問は、経済紙コメルサントで報じられた。同紙は「富豪から破産へ、そしてまた資産家となった有名なビジネスマン」がモスクワの開発プロジェクトに興味を持っている、と報じた。トランプはホテル・モスクワとホテル・ロシアの再開発を望んでいた。ホテル・ロシアはクレムリンの隣の一等地に位置する、ソ連時代のマンモスホテルだ。

エリツィン体制下のロシアにいきなりトランプが訪れたのはどの程度まで真面目な意図があったのだろうか。一九九六年にトランプは自分の八つの会社のためにモスクワで商標登録の申請をしたものの、あまり真剣ではなかったと思われる。その年の一一月に、トランプはハワード・ローバーを伴ってモスクワに飛んだ。ローバーはロシアと利害関係を持つタバコ大手ベクター・グループの経営者だ。

トランプはジョージア系ロシア人の彫刻家ズラブ・ツェレテリと会った。ツェレテリは大げさに誇張した作品の数々を公共の場に建てたが、その作風がロシア当局に好まれていた。ザ・ニューヨーカー誌のマーク・シンガーによれば、トランプはハドソン川に巨大なクリストファー・コロンブスの像を建てる相談をしたという。それは自由の女神像より大きく、モスクワ市長がニューヨークのルドルフ・ジュリアーニ市長に寄贈する予定だと、トランプはシンガーに語った。

結局、銅像は贈られなかった。また、トランプはホテル建設の商談をまとめることもできなかった。翌年、ロシア経済が破綻したのだ。

アメリカ人で部外者のトランプにとって、ロシアで金儲けをしたり手頃な物件を手に入れたりすることは、難しくなってしまった。一九九〇年代の無法状態のモスクワでものを言うのはコネであり、国のトップを買収する必要があったからだ。トランプが求めていたのはロシア人の友達、信頼できるパートナーだった。できればクレムリンに顔の利く人物がいい。

二〇〇七年一〇月、私は朝刊をパラパラとめくっていた。当時、私はガーディアン紙のモスクワ特派員だった。ガーディアンの支局といっても、別に自慢するようなものではない。薄汚い部屋が二つあったが、それはソ連時代に建てられた天井の低い小さな二つのアパートをひとつなぎにしたものだった。私の部屋には本棚とロシアの地図があり、ミニキッチンからは街路樹の帯が見える。グルジンスキー通りを少し歩くと、ロシア国鉄と地下鉄のベラルスキー駅に出る。

当時は知らなかったのだが、スティールがモスクワに配属されていたとき、彼も同じ建物に住んでいた。そのアパートは主にジャーナリストや外交官に使われていたのだ。支局のある七五号室と七六号室は一階にあり、三番のエントランスから入る。スティールの部屋はその二階上だった。私たちは同じホールと集合ポストを共有していたわけだ。もっとも手紙など届いたこともなかった。

支局はきっと盗聴されていたと思う。これは被害妄想ではなく、あきらかな根拠があった。ときどきロシア連邦保安庁（ＦＳＢ）が立ち入り、その手がかりを残していった。窓が開いていたり（部屋の内側から掛け金が外してあった）、朝早くに支局に行くと電話の受話器が卓上ホルダーから外されて、これ見よがしにデスクの上に置いてあったりした。電子的な監視ももちろんあった。私が固定電話でプーチンについて冗談を言うたびに回線が切れて、不吉なパチパチという雑音が流れた。

このアパートを運営しているのは、ロシア外務省の付属機関である「外交官のためのサービス管理機関（ＵＰＤＫ）」だった。インツーリストと同様、ＵＰＤＫはＫＧＢと一体だった。ＦＳＢは合鍵を持っていたのだろう。

私はモスクワ・タイムズ紙に馴染み深い話題についての記事を見つけた。その記事はモスクワの富裕層に関するもので、トランプが宿泊したホテル・ナショナルのエグゼクティブ・クラブについて書いてあった。フォーブス誌によれば、現在、ロシアには五三人の億万長者と多くの「ミニガルヒ」、さらに数万人の百万長者がいるという。記事の続きに目を通す。

その記事は富裕層の一人、不動産デベロッパーのアラス・アガラロフが何か途方もないことを計画していると伝えていた。

アガラロフはモスクワの郊外に豪華な住宅街を建設中だという。それはオリガルヒのユートピアともいうべき場所になる予定で、家の価格は二五〇〇万ドルから三五〇〇万ドル。貧困層を目にしないですむ、金ピカの隠れ家というわけだ。そこには二五〇戸の最高級住宅、ゴルフコースとクラブハウス、湖、タイから輸入された白い砂が敷き詰められた人工ビーチがつくられるという。

私は電話を手にした。

アガラロフにインタビューの約束を取り付けるのは簡単だった。数日後、私はモスクワの西、イストラ地区まで車に乗せてもらった。そこはモミの木と白いカモミールの花で彩られたひなびた場所だ。数件の別荘がすでに完成しており、ほかは建設中だった。家のつくりはすべて違う。スコットランド風の豪邸が、新たに植えられた白樺並木の向こうにそびえ立っている。近くには新古典風の宮殿があり、アカンサスの葉飾りと古代ギリシャ風の竪溝の装飾を施したコンクリートの柱が立ち並んでいる。

アガラロフは陽気で人当たりがよく、流暢な英語を話した。中肉中背で、その当時は五〇代前半、スポーツジャケットを着ていた。フォーブス誌は彼をロシアの富豪トップ一〇〇にランク入りさせ、「〝ゴールデン・ハンドレッド〟のなかで最も虚栄心の強い男」との異名を与えていたが、実際の彼はとても楽しい人物だった。

アガラロフはダークブルーのランドローバーで現地を自ら案内してくれた。車のドアを見ると、五〇センチほどの大きさで「AE」という文字が書かれている。アガラロフ・エステート（不動産）の頭文字だ。飾り文字の上に優雅な王冠が描かれている。アガラロフが車を運転し、私は助手席に座った。

アガラロフは、息子のエミンにイギリス製の四輪駆動車をプレゼントしてやったという。エミンは有名なポップ歌手で、アゼルバイジャンのイルハム・アリエフ大統領の娘と結婚したのだという。アガラロフはアゼルバイジャン系ロシア人だった。彼はこう自己紹介した。一九五五年にアゼルバイジャンの首都バクーで生まれ、一九八一年にモスクワに移った。彼の進んだ道は間違いではなかった。イルハムの亡くなった父親ヘイダルは、ソ連時代にクリュチコフと同様、アンドロポフの下でアゼルバイジャンのKGB議長を務めた。一九九三年、ヘイダルは、アゼルバイジャン大統領に就任した。

私たちの車は滝の前を通り過ぎた。アガラロフのボディーガードが黒光りするメルセデスベンツに乗って、適度な距離をおいて後をついてくる。アガラロフは経営学と経済学を学び、ロシアで初めての国際博覧会を組織した。それが後の不動産会社クロッカス・グループの母体となった。同時に靴屋のチェーンも始めた。だが、挫折も経験したと彼は言う。「一九九七年の経済危機ですべてを失いました。店も全部畳み、負債が一億ドルにまで膨らみました」

だが、彼は二〇〇〇年までに持ち直した。そのとき、彼はクロッカス・シティーをつくった。モスクワのにぎやかなモスクワ環状道路（ＭＫＡＤ）に隣接し、広大なショッピングセンターと展示場を備えている。

ところで、富裕層専用の住宅地をつくるという彼のアイデアは、アメリカにその源を発していることがわかった。アガラロフが言うには、彼がニュージャージー州のアルパインとコネチカット州のグリニッジを旅行したときに、その「原型」を見て、同じような町をつくりたくなったのだそうだ。アルパインはニューヨークの北三〇キロの距離にある、崖の上にある超高級住宅街で、不動産の価格はウエスト・パームビーチやビバリーヒルズよりずっと高い。じきにアメリカ一の高級住宅地になるだろう。

「私はずっとうらやましかったんです。なぜロシアで同じことができないのかってね。それがアイデアの源でした。それ以来、私は土地を買い始めたのです」と、アガラロフは言う。彼の所有地はどんどん増えて、三二〇ヘクタールにまでなった。そして夢を実現した。一四カ所の湖と（「これらの湖の全周は三・五キロになります」）、一八ホールのゴルフ場（「アメリカ人コンサルタントの設計です」）、アガラロフの個人邸宅（「まだ自分の家の建設には手を付けていないんです」）を含む。

だが、まだ欠点が少し残っている。アガラロフは近くのヴォリニーノ村にある住宅を何とかして取り壊したかった。それが景観を損ねていると考えるからだ。しかし、村人の一部は土地の買収に応じなかった。五四番地の古い赤れんがの小屋に住む男性は、一〇〇万ドル積まれても首を縦に振らないという。「でも、最後には売りますよ」とアガラロフは私に言った。

そして客が集まり始めた。アガラロフは自分の社会経験に基づいて、そこの住宅購入希望者に一定のルールを課した。第一に、ボディーガードは立入禁止とする。彼らが入れるのは、町の入り口に建てられた専用の建物までだ。そこにはビリヤードのテーブルが備えてある。第二に、鳥を撃つこと、花火をすること、洗濯物を外に干すことは禁じられている。第三に、犬は御法度だ。

「普通の富裕層に来てほしいんです」と、アガラロフは言う。彼はすべての申請者を自分で審査した。「そのなかにアフガン・マスティフを飼っている希望者がいたんですが、家は売りませんでした。犬一頭のために三〇〇〇万ドルを失いましたよ！」町が完成すると、そこはルブリョーフカ地区を上回り、「モスクワで最も美しい場所」になるだろうと彼は言う。ルブリョーフカとはプーチンが住むモスクワ西郊の松林に囲まれた高級な別荘のある地域だ。

アガラロフの夢を建設しているのは、中国、タジキスタン、ベラルーシから来ている外国人労働者である。だが、アガラロフの頭のなかを大きく占めている国はアメリカだ。彼の話によれば、一九歳の娘のシェイラはニューヨーク州立ファッション工科大学（ＦＩＴ）で学んでおり、妻のイリーナは娘と一緒に暮らしている。アガラロフは「アメリカに小さな家」を持っているが、彼はロシアで暮らすほうがいいと言う。

「愛国心みたいな大げさなもんじゃないです。そんなものは目に見えないでしょ。でも、私の活動はすべてロシアに結びついているんです」と彼は言う。「私はアメリカでは暮らせません。そこでやれることは何もありませんから。私の仕事場はここなんです。人生も、仲間たちも、みんなここにあるんです」彼が毎日現場に出て（「土日もここに来ています」）、大胆な建築物を自分の目で確かめているのは、仕事ではなく、「趣味」なのだと言う。

　アガラロフはロシアのトランプと言われてきた。確かにいくつかの共通点がある。たとえばアガラロフはトランプと同様、フォーブス誌はわざと彼の資産を低く見積もっていると信じている。二〇〇七年の同誌の世界富豪ランキングでは、彼の総資産は五億四〇〇〇万ドルで九五位だった。だが、アガラロフが私にこぼしたところでは、実際の資産額はむしろ一〇〇億ドルに近いという。「不動産だけで六〇億にはなるのに……。これではみんなに誤解されてしまう」

　しかし、金が彼の目的ではない。「金は私にとって意味がありません。それは道具のようなものです。何かとてつもないものをつくるためのね」もうひとつ、アガラロフがトランプと似ているのは、ショーマンシップがあり、見てくれに過剰にこだわるところだ。私はアガラロフにこう聞いてみた。「もしモスクワの富裕層の好みがだんだんと地味になったらどうしますか？」すると彼はこう答えた。「いや、ショーは始まったばかりです。まだまだ続きますよ」

　二人にはこれらの類似点がある一方、違うところもある。アガラロフはトランプと違って、クレムリンが支配する荒涼とした政治的空間のただ中にいた。ロシアのエリートのメンバーになることは、特権と同時に義務をもたらす。もし大統領から何かやれと言われたら、やるしかない。クロッカス・グループはウラジオストクの近くに極東連邦大学を建てたが、アガラロフは後に、二〇一八年にロシアで開催されるワールドカップのためのスタジアムをカリーニングラードとロストフに建設することに同意した。

　だからアガラロフの富は仮のものだとも言える。彼の収益の多くは、国家との契約に基づくものだ。もし彼が国家からの寵愛を失えば、お気に入りの屋敷から庭石に至るまで、誰かほかの者がすべてを奪い去ることだろう。

見学ツアーの終わりに、私はアガラロフにこれまで賄賂を使ったことがあるか尋ねてみた。彼は首を横に振った。彼が言うには、彼は自分のユートピアを建設中のモスクワ州の長官や知事たちと隙のない人間関係を築いている。モスクワ州はモスクワ市とは独立しており、クロッカス・シティーに隣接した場所に州の庁舎がある。モスクワ州はモスクワ市よりもダイナミックで、建設工事の件数も「一・五倍は多い」と彼は言う。

彼は名を挙げなかったが、アガラロフの顧問弁護士の一人はモスクワ州の最高の法律家だ。彼女の名はナタリア・ヴェセルニツカヤといい、彼女の前夫のアレクサンドル・ミトゥーソフは元検事で、後に州の交通副長官となった。ヴェセルニツカヤは代わりにミトゥーソフのボスのピョートル・カツィフとともに働くようになった。

ほどなくして、カツィフの息子のデニスは国際的スキャンダルの渦に巻き込まれることになる。セルゲイ・マグニツキーの事件に連座して起訴されたロシア高官の一人となったのだ。このとき、エルミタージュ・キャピタル社の監査役を務めていたマグニツキー弁護士は獄中にあったが、自ら調査をしてカツィフらがからんだ二億三〇〇〇万ドルの詐欺事件を暴き出した。報道によれば、カツィフらはエルミタージュ・キャピタルが支払った税金を横領したという。エルミタージュ・キャピタル社はアメリカ生まれのイギリス人CEOビル・ブラウダーが経営する投資ファンドだ。

二〇〇九年にマグニツキーは獄死したが、ブラウダーは彼がロシア政府によって殺されたのだと主張した。マグニツキーの死に関与したとされるカツィフらロシア人に対する制裁を科したのが、アメリカのマグニツキー法である。ヴェセルニツカヤはこのマグニツキー法をアメリカに取り下げさせようと多大の努力を費やしていた。彼女はアメリカの調査会社を使ってワシントンに対するロビー活動も行っていたが、この会社は皮肉なことにスティールに仕事を依頼したのと同じ、フュージョンGPSだった。

モスクワ州が持つ行政権限はクレムリンにはるかに及ばないが、ヴェセルニツカヤはロシア連邦検事総長ユーリ・チャイカと親しいことで知られていた。アガラロフも後にチャイカが汚職で起訴された際に、表立って彼を擁護した。ヴェセルニツカヤの元同僚によれば、彼女は「気難しく」「恐ろしく頭が切れる」という。また別の友人によれば、彼女は「常に権威をバックにして行動する」野心と能力に満ちた人物であり、「クレムリンの内部の人間ではなかったが、権力のなかに入り込もうと強く思っていた」。

マグニツキー法の成立に激怒したのがプーチンである。彼はその報復として、アメリカ人夫婦とロシア人の乳幼児の養子縁組を禁止し、マグニツキー法を取り下げさせるためのキャンペーンを張った。「養子縁組」問題について盛んにロビー活動を行ったのは、アメリカに制裁の解除を求めるクレムリン流の表現だと言える。

ここでプーチンの利益とヴェセルニツカヤの利益がちょうどぴったり一致したわけだ。両者の共通の目標は、アメリカの制裁を解除させることにあった。

トランプはロシアでビジネスを行うためにさらなる努力を続けていた。二〇〇七年に彼は「百万長者フェア」で新製品を発表した。このフェアは毎年、富裕層と上昇志向のある人たちを対象に、アガラロフのクロッカス・シティー・ホールで開かれている。トランプの新製品とはウォッカ、それも「トランプ・スーパー・プレミアム・ウォッカ」だった。この時期、トランプはロシアで次のような商標を登録しようとしていた。「トランプ」「トランプ・タワー」「トランプ・インターナショナル・ホテル・アンド・タワー」「トランプ・ホーム」……。

ウォッカもそうした商業的失敗作の一つである。二〇〇八年に私がフェアに足を運んだときには、トランプ・ウォッカは影も形もなかった。フェアでは膨大な商品の数々が売り出されていた。たとえば海辺の邸宅と、そこに乗りつけるためのヘリコプター。ヘリのインテリアはヴェルサーチで統一されている。ドイツの豪華な歯科クリニックや、ブロンズ製の女性のヌード像を売る彫刻家がいるかと思えば、ヨット・スタンドにはダブルベッドとプラズマ・テレビを備えたイギリス製のプリンセス・ヨットが置かれていた。

入場料は百万長者は無料だが、それ以外の一般人は六四ドルを支払わねばならない。タキシードとカクテルドレスを着込んだ多くの男女が、会場を歩き回っていた。「私の結婚相手はお金持ちじゃなくてもいい。人格が素晴らしければいいの」と、二六歳のイリーナがアストン・マーチンに乗った友人のオリガを撮影しながら言った(しかし数秒の熟考を経て、彼女はこう認めた。「もし人格の素晴らしいオリガルヒがいるなら、もちろんOKよ」)。

トランプはウォッカの後も、ロシアで何か他のことをやろうとしていた。一九九六年から二〇一五年にかけて、彼はNBCと共同でミス・ユニバースの所有権を持っていた。ロシアの新聞によれば、トランプは二〇一三年のコンテストをパリで開くことを検討していたが、そのときモスクワでコンテストをやらないかとトランプを説得したのが、アガラロフの息子のエミンである。彼はトランプのテレビ・ショー『アプレンティス（見習い）』のファンだった。

エミンはスイスの学校とニューヨークのメリーマウント・マンハッタン大学で学び、ニューヨークにコネがあった。アガラロフ父子は二〇一三年一月にラスベガスに飛び、そこで開かれたミス・アメリカ・コンテストでトランプと会った。

アガラロフの父親はモスクワでのミス・ユニバース大会を後援することにし、コンテストのホストをする権利金としてトランプにおよそ一四〇〇万ドルを支払った。そのイベントにはいくつかの利点があった。一つは国家的な側面だ。コンテストはソチ開催の二〇一四年冬季オリンピックに向けて、ロシアを世界に紹介する役目を担った。当時、プーチンが市民社会を弾圧しているとして西側の批判に直面していた時期に、それはよいPRになった。

また、コンテストはアガラロフのブランド力を見せつけ、エミンのポップ歌手としてのキャリアを後押しする機会となった。エミンは世界の視聴者に向けてパフォーマンスをすることになる。最後に、スティール報告によれば、クレムリンは積極的にトランプに対する抱き込み工作をしていた。一九八七年から始まったと思われる断続的な工作プロセスが、報告で見ると二〇〇八年頃から再開されている。FSBはトランプがモスクワに来てリッツ・カールトンに宿泊していることを把握していた。

トランプにはさまざまな利用価値があった。彼はオバマの国籍を問題にして出生証明書の公表を要求する醜いキャンペーンを張っている最中だった。一九八〇年代にはどうだったかわからないが、この時点では確実にKGBの包摂対象としての基準を満たしていたに違いない。

コンテストを控えて、トランプは二〇一三年六月にこんなツイートをしている。

プーチンは一一月にモスクワで開かれるミス・ユニバース大会に来るだろうか。もし来たら、私の新しい親友になれるかな？

八六人ものミス・ユニバース候補がモスクワで三週間を過ごすことになった。彼女たちは赤の広場とボリショイ劇場を見て、アガラロフの邸宅を訪れ、そこでゴルフをし、ビキニ姿でポーズを取った。トランプはラスベガスのビジネスパートナーであるフィル・ラフィンを伴ってロシアを訪れた。リッツ・カールトンにチェックインした後、トランプはアガラロフとランチをとった。

ミス・ユニバースのコンテスト会場はクロッカス・シティー・モールだった。バルコニーで観覧するＶＩＰたちは、プーチンのロシアの縮小版だった。プーチンの側近ウラジーミル・コジン、ルクオイル副社長レオニード・フェドゥン、歯に衣着せない物言いで知られるナショナリストの国会議員アレクセイ・ミトロファノフらだ。それに加えて、ギャングと見られる人物、ウォッカ王、歌手、政府と関係のあるメディアの持ち株会社社長などが顔をそろえた。

大会はベネズエラ代表のマリア・ガブリエラ・イスレルが優勝した。コメルサント紙によれば、トランプは打ち上げのパーティーでミス・ユニバース参加者たちにしきりに話しかけた。「たすきをかけたすべての女性のために、彼は特別な言葉を用意して、ディスコ・ミュージックが流れるただ中で耳元でささやいていた」

アガラロフもＶＩＰ席に陣取り、プーチンの補佐官であるコジンと何やら話をしていたと新聞が伝えている。大会の数日前、アガラロフはロシアで民間人に与えられる最高の勲章である名誉勲章をプーチンから授与された。アガラロフはプーチンとともにポーズをとってカメラに収まり、この上なくうれしそうに見えた。空色のリボンからはメダルが下がっていた。

　トランプは一一月八日と九日をモスクワで過ごしたが、あえてプーチンと会おうとはしなかった（アガラロフによれば、プーチンはトランプに親しみを込めた書簡を送った）。ある消息筋がガーディアン紙のショーン・ウォーカー記者に対して伝えたところでは、プーチンのスケジュールには側近によってトランプとの会合が書き込まれていた。ところがそれは、大会の二、三日前に予定表から消えてしまったのだという。

　トランプはアガラロフがスポンサーをしている日本食レストラン「ノブ」で、ロシアのビジネスマンたちとディナーをとっていた。その席には前経済担当相ヘルマン・グレフもいた。ロシア最大手の銀行ズベルバンク（ロシア貯蓄銀行）のＣＥＯを務めるグレフは、トランプのことを「非常に精力的」で、「ロシアに対して友好的な姿勢」を持っていると語っている。

　トランプの新たな相棒になったのはアガラロフだった。一一月九日、トランプはエミンの最新ミュージック・ビデオの撮影のために朝早くから姿を現した。そこでトランプはミス・ユニバースとともに、『アプレンティス』でのお決まりのシーンを再現して、エミンにクビを言いわたす演技をした。その撮影はリッツ・カールトンで行われた。

　長らく実現していないトランプのプロジェクトに関する話はまだまだある。モスクワに彼の名を冠した超高層ビルをつくるという計画もそうだ。エミンの話ではアガラロフ・タワーと隣り合わせに建つことになっていた。ニューヨークに帰ると、トランプはこうツイートした。

君やご家族の方たちと楽しい週末を過ごしたよ。君は素晴らしい仕事を成し遂げた。次はトランプ・タワー・モスクワだ。エミンはスゴいやつだ！

だが、その後トランプは突然、タワーなどよりもずっと大きなプランに取りかかる。この旅行の後、彼は本当に大統領選挙に出馬したのだ。アガラロフ父子をはじめモスクワの有力者たちは、トランプの大統領への夢を熱狂的に応援した。

アガラロフ父子は、もし公表したらトランプに大きなダメージを与える事実を握っているとも考えられていた。

スティール報告にはこうある。

アガラロフ……はロシアにおける**トランプ**の行動に深く関わってきた。彼は共和党の大統領候補者がロシアでしでかした行動を事細かに知っていることだろう。

三〇年前のバーミンガムは、イギリスのウエスト・ミッドランズ州にある茶色と灰色のくすんだ町だった。市の中心部にあるコンクリートのビルからは、工場が立ち並んだ暗くてパッとしない町並みが見えた。ビクトリア朝の時代、この町は商業的に栄えていたが、一九八〇年代までに重工業の多くが消えてしまった。

一九八一年夏、貧困と失業に伴う社会的対立が、ハンズワース地区の郊外で人種暴動に火をつけた。元々そこは人種対立の激しい地域だった。警察がパブを急襲すると、地元民は略奪と破壊、火炎瓶で反撃した。バルサルヒースなど他の地域でも売春や犯罪がはびこっていた。

バーミンガムの地元紙バーミンガム・ポスト・アンド・メールの社屋は、一九六〇年代に建てられた。台の上にコンクリートの板を積み上げたようなデザインの、モダンな建物だ。ビルから見下ろすと、コルモア・サーカスの周囲の街路を乗用車やトラックや二階建てバスなどがひっきりなしに流れていく。悲惨な事件の数々は市の財政破綻に端を発していたが、この開放的なつくりのビルで働く記者たちにとって、それは格好のネタでもあった。

一九八三年から一九八四年にかけて、ロブ・ゴールドストーンもその一人だった。マンチェスターに生まれたゴールドストーンは、二〇代の頃から目立つタイプだった。ポスト・アンド・メール紙の元同僚オーウェン・バウコットの言葉で言うなら、彼は魅力的で、無秩序で、際限のないおしゃべりだった。「快活で愛すべき人間ですよ。とにかく大変なおしゃべりで、モーター・マウスとあだ名されていました。イギリスで一番のおしゃべりだと言っていいでしょう」

さらに彼はぶくぶくと太っていたが、人とつながる才能と、相手の心を開かせて話を聞き出そうとする情熱があった。彼はバーミンガムからロンドンに移り、フリート・ストリートに社屋を構えるタブロイド新聞で働き、有名人のゴシップ記事でスクープを飛ばした。その後、音楽プロモーター兼広報マンに転身してシドニーに渡り、再びロンドンに戻って、さらにニューヨークに移った。

彼のクライアントの一人がエミン・アガラロフだった。エミンの甘っちょろいキャリアはアゼルバイジャンの外では通用しなかったが、これはゴールドストーンのせいではない。彼は勤勉な広報マンだった。ツアーの日程をフェイスブックにアップし、ヨーロッパでのコンサートの宣伝をし、エミンの誕生日をバクーで一緒に祝った。

いまでは削除されてしまったが、ゴールドストーンのインスタグラムにはそのぜいたくなライフスタイルが公開されていた。豪勢なディナー、五つ星のホテル、カクテル、彼が「マペット（操り人形）」と呼んでいた若い仲間たちと撮った一連の写真……。モスクワ旅行の写真も膨大にあり、トランプが写っているものも多かった。

ゴールドストーンはミス・ユニバースの仕事に深く関わっていた。二〇一三年五月、彼はミス・ユニバースのチームと出会う。その年の九月にモスクワに戻り、一〇月から一一月にかけてショーに随行し、派手なネクタイをした自分の写真をSNSにアップした。

二〇一四年二月、彼はまたロシアに戻った。この年だけで、彼は五、六回もロシアに行っている。このときにはイヴァンカ・トランプとエミンが同行していた。アガラロフ一家とトランプの子どもたちは友達づきあいする仲になっていたわけだ。二〇一五年五月、エミンとゴールドストーンはトランプ・タワーで一緒に親指を立ててカメラにポーズをとっている。二〇一六年三月には、ラスベガスで再びトランプとディナーをとった。

実際、ドナルド・トランプ・ジュニアはモスクワで過ごす時間のほうが父親と一緒にいるより長かった。彼は二〇〇六年以来、せっせとモスクワに通っている。二年後にはロシアで開かれた不動産関連の会議に出席し、ミス・ユニバース大会にも顔を見せた。また、トランプ・タワー・モスクワの仕事を監督する業務も父親から任されていた。したがって、ゴールドストーンが二〇一六年六月に微妙な問題についてトランプに連絡する必要があれば、トランプ・ジュニアを経由するのは自然な流れだったと言える。

ゴールドストーンは二〇一六年六月三日、一〇時三六分付で、トランプ・ジュニアにこんなメールを送った。


おはよう。

エミンから電話があって、実に面白い話があるから君に伝えてくれと言われたよ。

今朝、エミンの父親のアラスがロシアの検事総長と会ったところ、トランプ陣営にいくつかの公文書と情報を渡してくれと頼まれたそうだ。それはヒラリーの有罪とロシアとの取引を立証する内容で、君のお父さんにとっては非常に役に立つだろう。

あきらかにこれは高度な極秘情報だが、ロシアとその政府のトランプ支援活動の一環だ。アラスとエミンも協力してくれている。

この情報をどう扱えばいいだろうか。君がエミンと直接相談することは可能だろうか。

私からローナ（ローナ・グラフ。トランプの古くからの秘書）を通じて伝えることもできるが、超極秘情報なので、最初に君に伝えておこうと思う。

ロブ・ゴールドストーン

このメールが意味するところはあきらかだ。ロシア政府はトランプにクリントンにとって不利な情報を提供しようとしており、それはトランプ当選のための努力の一環だったということだ。ここで言う「公文書」は裏口を通じてのもので、この作戦は当然「極秘」だった。スパイの古典的な流儀に則り、この情報は何人かの仲介者を経て届けられた。クレムリンからロシアのユーリ・チャイカ検事総長、アガラロフ父子、ゴールドストーン、トランプ・ジュニア、そしてトランプ本人へという流れだ。
トランプ・ジュニアはこの時点でＦＢＩに通知したのかもしれない。そしてロシア政権の意図に沿って動く手先となったゴールドストーンの申し出を断った。
トランプ・ジュニアはこう返信した。

ありがとう、ロブ。助かります。いまは出先だけど、まずはエミンに話をしてみるよ。時間が取れると思うので。その情報が事実なら素晴らしい。特にこの夏の後半になればね。来週、帰り次第すぐに電話する。

夏の後半というのは選挙が近いという意味、つまりその時期になれば、モスクワからもたらされた「コンプロマート」がヒラリーにとって最大のダメージになるということだ。週が明けて六月六日月曜日、ゴールドストーンは再びメールを送る。今回ははっきりとタイトルにこうある。「ロシア――クリントン――親展・極秘」

ヒラリーの情報について、エミンといつ電話で話せるのか教えてほしい。まだ週の初めだから、日にちと時間を調整してくれ。君とご家族の幸運を祈る。

トランプ・ジュニアはこう返信した。「ロブ、いま話せるかい?」ゴールドストーンはモスクワでの公演中だったエミンをつかまえて、電話でトランプ・ジュニアと話せるよう調整した。

翌六月七日、ゴールドストーンは再びトランプ・ジュニアにメールをした。

変わりないかい？　エミンから君とロシア政府の弁護士との会合をセッティングするよう頼まれた。弁護士が木曜日にモスクワを発つことになっている。このミーティングの件は君も承知していると思う。木曜日の午後三時かそれ以降で都合が合えばありがたい。君のオフィスでどうだろうか。

トランプ・ジュニアはこう答えた。

では、午後三時にうちのオフィスでいいかな。ロブ、セッティングしてくれてありがとう。

ゴールドストーンの返信。

了解……私はミーティングに出られないが、午後三時に二人を連れて行って君に紹介するよ。ミーティングに出る二人の名前は、安全上の理由で今日中に確かめて後で送ることにする。

トランプ・ジュニアのメール。

オーケー。こちら側はポール・マナフォートと義理の弟（ジャレッド・クシュナー）、それと私が出席する。五番街七二五番地二五階だ。

翌六月八日、ゴールドストーンはまたメールを送ってきて、「ロシアの弁護士が法廷にいるため」ミーティングの時間を午後四時に延期してほしいと言ってきた。トランプ・ジュニアはミーティングを一日前倒しすることを提案したが、ゴールドストーンはその弁護士（アガラロフのところで働いているナタリア・ヴェセルニツカヤ）がまだモスクワから到着していないと返事をし、トランプ・ジュニアはこの悪事のたくらみが記された文面を丸ごとマナフォートとクシュナーに転送した。

ところで、ゴールドストーンの行動はあまり秘密諜報員らしくない。六月九日にトランプ・タワーに到着したとき、彼はフェイスブックに自分の居場所を投稿している。ヴェセルニツカヤはミーティングに何人か同行させているが、そのうちの一人はリナト・アフメトシンだった。彼はアメリカ国籍のロビイストで、以前マグニツキー法に反対するキャンペーンを張っていた。

彼はまた、かつてソ連の情報将校としてアフガニスタンに派遣されていたこともあった。アフメトシン自身は、自分はGRUで働いたことはなく、ただ軍に付属したKGBの特別部門をサポートする軍の支隊で働いただけだと主張している。だが、彼はいまもロシアの情報機関の人物と連絡をとっている事実を秘密にしていない。ある者はアフメトシンのことを、楽しく魅力的で、博識な美食家だが、クレムリンの敵か味方かに関係なく誰のためにも働く「げす野郎」だと説明していた。アフメトシンはフィナンシャル・タイムズ紙の取材に、自分に接触してくるモスクワのスパイは彼のことを信じているわけではなく、ただ「私のことを傭兵だと思っている」からだと述べている。

ヴェセルニツカヤが英語を話せないため、ミーティングには通訳のアナトーリー・サモチョルノフも同席した。さらにアガラロフのクロッカス・グループの駐アメリカ副社長アイク・カヴェラジェも参加していた。

アフメトシンはスニーカーとジーンズという出で立ちでミーティングに現れた。彼は後に、ヴェセルニツカヤがトランプ父子に文書の入ったフォルダー――彼の表現では「法律家からの資料」――を手渡したと述べている。それはビル・クリントンの財団に寄付をしたビル・ブラウダーのエルミタージュ・キャピタル社に関する文書だった。アフメトシンによれば、ヴェセルニツカヤは「これは選挙運動に大きく影響」するかもしれないと語っていた。

ヴェセルニツカヤは二〇一四年にフュージョンGPSに調査を依頼し、同社からブラウダーに関する資料を提供された（フュージョンGPS代表グレン・シンプソンは、マグニツキー法に関するプロジェクトと一年後に始めたトランプに対する仕事とのあいだに、利益の対立はないと見ていた。彼は自分を政治活動家でも救世主でもなく、単なる調査員であると考えていた）。

このミーティングで何が話し合われたのだろうか。ヴェセルニツカヤとアフメトシンは二〇一二年のマグニツキー法に反対するロビー活動をしばらく続けてきた。二人はもともとワシントンで議会と外交小委員会に証拠を提供しようと考えていた。しかし、この計画は共和党が委員会の全体公聴会を決めたために流れてしまった。一方、トランプの政治的影響力が強まるにつれ、彼らの活動も新しいレベルへと上昇した。

リトヴィネンコの友人であるアレックス・ゴールドファーブは、トランプ・タワーでミーティングをした後の四日間にわたるヴェセルニツカヤとアフメトシンの動きを追った。二人はワシントンDCでロシアの映画監督アンドレイ・ネクラソフが製作したドキュメンタリー映画『マグニツキー法』の特別上映会に参加した。
その映画はブラウダーを厳しく批判するとともに、マグニツキーの死に対する彼の見解の誤りを示唆するものだ。ゴールドファーブはアフメトシンと二言、三言、言葉を交わしたが、彼によればアフメトシンは小柄で太っており、訛りのある英語を多少話したという。またゴールドファーブは、ヴェセルニツカヤが観客たちに入り交じって話をしている姿を見た。ワシントンのニュージアム（ニュースとジャーナリズムの歴史を総合的に扱う参加型博物館）で開かれたその上映会の後で、怒鳴り合いの口論が始まった。観客の多くは、その映画を制裁反対のプロパガンダにすぎないと解釈したのだ。

表向きヴェセルニツカヤは、ロシア政府の任務を帯びて訪米したわけではない。その点はゴールドファーブも認めているが、彼が言うにはこの区別は意味がない。というのは、ヴェセルニツカヤと彼女の背後にいるモスクワ政府の人間たちは、「同じ一匹のタコの足にすぎません。……それは権力ではなく金に基盤を置いたクレムリン株式会社という一つの巨大なコングロマリットであり、彼らは同じクラブに属しているのです」とゴールドファーブは私に説明した。

しかし、なぜクレムリンはトランプに送る密偵として中堅の弁護士を選んだのだろうか。ゴールドファーブは言う。「それは隙につけ込んだにすぎません。モギレヴィッチのようなギャングを送るわけにもいかないし。彼女がトランプに近づけたからです」

ドナルド・トランプ・ジュニアのメールは二〇一七年七月に表面化した。それまでトランプ・ジュニアは、父親が裏でロシア政府からの支援を受けているのではとの見方を、「不愉快だ」とか「でっち上げだ」と一蹴してきた。それがいまや共謀の決定的証拠が現れたのである。

ニューヨーク・タイムズ紙が最初にトランプ・ジュニアとメールで連絡をとったとき、彼は曖昧な態度をとった。ヴェセルニツカヤとのミーティングは別の話題、つまりクレムリンによるロシア人の子どもとアメリカ人夫婦の養子縁組禁止決定の件だったと主張したのだ。だが、以前はあきらかになっていなかったものの、「養子縁組問題」は制裁措置解除を求めるロシア政府のコードネームであり、その問題は再び持ち上がることになる。

ニューヨーク・タイムズ紙がメールを入手したことがあきらかになると、トランプ・ジュニアは説明を変えた。彼は知人（ゴールドストーン）から「選挙で役立つ情報を持っているかもしれない」人物と会うことを勧められたと認めた。トランプ・ジュニアはそれから、そのミーティングはゼロに等しかった――つまり、「ほどんどくだらない」ナンセンスなものであり、何も得るものがない、「まったくイライラする」無意味なものだったと位置づけた。マナフォートとクシュナーは一連のメールを読んでおらず、その扇動的な申し出をただ見守るばかりだったと主張した。

だが、ここで問題になるのは「意図」である。トランプの二人の血縁者と選対本部長は外国の政府から秘密の情報を受け取れるかもしれないと信じたはずだ。彼らは進んでそれを受け取ろうとし、その情報の出所を隠そうとしたように見える。これは共謀の定義にぴったり当てはまるではないか。それはロバート・モラー特別検察官にとってさらなる材料となった。トランプは、自分は何も知らなかったと言う。しかし、多くのトランプの否定と同様、それは信用できない。そもそも彼自身、そのときにトランプ・タワーにいたのだ。

トランプ・ジュニアは、「完全な透明性」を確保するためにメールを公開したと言う。だが、FOXのショーン・ハニティーとのインタビューで、彼は同じ部屋にいた元対諜報将校アフメトシンなど、何人かの人物たちの存在については明かさなかった。

これらの不自然な情報公開の結果、ロシアとのやりとりに関するホワイトハウスの説明も二転三転した。最初は、ミーティングがあったという事実自体を単純に否定した。次に、ミーティングはあったが重要なことは何も起きなかったと説明した。最後に、資料提供の申し出は受けたが、それは通常の政敵に対する調査資料にすぎなかった、という具合だ。二〇一七年夏には、トランプのこの問題に対する見解はこうだ。確かにごまかした。だが、それがどうしたというのだ?

ここにたどり着くまで、長い道のりだった。プーチンはラテンアメリカからの学生の取り込みにはあまり成功しなかったかもしれない。だが、それから三〇年たった現在、彼はついにKGBが長年にわたって発掘の努力を続けてきた人材を見つけることができた。いよいよプーチンはトランプ大統領と会うことになる。

第9章
隷従

2017年夏
ハンブルク－ワシントン

「ロシア政府は選挙妨害はしていない。
彼（トランプ大統領）も我々の主張を受け入れた」
――セルゲイ・ラブロフ
ハンブルクで開催されたG20サミットでの発言。

そこはまるで戦場だった。立ちこめる煙、ガラスの割れる音。車が焼かれ、サイレンが鳴り響く。街中ではマスクを被った黒ずくめの男たちが、邪悪な意思を胸に不吉な行進を続けている。ここはどこだろう。ガザか。アレッポか。あるいはモスルか。男たちはＩＳＩＳの兵士なのだろうか。それとも、これはすべて最初から壊すのを目的につくられたハリウッドのセットで、炎の化け物に立ち向かうファンタジー映画でも撮影しているのだろうか。

正解はそのどれでもない。この世界の終わりのような光景は、ドイツ北部で最も栄える都市の一つであるハンブルクのものだった。黒ずくめの男たちは、急進的な自治主義を掲げる左翼の抗議集団だ。「ブラック・ブロック（Schwarzer Block）」と呼ばれる戦術でデモを行っていた彼らの怒りは、ハンブルクに持ち込まれたグローバル資本主義と、その代表としてこの地を訪れた各国の政治家に向けられていた。

Ｇ20サミットは正式にはまだ始まっていなかったが、ブラック・ブロックはすでに準備を終えていた。そしてハンブルク西部、アルトナの住人たちが朝食をとっている頃に行動を開始すると、エルベ川とハンブルク港を望む立地に資産家の邸宅が立ち並ぶ、エルブショッセの通りに沿って移動しながら物を壊していった。

破壊は秩序だって効率的に実行された。一人が車の窓を壊すと、すぐに他の者が火を放つ。影のような集団は、さらに屋外に置いてあるカフェのテーブルをひっくり返し、鉢植えを商店街の道の真ん中に転がし、壁にはスプレーで落書きをした。それが終わると、このアリの兵隊たちは次の場所に移る。

街角のバルコニーから撮影された映像には、デモ隊が資本家による支配の象徴である青と黄色の建物――イケアに向かっていく姿が映し出されていた。背後には濃い灰色の煙が立ちこめている。老人の家に止めてある車や地域の薬局など、彼らの主張とはさほど関連のなさそうなものまでもが標的にされた。

G20のホストであるアンゲラ・メルケルの心痛は察するに余りあると言えるだろう。複数のアンチG20デモが発生し、そのうちの一つにはいみじくも「地獄へようこそ」という名がついていた。しかも、フランスのエマニュエル・マクロンやカナダのジャスティン・トルドーなど、メルケルに同情的な者もいたとはいえ、そのほかはトランプやプーチンを筆頭に、トルコの大統領レジェップ・タイイップ・エルドアンなど、彼女が最も苦手とする面々が集まっていた。

ドイツ政府がまる一年かけて準備をしてきたこの会議では、貿易、移民、気候変動、アフリカへの民間投資に関する取り決めなど、幅広い議論が交わされる予定だった。それと同時に世界のリーダーたちにとっては、お互いの差異を乗り越え、共通の認識を醸成するための場でもあった。

だが、二日にわたって行われる会議の取材許可を受けたマスコミ陣五〇〇〇名の関心は、ほとんど一つの問いに集中していたといっていい。

トランプはプーチンに対してどのように接するのか、である。

先に答えを言えば、それはまったく大層なものだった。朝の会合で顔を合わせた二人は、午後には二国間だけで協議をしたが、それはちょうど気候変動がテーマの全体会議と同じ時間帯に行われた。このバッティングはおそらく意図的なもので、パリ協定離脱を発表したトランプとそれに歩調を合わせたプーチンが、全体会議を「ずる休み」したのではないかとドイツのメディアは報じている。

とにかく、このアメリカ人とロシア人は白い革張りの椅子に腰を下ろした。これまでに三度、長距離電話をかけ合い、お互いのことを褒めそやしていた二人が、ようやく対面を果たしたのだった。カメラの前で、ロシアの大統領と会えて「非常に光栄だ」と言ったトランプは、さらに「多くの前向きな出来事がロシアに、アメリカに、そして関係するすべての人々に起こるのを」期待していると述べた。

そのあいだ、プーチンは静かに座っていた。彼は待っていたのである。そしてトランプが握手を求めると、プーチンは左手で自らの右手を覆ったまま一瞬、間を置き、それから差し出された手を握った。

このときの写真は間違いなくプーチンの意図したとおりとなり、ロシアのメディアを大いに喜ばせた。そこに写るアメリカ大統領は、世界の卓越した指導者に認められようと必死になっている新人そのものといった様子だったからだ。一方、プーチンはトランプの目を静かに見つめている。モスクワで報じられたとおり、この国際政治の舞台の主導権を握ったのはロシアの大統領だった。

プーチンは電話よりも実際に会って話すほうがいいとロシア語で言ったあと、カメラやジャーナリストたちを右手の親指で指しながら、同志に向かって語りかけるような調子でトランプにこうささやいた。

「あなたを侮辱したのはこいつらですか?」

これはくだけた雰囲気の会合であり、人数の限られた形式の話し合いはまさにロシア向きであった。プーチンとトランプ以外に参加したのは、ロシア外相ラブロフとアメリカの国務長官レックス・ティラーソンの二人だけだった。

トランプとは初対面だったプーチンだが、ティラーソンとは長い付き合いがあった。二〇一三年には、当時石油会社のCEOであった彼に友好勲章を贈っていたし、ティラーソンもプーチンとは「素晴らしい関係を築いている」と述べていた。彼らの関係はおよそ二〇年にも及ぶ。初めて会ったのは、ティラーソンがエクソンモービルの幹部としてサハリンの油田開発を進めようとしていた一九九九年のことだった。

他の外国企業がロスネフチと、つまりイーゴリ・セチンとの契約に失敗するなか、ティラーソンだけが話をまとめるのに成功する。ロスネフチが支配権を持つことになったこの計画が、のちの「サハリン1」プロジェクトに発展する。その後もセチンが、ティラーソンと一緒にアメリカでバイクを乗り回したいと語るなど、二人の関係は二〇〇六年にティラーソンがエクソンモービルのCEOになってもまだ続いており、これが二〇一二年に交わされたロシア北極圏における共同開発の合意にもつながった。

アメリカの全CEOのなかで、ティラーソンほどロシアの有力者と太いパイプを持つ人物はいないだろう。ロシア政府から友好勲章のメダルを受け取ったときにも、傍らにはセチンがぴったりと寄り添っており、プーチンを含めた三人でシャンパンで祝杯を上げている。

トランプがティラーソンを国務長官に指名したのは(これは思いがけない人事だった)、本人の外交への意欲というよりも、このロシアとのつながりを考えに入れてのものだったのだろうか?

マイケル・フリンの後任で、ロシアに懐疑的な考えを持つ国家安全保障担当補佐官H・R・マクマスターは、ハンブルクでの二国間協議には出席していなかった。また、国家安全保障会議のロシア担当首席顧問であるフィオナ・ヒルもその場にはいなかった。ヒルはハーバード大学で博士号を取得した、実績のあるロシア学者で、過去にはブルッキングス研究所のディレクターとして『プーチンの世界――「皇帝」になった工作員――』(新潮社、二〇一六年)という共著書を発表。二〇一四年にロシアがクリミアに侵攻したあとには加筆修正版を出版している。

まず間違いなくトランプはこの本を読んではいないだろう。

顧問たちがその場にいなかったことはさておき、トランプにとってこの会合は、アメリカとしての姿勢を明確に打ち出すべき瞬間だった。つまり、ロシアによるハッキングは選挙戦への悪意ある妨害であり、もし二〇一八年の中間選挙や二〇二〇年の大統領選でもロシアが同じことをするのであれば、両国間の渡航禁止や、国際銀行間通信協会の決済システムの使用禁止を含む、より厳しい制裁を科さざるを得ないだろう、と。

これぐらい強く出なければ、アメリカは弱腰だとプーチンは判断するに違いない。そうなれば、アメリカ国内を再び引っかき回すお墨付きを与えることになってしまう。ただどちらにせよ、ロシア政府はハッキングなどしていないし、もし何者かによるハッキングがあったのだとしてもそれには一切関与していないと、プーチンはいつものようにしらを切り通しただろう。

だが実際には、トランプは踏み込んだ主張をしなかったようだ。この会談は二時間一六分に及んだ。途中、夫人のメラニアが話を終わらせようと入ってきたが、すぐに出ていったとティラーソンが証言している。結局、予定された時間を大きくオーバーして会談は終わった。交わされた会話の内容が公開されれば、それは極めて示唆に富むものとなるだろう。しかし、記録は残っていない。

のちにティラーソンは、二人のあいだで「非常によい化学反応が起きていた」として、この会談は成功だったと語っている。いわく、ホワイトハウスはロシアに対して今後、内政干渉をしないよう要求したが、双方ともに過去を「ほじくり返す」気はないようだったという。

さらに、ほかにも前向きな具体案が複数提示されたとティラーソンは発表した。シリア南西部での停戦合意や、米ロ共同でサイバー犯罪防止を目的とした（！）ワーキンググループを発足させることも決まったのだった。この二つ目の提案はツイッターを大いににぎわせた。なにせトランプは選挙戦へのハッキングを防止するための「強固なつながりを持つ」共同チームを、ロシア政府とのあいだにつくろうというのである（泥棒相手に家のセキュリティーを相談するかのようなこの計画は、ほどなくして立ち消えとなった）。

一方、ラブロフが発表したロシア側の公式見解によれば、ロシア政府は妨害行為はしていないし、ハッキングや大統領選に関する「奇妙な出来事」には何も関与していないとプーチンは述べたという。そしてその主張をトランプは「受け入れた」と、ラブロフはロシア語で語っている。ここで彼が使ったロシア語の〝prinimat（受け入れる）〟という単語には最終的な決着がついたという響きがある。

もしラブロフの報告が正しいとすれば、トランプは自国の諜報コミュニティーよりもプーチンを信用したことになる。過去数カ月にわたってトランプはロシアの関与について明言を避けてきた。

この会談の二四時間前、ポーランド外遊中にも「おそらくロシアの仕業だと思う」と言いながらも、「本当のところは誰にもわからない」、「他の誰かかもしれないし、他の国かもしれない」と言葉を濁している。

そしていま、彼はプーチンの大ボラを受け入れ、話を終わらせたのだった。

一方、G20の会場の外は大混乱で、地元ハンブルクの警察は対応に追われていた。今回のサミットの開催地は、伝統的に左派、反権力の牙城であり、日頃から抗議活動が頻発しているシャンツェンフィアテル地区の真隣だった。地元住民のなかには警察の強硬な対応が状況を悪化させていると感じる者もいた。

社会民主党が運営するハンブルクの市庁舎は苦境に陥っていた。火をつけられた車の持ち主や破壊された店の主からは、対応のまずさを批判されることだろう。いまやブラック・ブロックは、新自由主義的なスタンスから抗議活動に賛意を示してもよいはずの左寄りの住人たちからも避けられる存在になっていた。

また、各国首脳陣の宿泊場所の確保は市当局の悩みの種だった。ハンブルク市議会はトランプをアルスター川とフェーエンタイヒ湖のあいだにある一九世紀の新古典主義様式で建てられた邸宅に泊まらせることにした。もしトランプが川をボートで渡っていたら、大いに歓迎されただろう。対岸にはロシア総領事館があったのだ。

だが、この大統領の宿泊所を訪ねようとしたガーディアン紙のベルリン特派員フィリップ・オルターマンは通行止めで行く手を阻まれた。バリケートのそばには自転車にまたがった老人が一人たたずんでいて、絶え間なく黒煙が上がり、空をヘリコプターが不気味に旋回する港町の光景を眺めていた。

「これは間違いなく世界の終わりだ。そうだろう？」と老人は言った。

サミットの前夜、抗議者のグループがG20会場への突入計画を立てているのを傍受した政府当局は、ハンブルク港の魚市場周辺に集結していたデモ隊を高圧放水器や催涙スプレー、警棒による攻撃で追い払った。だが、七月七日金曜日の午後までにはデモ隊は体勢を立て直し、もう一つの会場であるエルプフィルハーモニーを次なる標的に定めていた。

ちょうどその頃、エルベ川北岸にあるこの波打つような形をしたコンサートホールには、G20に参加する各国の代表が集まっていた。ここでは記念公演や晩餐会も催されることになっており、招待客のなかにはプーチンとトランプをはじめ、娘のイヴァンカ・トランプやアメリカの代表として帯同した娘婿のジャレッド・クシュナーなどもいた。

ここでオルターマンはとても現実とは思えない光景を目にする。「それはまるで暗黒世界（ディストピア）を描いたSF映画のワンシーンのようだった。奇妙な形をした建物のなかでは、世界で最も権力のある人々がカナッペを食べながら、ベートーヴェンを聴いている。そして外では、数千人ものアナーキストが警察と血みどろの戦いを繰り広げている」

さらに彼は、環境保護団体のグリーンピースがスピードボートを使ってホールに乗り込もうとしている場面も目撃した。途中でボートが止められると、二〇名ほどの活動家が川に飛び込み、ホールを目指してしゃにむに泳ぎはじめ、警官が彼らを無理やり水から引きずり出す。デモ隊の一人が、アメリカの使節団が乗ってきた車のガラスを破壊する。オルターマンは水辺で展開されたこの地獄のような光景を、まるで中世の画家ヒエロニムス・ボスの絵のようだったと説明している。「それはまさにこの世の終わりだった」

そしてその頃、建物のなかでは、外からはうかがい知れない奇妙な出来事が起きていた。コンサートの最中、トランプと夫人のメラニアは、マクロン夫妻と並んで座っていた。しかしディナーでは夫婦はそれぞれ離れた席に着き、メラニアはプーチンの隣に、トランプはアルゼンチンの大統領夫人ジュリアナ・アワダの隣に座った。だが、トランプは途中で急に立ち上がると、プーチンの横に腰を下ろし、その後一時間ほど話し込んだ。このあいだ、二人のそばにいたのはプーチンの通訳だけである。

このときどのような会話が交わされていたかはわからない。トランプは国家安全保障上の慣例を無視して自分の通訳を置き去りにしていた。これを見たG20の首脳たちはあぜんとした。こうした首脳レベルの会議で席を変えるのはそれほど珍しいことではないが、全体会議の大半をさぼったこのアメリカの大統領は、たった一人の相手としか話をしたがっていないように思えたからである。

ホワイトハウスはこの件について何も発表しなかった。この会話が交わされたことが知られたのは、その場にいた二人の人間がのちに、ユーラシア・グループの社長であるイアン・ブレマーに報告したからだった。

ブレマーによれば、情報提供者たちは自分たちが目にしたものに「ひどく驚いていた」という。彼はさらに、「トランプがG20でよい人間関係を築くことができた相手がいたとすれば、それがプーチンだけなのは明白だ。アメリカの同盟国は驚き、当惑し、失望していた」と言い、「同じ部屋には同盟国の首脳たちがみないたのだ。それなのにトランプが一緒に時間を過ごした相手は誰だったというのか」とも述べた。

しかしトランプ自身は、自分がこの会話の存在を隠そうとしたという意見を「馬鹿げている」と一蹴した。本人がニューヨーク・タイムズ紙に語ったところによると、彼は「ちょうどデザートが出されようとしていた頃」、メラニアに声をかけてプーチンの横に座ったのだという。「たいして長い会話でもなかった。まあ、せいぜい一五分くらいかな。ちょっと話をしただけだ」

そこでは「養子縁組」の件、つまり制裁措置についての話題も出たとトランプは語る。だが奇妙なことに、これはドナルド・トランプ・ジュニアがあの非公式の会合でヴェセルニツカヤと元ロシア課報員の三人で話し合ったという内容と同じだ。プーチンは忘れたがっていたが、まだこの問題はくすぶっていたのである。

もしトランプが彼らとの関係を否定するのに失敗したら、プーチンはどう反応するのだろう？

会話の内容の公式な記録がない以上、この問いには答えを出しようがない。ただ、反トランプ派は共謀のにおいを嗅ぎとっている。コラムニストのデイヴィッド・フラムは、大統領はプーチンに言いたいことがあったとツイートしたうえで、「彼は自分の国家安全保障チームのメンバーも含めて、アメリカ政府関係者の誰にもその内容を聞かせたくなかったのだろう」と述べた。また、ガルリ・カスパロフは、トランプは「KGBにおける彼の担当者」と話をしたのだろうと発言している。

もちろん、これらの主張は立証不可能だ。しかし就任からの半年間、確かにトランプはプーチンに対して奇妙と言えるほどの敬意を示してきた。珍しく批判を避けただけでなく、惜しみない賛辞を贈りつづけ、直接会う機会を切望していたのは、みなの知るところだ。

それはある種の「隷従」であるようにも見えた。

ＫＧＢの長期における目標の一つは（あの極秘メモにも書かれていたように）、アメリカと西ヨーロッパのあいだに存在する「意見の相違を拡大させること」だった。クリュチコフの指示が示すように、モスクワはＮＡＴＯに亀裂を入れることで、アメリカと同盟国のあいだを引き裂こうとしてきた。

だが、トランプが大統領になるまで、この戦略はけっしてうまくいかなかった。ロシアのウクライナ侵攻に対して、ＥＵとオバマ政権が協調して厳しい対処を見せたのはその一例だ。細かい点については意見の相違があったものの、第二次世界大戦後、欧米間の関係は非常に強固だった。

実際の政策にはしばしば不備があったとはいえ、そこには国際機関、ＮＡＴＯ、相互防衛条約、国際社会における法の支配、人権、基本的な良識などを含む共通の価値観があり、それにもとづく行動が行われてきたのである。

しかしいま、大西洋同盟は危機を迎えていた。ここ七〇年間で初めて、ヨーロッパ諸国のなかには、過去であれば馬鹿馬鹿しかったはずの、ある疑問が浮かびつつあった。

すなわち、トランプ率いるアメリカは本当に味方なのだろうか、と。

これには複数の理由があった。まずはトランプには、同盟国である民主主義国家よりも、プーチンやアラブ諸国のリーダーによる独裁的な政権を好む傾向があった。さらに、ツイッターでは偏った知識にもとづいたコメントを投稿し、ヨーロッパ諸国（とくにドイツ）の批判を続けていた。

ただ、もちろんこれだけをもって大西洋同盟が終わったとは言えない。元ＣＩＡ、ＮＳＡ長官のマイケル・ヘイデンは、トランプによる「打撃」は非常に大きいが、それでも長い歴史に支えられたこの同盟は今後も続くだろうとの見解を述べている。

だが、亀裂は生じはじめていた。ほころびはハンブルクでのサミット以前に、トランプが大統領として初めてヨーロッパを訪れた際にすでにあきらかになっていた。五月に行われたこの外遊は、外交活動としてはまさに最悪だったといっていい。トランプはベルギーのブリュッセルで、９・11同時多発テロの追悼碑の除幕式に参加したが、これは加盟国の集団的自衛権を規定したＮＡＴＯ条約第五条による結束を確かめるべき機会であった。だが、そこでのスピーチで今後のアメリカ政府の貢献について一言も触れなかったのである。

それどころかトランプは、ＮＡＴＯの予算において「払うべきものを払っていない」として他の加盟国を批判し、「多額の借りがあるはずだ」と述べた（そもそもＮＡＴＯへの拠出金のルールは目安として設定されているものであり、この批判は的外れである）。

このレベルの低いから威張りは、モンテネグロの首相ドゥシュコ・マルコヴィッチに対してはさらに露骨な形で向けられた。各国代表の集合写真を撮る際に、トランプはマルコヴィッチを脇に押しのけたのである。たぶん彼はそもそもマルコヴィッチが誰だか知らなかったのだろう。また、おそらくもしプーチンが誰を押しのけるか選べたとしたら、選んだのはマルコヴィッチだっただろう。なぜなら、ロシアの激しい反対を押し切る形で、モンテネグロはＮＡＴＯ加入を果たしていたからだ。もともとロシアは西バルカンをみずからの勢力圏とみなしていた。モンテネグロの政府高官によれば、最近、同国の事実上の首都であるポドゴリツァで、ロシアの諜報員がＮＡＴＯへの加盟阻止を狙ったクーデターを画策していたという。ＧＲＵの諜報員が関わったと言われるこの計画は結局、失敗に終わっている。

また、トランプが初めてマクロンと会ったときにも同じように体を使った寸劇が起きていた。勝者のいない握手対決だ。その後、ＥＵ加盟国のリーダーが集まった会合で、トランプはドイツの対米貿易黒字に不満を表明した。

ある参加者がデア・シュピーゲル誌に語ったところによると、トランプは「ドイツは悪い。とても悪い」と言ったうえで、「彼らはアメリカに対して何百万台もの車を売りつけている。ひどすぎる。我々はそれを止めなければならない」と述べたという。

同じ週に行われたイタリアがホストのＧ７サミットでも、ヨーロッパ諸国から見るとトランプの態度はほとんど改善されていなかった。シチリア島のタオルミーナで開かれたこの会議では、気候変動について話し合われたが、そこではアメリカを除いた六カ国すべてがアメリカの意見に反対した。

そしてトランプのわがままな振る舞いも相変わらずだった。各国のリーダーたちが丘の上にある広場まで七〇〇メートル足らずの距離を歩いていたとき、トランプだけはゴルフカートに乗って移動したのである。

ドイツのメルケルが、首相として四期目を目指すことを表明した演説のなかで、いまやＥＵは独立独歩でやっていくべきで、アメリカやブレグジット後のイギリスに頼るわけにはいかないと語ったのもある意味当然と言えるだろう。さらに彼女は、この結論に至った理由が、最近のトランプとの軋轢(あつれき)にあることも示唆した。「ここ数日で実感しました。我々ヨーロッパ人は自らの運命をこの手に取り戻さなければなりません」ミュンヘンに帰ったメルケルはそう言ったのだった。

ドイツでトランプは人気がない。そのためメルケルにとって、トランプ政権と距離をとることは選挙対策としての意味もあるだろう。

ただ、彼女のトランプ嫌いにはほかにも理由がある。二〇一六年、ドイツの対外諜報機関であるBNDは、トランプ陣営とロシアとのつながりを示す資料をオバマ政権に提供したが、この際、この資料をメルケルのオフィスにも届けていた。そこにはトランプが手がけた商取引の詳細が含まれており、その多くがドイツの銀行を通して行われていることも記されていた。

アメリカ国家安全保障会議で上級補佐官を務めたある人物は「メルケルは事前に（BNDから）説明を受けて、トランプがどれほど悪事をはたらいているか知っていたのだろう」と推測する。

元補佐官によれば、共産主義政権下の東ドイツで牧師の娘として育ち、科学者でもあり、ソビエト体制のモスクワを訪れた経験を持ち、流暢なロシア語を操るメルケルは、嘘を許せない人間だという。「彼女はずっとこの考えを貫いてきた。その厳しさはほとんどカルヴァン主義者だ」

トランプがまとういかがわしい雰囲気や、その傍若無人な振る舞いに加えて、アメリカとヨーロッパ諸国とのあいだには明確な外交方針の違いがあった。そのほとんどはロシアへの対応についてである。

どうやらトランプは、ロシア政府はハッキングに関与していないというプーチンの言い分を受け入れることにしたようだったが、ヨーロッパ諸国はそれほど馬鹿ではなかった。アメリカの選挙戦妨害はロシアによる民主主義への妨害活動の一例に過ぎず、最近ではその手段にサイバー攻撃が含まれているのは周知の事実だったからだ。実際、ヨーロッパでもしばらく前からロシアによる被害が出ていた。

二〇〇七年にロシアはネット上における海外への本格的な攻撃を開始した。最初のターゲットはエストニアだった。その後、ＥＵの機関を標的にし、二〇一五年にはドイツ議会を攻撃したと言われている。アメリカの民主党全国委員会をハッキングしたときと同じく、第一の目的はドイツの選挙に影響を与えるためのデータ収集だろう。またそれと同時に、ヨーロッパで最も強力な指導者であり、クリミア侵攻への制裁を主導したメルケルに打撃を与える思惑もあったはずだ。

ロシアのハッカーはフランスにも攻撃を仕掛けた。二〇一五年四月、国際テレビネットワークであるテヴェサンクモンド（ＴＶ５ＭＯＮＤＥ）がハッキングされ、放送が三時間にわたって中断。フランス政府のサイバー対策機関によると、のちに「ファンシー・ベア」の名で知られるようになったロシアのハッカー集団の仕業であるという。しかしこれはウォームアップに過ぎなかった。二〇一七年大統領選挙の前々日、マクロンが代表を務める政党である「共和国前進」のシステムが攻撃を受け、数千通のメールと関係資料が流失したのである。

結果としてこのハッキングは、選挙の行方を左右するにはタイミング的に遅すぎた。だが、匿名で攻撃を仕掛け、ウィキリークスに情報を流すというやり口は民主党全国委員会のときと酷似している。

また、ＥＵ諸国の諜報機関のトップが警告するように、サイバー攻撃はロシアのスパイ戦略のあくまで一部に過ぎない。もう一つの柱はヨーロッパ大陸に存在する極左や極右勢力に対する政治的、金銭的支援である。ソ連時代のロシアは、欧米の共産主義政党や友好協会（共産党傘下の組織）を援助し資金を提供していたが、いまは各国に散らばる、ＥＵを嫌い、プーチンを支持する急進的な国粋主義者たちのあいだに、ソフト・パワーによるネットワークを築こうとしている。

フランスの極右政党「国民戦線」の党首であるマリーヌ・ル・ペンはその恩恵を受けた一人で、ロシアの銀行から党として九四〇万ユーロの融資を受けている。また、ル・ペンはトランプの大統領選を応援していたことでも知られ、トランプの側でもフランスの大統領選挙を前に、国境問題やテロ対策に関して彼女を「最強の候補」であると激賞していた。ル・ペンは二〇一七年一月にトランプ・タワーを訪れ（トランプ本人には会わなかったと言われている）、三月にはロシアでプーチンと会談している。

ヨーロッパの首脳たちはプーチンに疑いの目を向け、不吉な気配を感じ取っていた。

一方、トランプはロシアをG20のなかで最も親しい国だと考えているようだった。しかしロシアが直接アメリカの国益を損なうようなことをすれば、さすがのトランプもプーチンを非難せざるを得ない、はずだった。

ワシントンのフォギー・ボトムにあるハリー・S・トルーマン・ビルは記念碑的な大建築物の一つだ。その白く塗られたクラシカルな外観は荘厳な雰囲気を放っている。第二次世界大戦が終わって数年がたった頃、アメリカの国務省は世界で最も影響力のある外交機関となった。そのソフト・パワーは圧巻の一言だ。

国務省の職員たちはこの分野のスペシャリストである。二〇一〇年、世界中のアメリカの外交官が送信していた外交公電が流出した。これは当時国務長官だったヒラリー・クリントンにとっては不名誉な事件だったが、公開された文書の的確かつ臨場感のある内容によって、かえって同省の評判は高まることになった。そこには世界の指導者に対する率直かつシビアな評価や、質の高い分析、世の中をにぎわせるゴシップなどが含まれており、なかには文学的な趣（おもむき）さえ感じさせる文章すらあったのである。

しかしその七年後、国務省は、ワシントンのある関係者の言葉を借りれば、「すっかりぼろぼろにされて」しまう。トランプ政権は、上院の承認が必要な幹部の人事をほったらかしにしたまま三二パーセントの予算削減を提案し、外交関連のポストは三分の一近くが空席になっていた。とくにスカンジナビアにはぽっかり穴が空いていて、オスロ、ストックホルム、ヘルシンキには全権大使がいない。またベルリン、ブリュッセル、キャンベラも同様の状況だった。

ベテランの外交官たちは長いキャリアに見切りをつけて去っていき、首席次官を務める人材がいなくなった。

こうした状況を招いた責任の一部はおそらく新しい長官にあった。ティラーソンは冷淡で何を考えているのかわからない人物であり、自分の下で働く七万五〇〇〇人の職員とまったくと言っていいほどコミュニケーションをとる努力をしなかった。また、政権発足後の数カ月間ほとんど存在感を示さなかった彼は、トランプとの折り合いが悪く、数ブロック先のホワイトハウスから国務省の業務にたびたび横やりが入っていると噂されていた。

この年、二〇一七年の夏、バージニア州シャーロッツビルで発生した痛ましい事件のあとに、これを裏付けるような出来事が起きている。この日、街頭で開催されていたネオナチの集会に向かって抗議を行っていた反対派のグループに、白人の国粋主義者と思われる犯人が車で突っ込み、一人が死亡、複数が負傷した。これに対してトランプは、「さまざまな側」からの暴力に抗議を表明すると述べ、さらに、極右勢力の集会に参加していた者のなかにも「正しい人々」はいたと発言した。つまり、トランプの同情はあきらかに、シャーロッツビルの通りをたいまつを振り回しながら練り歩き、「ユダヤ人に大きな顔をさせるな」と大声を上げていた白人至上主義者の側に向けられていたのである。

その後、ティラーソンはFOXニュースのインタビューで、トランプの発言によってアメリカを代表して諸外国とのコミュニケーションをとるのが難しくなるのではないかとの質問を受けた。さらに、トランプの見解は国の見解と一致するのかと重ねて聞かれると、彼は「大統領はあくまで個人の意見を述べただけだ」と答えたのだった。

こうなると、トランプ政権における国務省の役割とは一体何なのかという根本的な疑問が湧いてくる。アメリカの主義主張を海外に広めることか？　たんに、テロリストやイスラム過激派をはじめとする悪者たちや、中国の相手をすることなのだろうか？　あるいはトランプがホテルやゴルフ場を所有する独裁主義国家と緊密な関係を築くことか？　はたしてトランプはアメリカ・ファーストの孤立主義者なのだろうか、それとも国際社会に積極的に介入するつもりなのだろうか？

まだ大統領候補だったとき、トランプは国際協調主義を否定し、拷問を容認し、気候変動問題をデマであると断じた。その政治観をあえて評するとすれば、恥知らずなほどの自国中心主義ということになるだろう。

この排外主義的な思想は当初は本物であるように見えた。しかし、二〇一七年の八月になると、トランプはテレビ演説でアフガニスタンに派遣する兵士の増員を表明する。同時に、現地の国づくりに口を出すつもりはないとも語った。とはいえ、トランプの新しい戦略はオバマのそれに非常に似通っていた。これはブライトバートの敗北であるとともに、海外で軍事力を行使したいと考えているトランプのブレーンである軍人たちやアメリカの諜報機関の勝利を意味した。

ナショナリストたちはこの大統領の変節を、混乱と落胆のまなざしで見ていた。また、ジャーナリストのロジャー・コーエンはニューヨーク・タイムズ紙の記事で、トランプによる国務省の予算削減を「みずからの手足をもぐような奇妙な行動」と評した。コーエンいわくこの裏には、トランプの軍人好きに加えて、首席戦略官スティーブン・バノンによる行政府の「脱構築」計画、さらにかつてヒラリーのもとで働いていた官僚たちに対する復讐などの理由があるという。アメリカは混乱の極みに達しているように思えた。

だが、これで終わりではなかったのだ。

調査報道記者のマイケル・イシコフによれば、トランプ政権は発足直後からロシアとの関係を「正常化」しようと努力を始め、政府関係者は国務省の職員に、オバマによって閉鎖されたロシアの外交施設を返還する計画を立てるよう求めていたという。さらに、ハッキングに対する報復措置としての制裁を反故にする懐柔策も提案された。目的はクレムリンとの「大きな取引」であるとされたが、ロシアが見返りに何を差し出すのかは不明確で、そもそも何かを返すつもりがあるのかどうかもわからなかった。

この計画はすぐにキャピタル・ヒルの反発を呼び、フリンの辞任後に立ち消えとなった。それどころか、議会はまったく逆の方向に進んでいた。G20サミットの二週間後、ロシアのアメリカやウクライナへの干渉に対する包括的な制裁案が提出され、下院で四一九対三、上院では九八対二の大差で可決したのである。さすがのトランプもこの状況では法案に署名せざるを得なかった。

ただ、しぶしぶながら法案を認めたものの、その法案には「深刻な問題」があり、大統領による外交政策の決定権を制限するものだとの声明を同時に発表した。一言でいえば、トランプはこの法案が気に入らなかったのである。

これに対するクレムリンの反応は極めて冷淡だった。ロシア外務省は前年一二月には棚上げにしておいた国内のアメリカ外交官居住区の閉鎖を実行し、これまでアメリカが使用していた物流拠点へのアクセスも禁じると発表。さらに在ロシア・アメリカ大使館、領事館で働く外交官や現地採用の職員を七七五名削減する命令を出した（過去にオバマもロシアに同様の報復措置を行っているが、そのときに退去させた人数は三五人である）。これについて同省は、ロシアで働くアメリカ人職員とアメリカで働くロシア人職員の数がこれで釣り合うだろうとの声明を出している。

同時に、ロシア当局はアメリカによる「報復措置」についてトランプには責任がないとも言い張っていた。一連の騒動は、両国の関係を壊そうとフェイクニュースを流すメディアに躍らされ、リーダーの言うことを聞かなくなってしまったアメリカの「国家の内部における国家」によって仕組まれたもので、大統領はあくまでも被害者であるとしたのである。ドミトリー・メドベージェフはツイッターで次のように述べている。

アメリカのエスタブリッシュメントは完全にトランプ氏を出し抜いた。大統領は制裁法案に不満だったが、どうしてもサインせざるをえなかったのだ。

ただ、ロシア側がいかに言いつくろおうとも、外交官の国外退去命令が敵対的で厳しい措置であることには変わりない。アメリカの外交能力は大きく制限され、たとえば一般的なレベルで言えば、アメリカを旅行しようとするロシア人にビザを発給するのが困難になる。そのため、アメリカの大統領としてはこの措置に抗議を申し入れ、悲しみや怒りを表明するのが筋だったはずだ。

だが、外交官の国外退去命令について聞かれたときのトランプはこう言い放った。「ちょうど人を減らそうと思っていたところだったので、彼（プーチン）にはお礼を言いたいぐらいだ。彼が大勢解雇してくれたおかげで払う給料が少なくてすむのだから、私からすれば非常にありがたい。人数を元に戻す必要など実際には何もない。アメリカが払わなければならない給料が減ったことに、本当に感謝する。これで多くの金が節約できる」

いくらあのトランプとはいえ、この発言は驚きだ。プーチンに感謝するというのだから。職務に忠実なアメリカの外交官たちのキャリアをめちゃくちゃにし、モスクワへの配属に向けた準備をふいにしてくれたことに対して、ロシアの大統領にお礼を言っているのである。

さらに、ニュージャージー州ベドミンスターにあるゴルフ場から発信されたこのコメントは、事実ですらなかった。モスクワから退去させられた外交関係者は別の場所に配置換えになっただけであり、給料は支払われ続けているからだ。この政府の対応に国務省の職員はあぜんとし、自分たちを守ってくれなかったトランプと、ほとんど何の反応も見せなかったティラーソンへの怒りを募らせた。

翌日になってトランプは発言は皮肉のつもりだったと弁解したが、それでもプーチンへの批判は一切なかった。

プーチンとトランプとの関係は、まさに強者と弱者のそれだ。プーチンは、トランプとその側近が自分たちにどの程度まで協力するかを完全に理解している。それがロシア政府にとって大きなアドバンテージとなっているのだ。

こうした状況を自分の利益のために利用するのが、プーチンのいつものやり方だ。締め上げるのも緩めるのも思いのままで、どちらにせよアメリカの大統領はひどく無力だった。

二〇一七年夏、ワシントンでは相反する二つの潮流が起きていた。一つは手がかりを探し、石ころをひっくり返しては裏を調べ、証拠に従って進む、発見の流れ。もう一つは、足跡を消し、嘘やミスリードを誘う発言をし、事実を隠蔽する流れだ。

不規則かつ衝動的なやり方で後者を主導しているのはどうやら大統領本人のようだった。そして前者を主導しているのは、トランプにとって最も危険な敵である――それは議会でも民主党でもなかった――選挙をめぐる彼とロシアとの共謀の調査を軌道に乗せつつあるロバート・モラー特別検察官だった。

実はハンブルクのサミットの話には続きがある。ヴェセルニツカヤとの会合を嗅ぎつけたニューヨーク・タイムズ紙は、トランプ・ジュニア、クシュナー、マナフォートに的を絞り、ホワイトハウスにこの件についてのコメントを求めていた。ワシントン・ポスト紙によれば、クシュナーとイヴァンカはG20開催中に会場を離れ、今後の対応について弁護士と相談していたという。

この時点でニューヨーク・タイムズ紙がどこまで事情を知っていたのかはわからない。トランプ・ジュニアは最初からすべてを明かすつもりだったという意見もあれば、まったく逆だったという説もある。ただ、クシュナーは、透明性を確保するために詳細をあきらかにして、関連するメールをメディアに公開したほうがよいと初めから思っていたようだ。遅かれ早かれこの件は明るみに出るというのが彼の考えだった。ワシントン・ポスト紙によれば、クシュナーと普段から密に連携して働いているホワイトハウスのスポークスマン、ジョシュ・ラフェルだけでなく、マーク・カソウィッツ率いる大統領の顧問弁護団もこの意見に賛同したようだ。

だがこのコンセンサスが続いたのは、トランプがサミットの帰りにエアフォースワンに乗り込むまでのことだった。ハンブルクからワシントンに向かう機内に腰を下ろしたトランプは、息子のメディアに対する声明を書き直すことにした。出来上がったのはたった四行の文章だ。トランプ・ジュニアは次のように発表した。

「あれは顔合わせ程度の短い会合でした。ジャレッドとポールには私が同席を頼みました。内容はおもにロシア人の子どもをアメリカ人の家族が引き取る養子縁組についてです。数年前までは頻繁に行われていたのに、ロシア政府によって止められてしまっていたあの件です。そのとき選挙に関する話題は出ませんでしたし、そのあとにはもう会合は開かれませんでした」

だがこの発表には誤りが、いや、もっとはっきり言えば嘘が含まれていた。

実際にはロシア側は、トランプの選挙戦にプラスになりうる、ヒラリーについての「極秘」資料を提供すると言ってこの会合を持ちかけたのだが、その事実にここでは一切触れていない。かわりに、あくまで養子縁組制度についての話し合いだったという方向に持っていこうとしている。この会合はある「知り合い」からの打診で開かれることになったとトランプは言い張った。

たとえ周囲から愚策だと言われようと、事実を隠蔽して曖昧にする。これが彼のいつものやり方なのである。どうやらトランプは自分に最高のアドバイスや戦略を授けられるのは自分自身しかいないと固く信じているようだ。しかしこの一件では、そのやり方は逆効果だった。コミーを解任したときと同様、彼は司法妨害をしようとしているように見えたし、仮にそれにはあたらなかったとしても、自分について捜査を進めている人間の顔に泥を投げつけたのは確かだったからである。

特別調査団による捜査は五月に始まっていた。ワシントンの某所にあるオフィスを拠点に、一〇名を超える弁護士、捜査官、サポートスタッフがモラーの指揮のもと、全力で職務にあたった。CNNによれば、事務所の雰囲気はまるで小さな弁護士事務所のようで、そこではFBIの捜査官や検察官たちがさまざまな側面から事件の捜査を進めていたという。

ホワイトハウスには共謀の画策、さらに司法妨害の疑いもかかっていた。加えて、当初みずからが果たした本当の役割について隠していたマナフォートとフリンが、海外エージェントとしての登録をしていなかったという問題もある。

ただ、この調査について具体的な情報はほとんどあきらかになっていない。コロンビア大学ロースクール講師のスコット・ホートンが私に言ったように「モラーは情報漏洩を防ぐために厳しい管理をすることで有名」だからだ。FBI内部に「巨大な嵐」が吹き荒れるなかでこの捜査は進められた。ホートンによれば、職員たちはトランプのコミーへの仕打ちに怒りくるっており、ホワイトハウスにはかつてない「敵意」が向けられていたという。

とはいえ、いくらモラーの口が堅くても、彼が集めたチームのメンバーからある程度の推測は可能だ。どうやら捜査は金の流れを追うという正統派のやり方で進められているようだった。つまり、この場合ではロシアと東ヨーロッパからの資金の流れである。モラーに雇われたメンバーの一人に、ニューヨーク市の連邦検察官で、ロシアとつながりを持つマフィアの一派を追いかけていたことで知られるアンドルー・ワイスマンがいる。ちなみにモラー自身は、司法省時代には詐欺担当部を統括しており、あのエンロンの捜査を担当した経験もある。

もう一人のメンバーであるリサ・ペイジは、ブダペストを中心に活動する司法省所属の弁護士だ。

彼女はそこでロシアが裏で手を引く犯罪を捜査し、ＦＳＢの庇護(ひご)を受けていると言われるギャングのセミオン・モギレヴィッチを追っていた。ブダペストはＦＢＩの重要拠点で、ロシア諜報員のハブでもある。

ほかにもフルブライト奨学生としてロシアに留学し、流暢なロシア語を操るエリザベス・プリロガーや、ブログ「Lawfare」で「刑事訴訟の分野ではおそらくアメリカ最高の弁護士」と評された元訟務副長官のマイケル・ドリーベン。そして、ウォーターゲート事件のときに副検事として活躍した、ベテラン弁護士のジェームズ・クォールズなど、そうそうたる面々が集まった。

まさに恐るべきチームだ。そして予想どおりというべきか、ホワイトハウスはモラーをこきおろし、ＦＢＩは信用に値しないと言いはじめた。

トランプはこの捜査は政治的な魔女狩りだと公言すると、モラーを解任する可能性を示唆し、ジェフ・セッションズに怒りの矛先を向けた。さらにニューヨーク・タイムズ紙のインタビューでは、もしセッションズがロシア疑惑の調査から外れると知っていたら（この行動が間接的にモラーによる調査につながった）、けっして司法長官には任命しなかったと述べ、自身とロシアの金銭的なつながりを否定したうえで「レッドライン（越えてはいけない一線）」には触れていないと主張した。

だが、こうしたあからさまな敵意を向けられても、モラーはぶれることなく職責をまっとうしているようだった。いまやあきらかにロシアのスパイ活動の標的にされ、盗聴をはじめとするさまざまな攻撃にさらされていた彼は、慌てることなく、機密情報を扱うのに適した設備を持つオフィスに拠点を移した。捜査チーム自体も大きくなった。詐欺事件のスペシャリストで海外贈収賄を専門とするグレッグ・アンドレスが新たに加わり、調査チームに所属する弁護士は総勢で一六名になった。

そして情報収集という点で、モラーはこれまでとはひと味違っていた。非公式での資料の請求や召喚令状の発行に加えて、容疑者が所有する家に不意打ちで手入れをするなど、合法的に大なたを振るったのである。

七月二六日、バージニア州アレクサンドリアにある一見普通の住居ビルの前に、ＦＢＩの捜査官が集まっていた。まだ未明であったが、一〇人以上の捜査官が事前の予告なしにアパートに踏み込み、資料を押収した。

この家の持ち主はマナフォートだ。同日、彼は上院司法委員会に召喚される予定になっていたが、ＦＢＩはそれに先だって令状を取得し、家宅捜索に踏み切ったのである。こうした行動を起こした以上、ＦＢＩとしては犯罪の存在を裁判官に認めさせるだけの証拠を是が非でも提出する必要がある。

この強制捜査はモラーの本気の証(あかし)であり、ホワイトハウスを震え上がらせた。さらに言えば、ＦＢＩの捜査官がマナフォートはまだ何かを隠していると疑っていることも意味していた。

ただ、このときFBIが何を押収したのかはわからない。マナフォートはそれ以前に、トランプ・タワーでヴェセルニツカヤと会ったときのメモを含めた三〇〇ページ以上の資料を委員会に提出していたし、ホワイトハウスも同様に、会合の記録を提出するよう要請を受けていた。マナフォートは共謀を否定し、みずからの弁護士を通じて警察に協力するとの声明を出した。

捜査官たちはフリンにも照準を合わせており、トランプ政権にこの元国家安全保障担当補佐官に関する資料の提出を求めた。ニューヨーク・タイムズ紙によれば、フリンのロビー活動についても関係者への事情聴取が行われたという。トルコ人の事業家を通じてトルコ政府からフリンに裏金が渡っていたという疑惑に、モラーの捜査は集中していた。

ちなみにスティールはモラーと連絡をとっていたかどうかについてはあきらかにしていない。しかしロンドンで彼とのパイプを築くのは、モラーにとって合理的な行動だと言えるし、その場合スティールは可能な限り調査に協力しただろう。

モラーは特別検察官に就任した直後から、前任者がバージニア州に設置した大陪審を使ってさまざまな要求を実行に移した。その後、彼はさらに一歩進んで、ワシントンDCにも特別大陪審を召集した。みずからのチームの拠点であるオフィスはそこから数ブロックの距離である。これは陪審員を使って集中的に資料の提出を求めていくというモラーの意思の表れであった。

ガーディアン紙のジュリアン・ボーガーが指摘するように、この土地は大統領にとっての敵地であった。コロンビア特別区で共和党員は絶滅危惧種であり、先の選挙戦でもトランプに投票したのはたったの四パーセントだ。つまり、共和党優勢のバージニア州とは違って、ここはトランプにとって悪夢のような土地であり、起訴状が発行され、（場合によっては）刑事裁判が行われる場所としてはまさに最悪と言ってよかった。

こうした流れによって、トランプの大統領としての未来には早くも暗雲が垂れこめていた。だがその頃、ワシントンにはさらに好ましからざる噂が流れていた。マナフォートかフリンのどちらかが（あるいはそれ以外の誰かも含めて）、「寝返った」可能性があるというのである。ようするに、自分の罪を軽くしてもらうかわりにFBIに証言を提供しようということだ。

ただ、これを裏づける確証はない。また、モラーがいつ捜査の結果を公開するのかは決まっていなかったし、彼のチームが骨身を削って集めた証拠も本件を刑事告訴にまで持っていけるほどのものなのかどうかはわからない。知り合いのとある元国家安全保障担当補佐官の言葉を借りれば、モラーの「矢がチームオレンジに突き刺さるかどうか」はまだ定かではなかった。

とはいえ、法の網が彼らを締めつけているのは確かなようだった。トランプ政権はひとりでに内部から崩壊を始めており、夏までにフリン、スパイサー、プリーバス、バノンの順に解任され、チームを去っていった。

トランプは、ロシアには投資をしていないし、取引も借りもないとの主張をくり返した。確かに表面上、これは事実であった。だが、モラーは他の場所に多くの資金の流れがあるのを発見していた。トランプ所有の不動産や関連事業体にロシアマネーが流れ込んでいたのである。しかもこれは数十年前から始まっていた。

さらにトランプがかつてフロリダ州に所有していた家をオリガルヒが購入した問題も残っている。この売買によってトランプは五〇〇〇万ドルちかい利益を得た。なぜロシア人はこのような取引をしたのだろうか。

第10章
ロシアよりカネをこめて

1984 ～ 2017 年
ペルミ－フロリダ－モナコ－キプロス－ニューヨーク

「ロシア人は私たちの資産のなかで不釣り合いなほど大きな割合を占めている。ロシアからは非常に多くの資金が流れ込んでくるのだ」

——ドナルド・トランプ・ジュニア

２００８年モスクワにて、トランプ・オーガナイゼーションに関する発言。

一九八四年、ペルミ。このロシアの地方都市にある医学校では、新学期が始まろうとしていた。履修登録をしようと列をなす学生のなかに、地元で成功した開業医の息子であるドミトリー・リボロフレフがいた。

そこで彼は、自分のすぐ後ろに並んでいる女学生に目を奪われる。ブロンドに青い瞳の彼女は、その後すぐにわかったことだが、頭脳明晰な数学の天才で、エンジニアの娘でもあった。名をエレナという。入学試験を一緒に受けたドミトリーとエレナは、その後、心臓学の授業で再会することになる。

一〇代の二人は急激に恋に落ちた。そのあとの六年間、彼らはあらゆる試験をともに受け、そのすべてに合格する。そのあいだに、エレナは三回もレーニン賞を受賞した。また、勉学だけに限らず、この若いカップルは終わりを迎えつつあったソビエト連邦で、奨学金に支えられた文化的な生活を十分に謳歌した。週末には街にオペラやバレエを観にいき、美術館や劇場にも足を運んだ。

けっして派手な生活ではなかったが、それでも、これ以上何を望むことがあるだろうか?

二一歳のときに二人は結婚し、二年後には長女のエカテリーナ、通称カティアが生まれた(二人はのちに次女ももうけている)。この時点で、リボロフレフは人生の岐路に立たされていた。父であるエフゲニーと同じ心臓専門医として堅実な道を進むか、あるいはモスクワに移り住んで、金融を学び、ロシアの資本主義というまだ見ぬ世界に飛び込むか。結局、彼は後者を選択する。

だがここから先には、まるでたちの悪いおとぎ話のような出来事が待っていた。一九九二年に首都にある学校で経営学を学んだリボロフレフは、その後ペルミに戻って投資銀行を設立すると、知識を活かして地元にある旧ソ連の化学工場の民営化に着手する。そして、カリウムをベースにした肥料でロシア最大の生産量を誇るウラルカリーという企業の株を取得し、一九九六年にはその経営を掌握した。

だが、リボロフレフはこの成功について、自分は他の実業家とは違って国の庇護を受けていたわけではないと主張している。確かに、これと同じ年にライバル工場の幹部を殺害したという嫌疑をかけられて一一カ月のあいだ投獄されたのを見ると、この言い分は正しいようだ。疑いが晴れて出所した彼は、安全なスイスのジュネーブで家族と再会している。その後、ウラルカリーは成長を続け、リボロフレフの資産も大きくなっていた。

二〇〇七年、ウラルカリーはロンドン証券取引所に上場を果たす。そして、二〇〇八年春には、リボロフレフはフォーブス誌が発表する世界の大富豪の五九位に名を連ねる。その資産は一二八億ドルと報じられた。これはトランプをはるかに上回る額である。

ちょうどこの年の七月、リボロフレフは、トランプがパームビーチに所有する物件を九五〇〇万ドルという驚きの金額で購入する。一七のベッドルームとギリシャ彫刻の噴水、三〇メートルのプールに加え、地下には巨大な駐車場を完備し、海を望む場所にはジャクージも備え付けられていた。この大邸宅には、メゾン・ド・ラミティエというフランス語の名前がついていた。トランプは当初一億ドルの値を提示したが、リボロフレフがそれを五〇〇〇万ドル値切って購入したという。

だが、それでもこの買い物は驚きだと言わざるをえない。まず、フロリダの不動産市場はしばらく前から冷え込んでおり、この物件が売りに出されてからすでに二年が経過していた。また、トランプがこの家を四一四〇万ドルで買ってから四年もたっていないうえに、その後もたいした改築はされていない。さらにリボロフレフは、この家の下見をまったくしていない。一度は近くまで足を延ばして、土地の周辺をボートで回ったにもかかわらずである。実際、家にはかびが生えていたと言われている。

このパームビーチの邸宅は、二〇〇八年一二月に、二〇年間結婚生活をともにした妻のエレナが、リボロフレフを相手に離婚訴訟を起こして世間を騒がせた際に、大きな注目を浴びることになる。裁判所への申立書のなかで、彼女は夫に不貞行為があったと述べている。また、夫婦共有の美術品のコレクションを、断りもなくロンドンやシンガポールにある倉庫に送ったとも訴えた。

これはけっして小さな問題ではなかった。裁判所の資料によれば、リボロフレフ夫妻は、ピカソとモディリアーニの作品複数点に加え、モネを二点、ゴーギャン、ゴッホ、ドガ、ロスコの作品を各一点ずつ所有していたからだ。また、パリから輸入した貴重な家具の数々（そのなかには、長年の愛を祝福する神話の登場人物がかたどられた円卓もあった）や、二人目の娘が生まれたあとに六〇〇〇万ドルで購入したマイ・アナ号というヨットなども二人のコレクションには含まれていた。

結局、この離婚訴訟は二〇一五年に示談となったが、リボロフレフはパームビーチの邸宅にはほとんど関心を示さなかった。

実際、彼は一度もそこには住んでいない。

そして、そのまま取り壊している。

フランスのスポーツライター、アルノー・ラムゼイによれば、リボロフレフはけっして金をどぶに捨てるような愚か者ではなく、むしろ「頭の回転が速い、シャイで控えめな、自分の資産をひけらかすことのない」男だという。見た目はけっして派手ではなく、ラムゼイがインタビューをしたとき、彼はジャージ姿であった。

ただそれと同時に、リボロフレフには「ボスのオーラ」があり、「何者をも恐れない」人間であるともラムゼイは言う。

この控えめなロシア人はメディアに顔を出すのを好まないため、ラムゼイは何度か断られた末にようやく会う約束を取りつけることができた。インタビューはリボロフレフがモナコに所有するペントハウスで行われたのだが、専用のエレベーターやテラス、スパ、さらに図書館を完備したこの家には、実は裏話がある。一九九九年にこの家は放火され、前の持ち主であるレバノンとブラジルの家系の金融マン、エドモンド・サフラが不可解な焼死を遂げているのだ。

リボロフレフはこの地でほかにも資産を購入していた。それはモナコのサッカーチームである。二〇一一年に彼がASモナコの株式の過半数を取得すると、チームはすぐにフランスのプレミアリーグに昇格した。この時期にリボロフレフとランチをともにした付近の住民によれば、リボロフレフはアメリカへの投資を考えており、魅力的なチャンスを探っていると話していたという。この大富豪はその頃ダイエットをしていたために、「すごく痩せていた」とその人物は語った。

その後ラムゼイは、ギリシャのスコルピオス島でリボロフレフに二度目のインタビューをしている。二人はリボロフレフのヨットに乗り込み、ASモナコの未来について語り合った。かつて海運王と呼ばれたアリストテレス・オナシスが所有していたこの島は、いまはリボロフレフの娘カティアのものであった。彼女はほかにもセントラルパークを見下ろす場所にあるマンションを二二歳のときに八八〇〇万ドルで購入している。これはマンションの購入金額としては当時のニューヨークの最高記録だった。

ラムゼイは目立つことを嫌うこのビリオネアとのやりとりを、詩的な文章で一冊の本にまとめている。フランス語で書かれたこの伝記のタイトルは『The Russian Novel of the President of AS Monaco(ASモナコのオーナーになったあるロシア人の物語)』である。

実はリボロフレフ自身も、一二、三歳になる頃に文学から大きな影響を受けている。彼に影響を与えたのはロシア文学ではなく、アメリカの小説家セオドア・ドライサーの作品だ。ソ連の時代、まだティーンエイジャーになるかならないかという頃のある日、彼はドライサーの『The Financier(資本家)』という小説を手にする。そして、フィラデルフィアを舞台に一九世紀の資本主義社会を描いたこの作品から、投機とそれが生み出す利益について学び、ドライサー作品の若きヒーロー、フランク・クーパーウッドに大いに感化された。将来、刑務所に入るというところまで、彼は作中のクーパーウッドと同じ道をたどっている。

さらに、自分の成功はクーパーウッドと同様、自らの力によるものだとリボロフレフは語っている。それはけっして嘘ではない。だが、アガラロフをはじめとするほかのオリガルヒたちもよく知っているとおり、ロシアで富を築くには――また、それ以上に、築いた富をほかの者に奪われないようにするには、コネクションが必要なのだ。

二〇〇〇年、ペルミで州知事選挙が行われた。事前の予想ではリベラル派で現職のゲンナジー・イグムノフが有利とされていたが、リボロフレフは意外にも元ペルミ市長のユーリ・トルトネフを支持し、彼を当選に導いた。

これは極めて賢い選択だった。四年後、休暇を取ろうとしていたトルトネフに、モスクワから一本の電話が入る。ロシア政府からだ。以前、プーチンがペルミを訪れたときにトルトネフがホストを務めて以来、二人は懇意になっていた。プーチンは柔道、トルトネフは空手と、二人とも武術をたしなんでいることも大きかった。この電話でプーチンから呼びだされたトルトネフは、天然資源環境大臣に任命される。

これはロシアの石油、ガス産業を統括する非常に強力なポストだ。環境規制の違反を摘発するのも、あるいは見逃すのもいまや彼の思いのままであった。

またトルトネフは、大手石油会社ロスネフチのトップで、プーチンと強いつながりを持つ、イーゴリ・セチンとも親しかった。二人はときおり政治をめぐって衝突したものの、セチンがほかの石油会社と争ったときにはトルトネフはつねに彼の側についた。たとえば、ロスネフチがユコスの資産を買収した際にも、トルトネフ率いる天然資源環境省のサポートがあった（二〇〇三年にプーチンは、ユコスのオーナーで億万長者のミハイル・ホドルコフスキーを逮捕、投獄している）。ロシア国内の権力構造のなかにおけるトルトネフの役割は、まさに大統領の番犬であった。

一方、ロシアのマスコミはトルトネフとウラルカリーの関係を疑っていた。はたして彼はリボロフレフの影の協力者なのだろうか？　表面上は双方ともこれを強く否定した。そもそもこの疑惑が持ち上がったのは、二〇〇六年に起きた災害でリボロフレフのビジネス全体が危機に瀕したときだった。

リボロフレフは、ベレズニキを横切るウラル山脈のなかの、カマ川河畔にあるカリウム鉱山を所有していた。この鉱山を掘っていたのは、もともとは強制労働収容所の作業員たちであり、岩塩の柱で下支えしながらトンネルをつくったのも彼らだった。街はそのうえに立っている。あるとき洪水によって壁と柱が溶けてしまい、街で大きな陥没が起きた。穴は鉄道の線路を呑み込み、住民を危険にさらした。

これは、国がウラルカリーに罰金を科し、鉱山を差し押さえてもおかしくない事態だった。実際、セチンからはかなりの脅しがあったという。しかし奇妙なことに、結果として政府は何の罰も与えなかった。そしてリボロフレフがトランプから家を買ってから四カ月後、トルトネフは政府としての評決を下した。

「ウラルカリーの過失に対する調査には不適切な部分があったと私は考える」トルトネフは穏やかにそう宣言した。

そして、この問題の責任はスターリン時代の計画立案者にあるとしたのである（都合のよいことにすでに全員が亡くなっている）。この決定により、ウラルカリーの株価は急騰した。

リボロフレフにとって二〇〇八年はとんでもない年だったと言えるだろう。会社が辛（から）くも生き延びたかと思えば、妻からは六〇億ドルとも一二〇億ドルとも言われる慰謝料を請求され、テレビで有名なアメリカのセレブからはフロリダの素晴らしい不動産を購入することになった。トランプはこの取引で五〇〇〇万ドル近い利益を挙げている。

スティール報告では、ロシア政府とトランプの選挙対策チームのあいだで「頻繁な情報交換」が始まったのはちょうどこの頃からだとされている。

それはアメリカの大統領選を五日後に控えた一一月三日のことだった。リムジンバスの運転手であるアンナ・キャサリン・センジコスキーは客が来るのを待っていた。熱心な民主党支持者であり、トランプをひどく嫌っていた彼女が車を止めていたのは、ノースカロライナ州シャーロット・ダグラス国際空港のプライベートジェット専用ターミナルだ。

午後二時をまわる頃、彼女は少し前に到着したと思われる飛行機に目を奪われた。どうやらランチタイムにはこの飛行場についていたようだ。それは流線型のエアバスA319で、ボディーはグレー、クリーム、黒の流れるようなラインで塗り分けられていた。個人が所有する飛行機のなかでも、ひときわ目を惹く美しさだ。ただ、尾翼の小さな文字以外には、この飛行機の持ち主を示すものは何もない。そこには白く「M-KATE」と書かれていた。Mという文字は、この飛行機がマン島に登録されたものであることを示していた。

センジコスキーはこの飛行機の写真を撮った。有刺鉄線のついたフェンスに囲まれ、黄色い消防車の陰に隠れているために機体ははっきりとは写っていないが、それでも文字は明確に識別できる。そしてそれから二〇分ほどすると、もう一機、プライベートジェットが着陸した。こちらの飛行機は持ち主を隠そうという意図はないようで、コックピットの後ろには巨大な文字で「TRUMP」というおなじみの名前が書かれていた。彼女はこちらも写真に収めると、二機の画像をツイッターにアップロードした。

すると二機目のジェット機からはやはりあの男、ドナルド・トランプ本人が降りてきて、迎えの車に乗り込んだ。センジコスキーは、最初の不思議な飛行機から人が出てくるのは見なかったと語っているが、そのプライベートジェットの持ち主は突き止めた。リボロフレフだ。このロシア人は娘の愛称カティアにちなんで飛行機に名前をつけていた。並んで停まった二機の距離はたったの一〇〇メートル足らずだった。のちに彼女はシャーロット・オブザーバー紙の取材に対して、これは偶然というには「あやしすぎる」し、「不自然」に感じた、と答えている。リボロフレフが改造したこの飛行機はまるで快適な家のようで、ベッド、シャワー、テーブルに加えて、最新型のテレビまで完備していた。

ノースカロライナ州は激戦区で、トランプ、クリントンともに頻繁に足を運んでいた。この日の午後にトランプはシャーロットで演説を行い、ヒラリーを「遠大な犯罪行為を犯している」と批判したうえで、彼女が勝利すれば「これまでにない憲法上の危機」が訪れるだろうと発言している。しかし、なぜあのロシア人大富豪はこの街にいたのだろうか?

その後の数カ月、マスコミの調査員たちは一日数時間をかけて、フライトレコードを念入りに調べた。一方、ホワイトハウスはこの疑惑を陰謀論にすぎないと一蹴し、トランプとリボロフレフは一度も会ったことがないと発表した。

確かに一見すると、その主張は嘘ではないように思える。

だが、「M-KATE」の過密すぎるフライトスケジュールからはさらなる疑惑が湧いてくる。二〇一六年と二〇一七年の前半を合わせると、リボロフレフの飛行機は七回もニューヨークを訪れていて、それぞれ数日間滞在している。しかもその多くはトランプがニューヨークにいた時期と重なっているのである。また、マイアミにも二回行った記録が残っているが、このときもトランプが同じフロリダ州のマー・ア・ラゴにいた。そしてモスクワには七回飛んでおり、そのほとんどがフロリダかニューヨークへのフライトの前後である。

リボロフレフはなぜこんな行動をとったのだろう？　その理由を知るのに最も簡単な方法は、本人に直接聞いてみることだ。私はこのオリガルヒの顧問であるセルゲイ・チェルニツィンにメールを出し、リボロフレフへのインタビューを申し込んだ。もしお望みならロシア語で話してもいいし、向こうの都合に合わせて南フランスでもどこでもいくつもりだった。文面はこうだ。「非常に不思議に思うのですが、ドミトリーさんのジェット機の行き先に、しょっちゅうドナルド氏の飛行機が駐まっているのはなぜなのでしょうか？」

チェルニツィンの対応はフレンドリーなものだったが、残念ながらインタビューはさせてもらえなかった。返信のメールには、リボロフレフはトランプと会ったことはないと前置きしたうえで、「D（ドミトリー）は頻繁にアメリカに行きます。そのため、同じ時刻に飛行機が同じ場所にあったとしても不思議ではありません」とあった。また、トランプから家を買った件については、邸宅だけでなく、三区画分の土地も含めて「魅力的な投資だったから購入したまでです」とのことだった。

オーケー。いいだろう。ではリボロフレフはアメリカで何をしていたというのか？　チェルニツィンの答えは「彼は、ビジネスとしても楽しみとしても旅行をします。フライトレコードを見れば、いつも旅をしているのはおわかりでしょう」というものだ。

これらの答えは一見筋が通っているようだが、漠然とした表現しか使われておらず、全体としては何の意味もないと言っていい。結局、リボロフレフが裏で何かをしていたのではないかという疑惑は晴れないままだった。あるいは彼はトランプ本人ではなく、側近の誰かに会ったのだろうか？　たとえば、トランプの顧問弁護士であるマイケル・コーエンに。

スティール報告では、コーエンは裏の人脈をつなぐ仲介者としての役割を果たしたとされている。

いわく、彼はある会合に出席するため、二〇一六年八月に秘密裏にヨーロッパに向かった。目的は、メディアによって暴露されたマナフォートとカーター・ペイジに関する「ごたごたを片付ける」ことだった。もともとはモスクワで話し合いの場がもたれる予定だったが、「いま彼（コーエン）がロシアの首都を旅行すると、周囲の疑念を呼びかねない」との判断から、「監視の緩い」ＥＵの国に変更になったようだ。

スティールに情報を提供した人物によれば、会合はチェコの首都プラハで開かれたという。会場はロシア連邦交流庁（Rossotrudnichestvo）が所有する建物だった可能性がある。ここならロシア政府関係者と会っていたとしても「何らかの言い逃れ」ができるからだ。コーエンはここでロシア連邦交流庁の職員であるオレッグ・ソロデュキンと会ったと言われている。

報告書では、コーエンはこの会合に三人の「同僚」を伴って現れたことになっているが、それが誰なのかはあきらかになっていない。そして、ここで話し合われた内容は、「クレムリンの指示のもとでヨーロッパからクリントンの選挙対策チームに攻撃を仕掛けたハッカーたちに、痕跡が残らないように支払いをするにはどうすればいいか」というのがまず一つ。さらにもう一つは、「こうした作業に加えて、モスクワとトランプ陣営とのつながりを隠蔽するにあたって考慮すべき事項全般について」であったとされる。

コーエン自身はスティールのこの報告を強く否定し、プラハには一度も行ったことがないと主張した。確かに、彼がそこにいたという確実な証拠はない。もしプラハでなかったとすれば、会合は一体どこで開かれたのだろう？　ウクライナ人の妻を持つコーエンは、自分のアメリカ国籍のパスポートの画像をツイッターにあげ、そのなかのスタンプ欄も公開した。

だが、ワシントンとロンドンの情報筋によれば、FBIはコーエンの否認を疑っており、プライベートジェットを使ってヨーロッパに飛んだ可能性も含めてその足跡を調査しているようだった。

私はチェルニツィンに、リボロフレフとコーエンは会ったことがあるかと尋ねてみた。

答えは次のようなものだった。「マイケル・コーエン氏について言えば、おそらく会ったことがあるのではないでしょうか。彼（リボロフレフ）は多くの人と会いますから。ただ、私自身がこの方とご一緒したわけではないので、確かなことは言えません」

リボロフレフには政治家や有名人にも知り合いがいる。たとえばフランスの元大統領ニコラ・サルコジとはパリで一緒にサッカー観戦をしているし、モナコのアルベール二世とも顔なじみだ。だがトランプとは会ったことがないと、チェルニツィンは言う。

確たる証拠はほとんどつかめなかったが、それでも調査員たちは影を追いつづけた。そして二〇一六年八月の中旬、イヴァンカとジャレッド・クシュナーがクロアチアのドゥブロヴニクを訪れていたことを突き止めた。同日、リボロフレフのヨットであるマイ・アナ号がドゥブロヴニクに停泊しているのが目撃されている。この行き先の一致は、意図されたものではないのだろうか？　それともコーエンが言うように、こう考えるのも大統領の顔に泥を塗ろうと必死のリベラル派メディアの空想にすぎないのだろうか？

だが、それ以上の証拠をつかむのは難しい。なぜならリボロフレフはビジネスのほとんどをオフショアで行っているからだ。彼が持つ会社の多くはイギリス領ヴァージン諸島に登記されている。ここはタックスヘイブンであり一種のブラックボックスになっている。また、リボロフレフはパナマを拠点とする法律事務所、モサック・フォンセカを使っているが、ここは顧客の情報をほとんど尋ねないことで有名だ。その裕福なクライアントのなかには、プーチンのスポークスマンであるドミトリー・ペスコフの妻もいた。いわゆる「パナマ文書」は、この会社のデータベースが流出したものである。

リボロフレフはさらに、もう一つのオフショアセンターとして有名なキプロスも活用している。二〇一〇年、彼はキプロスの会社名義で所有していたウラルカリーの株式のほとんどを、他のオリガルヒたちが設立した共同事業体に売却した。売却額は五〇億ドルにのぼると伝えられている。またその後すぐに、この島最大の貸し手であるキプロス銀行の、全体の一〇パーセント近い株式を取得している。この銀行の預金者の多くはロシア人である。そして、この頃モスクワでは、リボロフレフの古い友人であるトルトネフが昇進を遂げ、プーチンのアシスタントになっていた。

キプロスに流入するロシアの資本は数十億ドル規模で、その多くが出どころのあやしい金だった。大抵の場合、現金はまずペーパー・カンパニーに移され、その後、この「投資」の一部は海外からの収益という名目でロシアに戻る。また、この島はロシアのスパイにとっても重要な活動の拠点になっていた。

さらに、リボロフレフとともにキプロス銀行の株主になったメンバーを見てみると、そこには不思議なつながりがある。二〇一三年にベイルアウトの対象になったあと、この銀行には取締役会の新しい副議長としてウラジーミル・ストラザルコフスキーが就任した。元KGBのエージェントで、ロシア国営企業の役員として長いあいだプーチンとともに働いてきた経歴を持つ人物だ。そのほかにも同行の役員として、ロシア政府と深い関係にあるヴィクトル・ヴェクセリベルクというオリガルヒが加わっていた。

さらにキプロス銀行にはアメリカ人の大株主もいた。名をウィルバー・ロスという。二〇一四年にこの銀行の筆頭株主になったロスは、その後、副会長に就任すると、前述の元KGBエージェントとともに取締役会に出席し、銀行の債務整理を開始した。ここでのロスの働きは、むしろ同行に対するロシア政府の影響力を弱め、コーポレート・ガバナンスを向上させたと評価されている。彼はさらにドイツ銀行の元CEOであるヨゼフ・アッカーマンを会長に招いたりもしている。チェルニツィンいわく、リボロフレフはロスだけでなく、ほかのロシア人株主にも会ったことはなく、同銀行の株式も徐々に売却しているとのことだ。

ただ、仮にそれが本当だとしても、ここからは面白い絵が見えてくる。たとえばマナフォートは、付き合いのあったオリガルヒたちと同じように、キプロスの投資ビークルを自分のビジネスに頻繁に使っていて、ある時期にはこの島に少なくとも一五の銀行口座を持っていたことがわかっている。また、トランプ自身も二つの会社をキプロスに設立している。そのうちの一つ、トランプ・コンストラクションが登記されたのは二〇〇八年の九月で、あの大邸宅、メゾン・ド・ラミティエを売却した二カ月後のことだった。事業の規模や収支を含め、この会社の活動は一切公開されていない。

トランプの選挙活動が始まる直前の数カ月間、アメリカの投資家であるロスは、プーチンとつながりのあるロシア人グループと緊密に協力して事業を進めていた。その活動のすべてはアメリカの国務省が言うところの「マネーロンダリングにつながりやすく」、「国際犯罪ネットワークが活発に働いている」地域で行われた。

その後、ロスは二〇一七年にキプロス銀行を退職し、新しい職を見つける。

それは素晴らしいポストであった。

トランプが彼をアメリカ合衆国商務長官に任命したのである。

トランプから不動産を買ったロシア人はリボロフレフだけではない。一九八〇年にトランプ・タワーの建設が始まって以降、複数のロシア人、ユーラシア人がトランプから不動産を購入しつづけてきた。

取引の一部は合法的なものだ。だがなかにはロシアの組織的な犯罪と密接に関わっているものもある。これまでにトランプは、信用を失い、欧米の銀行が融資を躊躇するようなビジネス上のピンチを何度か経験しているが、そのたびに旧ソ連が出どころと思われる資金によって窮地を脱出してきたと言われている。

トランプと取引をしたロシア人たちは波のように断続的に現れている。ある者たちは一九七〇年代に起きたソビエト難民のアメリカ移住の流れに乗ってやってきた。彼らの多くはユダヤ系である。共産主義時代の後期であるこの頃、ロシアから入ってくる資金の大半はマフィアがらみだった。これはイスラエル経由よりも、ルクセンブルクやスイスの銀行に流れ込むマネーが多いことを意味する。現金はそこで金の延べ棒や宝石に変わった。

トランプ・タワーが一九八三年にオープンしたとき、新しく入ったテナントのなかには、かなりの現金資産を持つ東欧出身者たちがいた。

翌年、トランプは五三階の五つの部屋を、モギレヴィッチの仲間だと噂されるデイヴィッド・ボガティンに売却している。金額は六〇〇万ドルだった。検察当局によれば、その後ボガティンはこの部屋を、ガソリン密輸詐欺のための「マネーロンダリングの拠点兼隠れ家」として使用したという。一九八七年、裁判所はボガティンに脱税容疑で懲役二年を言い渡した。彼は罪を認めたものの、保釈中に行方をくらましてポーランドに逃亡した。だが最終的にはアメリカに強制送還され、投獄された。

二度目のロシア人流入の波が起きたのは、一九九〇年代初期、ソ連が崩壊したときだった。ロシア国内で、かつて政党や国家が所有していた資産の略奪が横行するなか、アメリカへの移住を決断したロシア人たちは、ニューヨーク、ブルックリンのブライトン・ビーチを中心に複数の地域でマフィアとして活発に活動を始める。

そのなかの一人にモスクワの悪名高い犯罪者であったヴャチェスラフ・イヴァニコフがいる。〝ヤポンチク（日本野郎）〟の通り名で知られるイヴァニコフは、犯罪組織のボスであった。その犯罪歴は文書偽造、武器の違法所持、麻薬密売、恐喝など多岐にわたり、たびたびソ連の刑務所に長期間収監されていた。一九九二年の春、イヴァニコフはロシアからニューヨークに移り住んだ。

そして他のギャングたちとグループをつくると、ブライトン・ビーチのマフィアの稼業を乗っ取り、賭博、売春、武器の密輸を取り仕切りはじめた。イヴァニコフは優秀な悪人で、モギレヴィッチがハンガリーや中央ヨーロッパに展開する強力な犯罪組織や、世界一のマフィアグループであるモスクワのソルンツェフスカヤ・ブラトヴァ、さらにロシアの元諜報員たちともネットワークを築いていった。

ＦＢＩはイヴァニコフを逮捕しようと必死だったが、一つ大きな問題があった。居所がつかめないのである。外を出歩いたり、電話の会話を好むイタリア系アメリカ人のマフィアは盗聴などの手段で比較的簡単に逮捕できても、イヴァニコフを捕えるのは容易ではなかった。

この悪人を捕まえる役目を仰せつかったのは、FBIの捜査官ジェームズ・ムーディであった。のちにムーディは、アメリカを拠点に活動するロシアンマフィアを描いた『レッド・マフィア』（毎日新聞社、二〇〇一年）の著者ロバート・フリードマンに対して、イヴァニコフは驚くような場所に隠れていたと語っている。事実、彼はそこを見つけるまでに三年を要したのだった。

「最初にわかっていたのは名前だけだった。そのため我々はそこら中を歩き回り、本当にやぶを叩くようにして奴を探さなければならなかった」とムーディは言う。「そうしてようやく、トランプ・タワーの高級マンションにいるのを突き止めたんだ」

だが、捜査の手が伸びる直前にイヴァニコフはマンハッタンから姿を消す。ニューヨーク州組織犯罪対策チームの特別捜査官グレゴリー・スタシュクがその足跡を追った。フリードマンによれば、イヴァニコフはまず、ニュージャージー州のアトランティックシティにトランプが所有するカジノ、タージマハルに向かったという。ちなみにこのカジノはのちに、マネーロンダリングの疑いで五〇万ドル近い罰金を科されている。ここはロシア人に人気のスポットで、彼らはトランプが開いたこの賭博場に大金を落としていた。

最終的にFBIは、ブライトン・ビーチにある愛人のマンションでイヴァニコフを捕まえた。捜査員はそこで七万五〇〇〇ドルの現金に加え、靴下に包んだ銃一丁が外の茂みに放り込んであるのを発見している。また、破いて捨てられていたイヴァニコフ個人のメモ帳を復元してみると、そこにはトランプ・タワーの電話番号とトランプ・オーガナイゼーション（トランプがオーナーを務めるコングロマリット）のオフィスのファックス番号が書かれていた。

一体トランプは、この件にどこまで関わっていたのだろうか？　成功した開発業者の例に漏れず、トランプもキャリアを通じて多くの不動産を販売してきた。一部のロシア人顧客が不正な活動を行ったり、そのうちの数人がプロの詐欺師であったからと言って、トランプを責めることはできない。しかし、こうしたロシア人顧客との関係は、トランプのビジネスの中核をなしてきたのである。キャリア初期の不動産開発事業のときもそうだったし、独立したベンチャー企業を複数起こし、それらを通じてパナマ、アゼルバイジャンのバクー、カナダのトロントにいたる幅広い地域の外国人投資家にトランプブランドのライセンスを付与する事業を始めたあとも、この状況は変わっていない。

トランプは裏社会と多種多様なつながりを持っている。そしてそれは彼と関係の深いビジネスパートナーたちについても同じであった。

ＦＢＩがイヴァニコフを追っている頃、モスクワ生まれのもう一人の移民が刑務所のなかにいた。その名をフェリックス・サターという。サターはユダヤ系の一家に生まれ、一九七四年、八歳のときに両親とともにソ連からイスラエルに移住した。その後、メリーランド州のボルチモアに渡り、最後にブライトン・ビーチに移った。

裁判所の資料によれば、サターの父親はもともとミハエル・シフェロフスキーと呼ばれていて、モギレヴィッチの犯罪シンジケートの幹部を務める、ブルックリンのロシアンマフィアのボスだったという。以前イギリスにいたときには、文書偽造と詐欺の容疑で服役している。アメリカに移ってからはブライトン・ビーチを拠点に組織的な恐喝を行っていたようで、警察の犯罪者名簿によると、レストランや食料品店、地元の診療所などを脅していたらしい。サターの父がこうした悪事を働いていたのは一九九〇年代のことで、それは「脅しだけでなく実力行使を伴う、恐怖と暴力による犯行」であったという。

サター自身にも犯罪歴がある。彼はウォール街で株式ディーラーとしてキャリアをスタートさせたが、一九九一年、二五歳のときに酒場での喧嘩(けんか)でマルガリータグラスの柄を使って相手を刺した。逮捕されたサターは一五カ月を刑務所で過ごすこととなり、有罪判決を受けたためにライセンスを取り消され、金融業界では働けなくなった。

ただここには、少なくとも合法的には、というただし書きがつく。破産したあと、妻と生後四カ月の娘を抱えたサターは、株式市場に虚偽の情報を流すという詐欺に手を染めた。共犯者は、ニューヨークでは有名なイタリアンマフィアファミリーの構成員たちで、彼らは投資家から四〇〇〇万ドルをだまし取った。この頃、サターは頻繁にモスクワを訪れている。本人の申告によれば、一九九六年にはこの犯罪から足を洗ったという。

通常であればサターはもう一度刑務所行きを覚悟しなければならなかっただろう。しかしこのとき、彼はＦＢＩと取引することになった。その頃、ＦＢＩは株式市場における詐欺事件の捜査を進めていて、モギレヴィッチによるフィラデルフィアのペーパー・カンパニーを使った詐欺もその対象に入っていたのである。

ＦＢＩは、サターを内通者にして必要な情報を手に入れようと決めた。すでに恐喝や詐欺の容疑を認めていたサターは、情報提供の見返りとして免責を受けることになったのだ。

ここから先のサターの行動には二通りの解釈ができる。まず、彼は人生の贖罪(しょくざい)の段階に入り、モスクワを去りＦＢＩのために熱心に働いて、過去の罪を清算することにしたというのが一つ。そしてもう一つは、自分の犯罪の記録が封印され、表から見えなくなったのを利用して、新たな金儲けを始めたという可能性だ。

それも、たんに自分のためだけではなく、彼の新しいパートナー――ドナルド・トランプのために。

二〇〇〇年代に入ると、サターは、ベイロックLLCという不動産開発企業で働きはじめる。これは共産主義時代の終わりにモスクワで設立された会社で、創業者のテヴィフィク・アリフはカザフ・ソビエト社会主義共和国でトルコ系の家庭に生まれ、ソビエト連邦では商業・貿易部門の官僚を務めた経歴を持つ。

一九九〇年代のあいだは基本的にロシアやトルコで事業を行っていたアリフだが、その後、ニューヨークにも手を広げ、そこで会社の運営を任せるためにサターを雇った。二〇〇三年にベイロックの事務所はトランプ・タワーの二四階に移転する。その二フロア上はトランプが専有するスペースである。こうしてサター、アリフ、トランプはつながったのだった。

それから五年以上にわたって、サターはトランプブランドのライセンス契約の担当者として働いた。業務の一環としてトランプ・ジュニアとともにフェニックスに行ったこともある。トランプ・オーガナイゼーションの名刺も持っており、そこでの肩書きは「ドナルド・トランプのシニア・アドバイザー」であった。二〇〇六年にはトランプの頼みで、トランプ・ジュニア、イヴァンカの二人とロシアで合流し、モスクワを案内すると、さらにイヴァンカを「プーチンがプライベートで使っている机に座らせてあげたうえに、クレムリンのオフィスにも招待」したという（この件についてイヴァンカは、記憶にないと言っているが）。のちにサターは、トランプとは「よい関係」であったと語っている。実際、彼はさまざまなアイデアについて話し合うためにトランプの事務所を「幾度となく」訪れている。

そして、そこで挙がった話題の一つが、当時トランプがマンハッタンで進めていた最新プロジェクト、「トランプ・ソーホー」の建設であった。

トランプは自身がホストを務めるリアリティー番組『アプレンティス』のなかで、ガラス張りで四六階建ての商業ビル兼ホテルを新たに建設することを発表した。だが、彼はスプリング・ストリートに建つ予定のこのビルに、ほかにも出資者がいるという事実は明かさなかった。実はそのなかの一社がベイロックだったのである。ベイロックは、五〇〇〇万ドルを拠出したアイスランドのヘッジファンドであるFLグループと提携して、トランプをバックアップした。また、ジョージアの実業家タミール・サピアも出資者の一人である。

しかし、このトランプブランドの新事業に対する資金提供には不透明な部分が多い。ベイロックの企業構造は何層にも分かれる複雑なものであり、FLグループの拠点はあのイギリス領ヴァージン諸島だ。

キプロスと同じく、アイスランドの銀行にもロシアの資金が多く流れ込んでいる。そのため、FLグループの出資の裏にはモスクワの思惑があったのではないかとの推測が成り立つ。ただこのつながりを証明するのは（あるいはつながりがないことを証明するのは）非常に困難だ。FLグループは無数のペーパー・カンパニーで構成されていて、会社の本当の持ち主を特定するのは不可能だからだ。同グループはさらに、トランプがクイーンズとフォートローダーデールで行ったほかの二つのプロジェクトにも資金を提供している。

一体トランプは、ビジネスパートナーであるこのロシア系アメリカ人たちについてどこまで知っていたのだろう？　のちに発表された公式声明は、そっけないものだった。トランプは、サターのバックグラウンドを知らなかったと言っただけでなく、そもそも彼のことをほとんど覚えていない、とまで述べたのである。

二〇〇七年九月、アリフとサターはトランプ・ソーホーで開かれたランチパーティーに出席した。そのとき撮られた写真には、二人がトランプと並んで笑顔で写っている。サターが過去に犯した犯罪の数々がニューヨーク・タイムズ紙に取りあげられるのは、その二カ月半後のことだった。

この件についてコメントを求められたトランプは、知らせを聞いて非常に驚いたと言ったうえで、「そんなことは全然知らなかった」と述べた。「我々は協力する会社の代表の素性についてはできる限りの調査をしているが、それでも彼についてはよくわからなかった」

この不名誉な記事が発表されてすぐ、サターはベイロックを去った。そして二〇〇九年には株式詐欺に関与したとして有罪判決を受ける。そのとき彼は裁判官に対して、「私はある不動産会社を大きな成功に導きました。トランプ氏のプロジェクトです」と述べ、会社を去るのは自分にとって大変悲しいことだったと語った。結局、長年にわたるＦＢＩへの協力が認められ、通常であれば懲役二〇年になるところを、二万五〇〇〇ドルの罰金で放免されたのだった。

どうやらトランプの頭からは都合の悪い記憶はすぐに消えてしまうようだが、一方で、ベイロックの元ファイナンスディレクターであるジョディ・クリスが非常に重要な訴訟の準備を進めていた。これに続く一連の裁判は、そのあと数年にわたって激しく争われることになる。ベイロックがＦＬグループから受け取った資金を社外の人間に流していたという告発である。

訴状には、「外からはわからないようにしていたが、その会社（ベイロック）を実質的に動かしていたのはギャングであった」という記述もあった。さらにアリフとサターが詐欺や脱税、マネーロンダリング、着服などを日常的に行っていたこともあきらかにされたが、両名はこれを否認している。

ここでは共謀者としてトランプ本人の名前は挙がっていない。しかしこの訴訟の焦点が、トランプがライセンスを認可した取引に、旧ソ連の投機家たちがマネーロンダリングを目的に資金を投入したことにあるのは明白だった。その後、アリフがクルーザーで若い女性数人と一緒にいるところを、売春斡旋の容疑でトルコ警察に逮捕されるという出来事も起きている（のちに嫌疑不十分で釈放）。

ニューヨークで行われたこの事件に関する一連の金融訴訟は、複数の裁判所、裁判官、弁護士を巻き込むものとなり、数ページにわたる供述書が何部も作成された。決着までは数年、場合によっては数十年という時間を要する見込みである。

一方モスクワでは、ビジネスをめぐる反目はさらにあからさまな形でけりがついた。あの悪名高いマフィアのボス、イヴァニコフは、二〇〇四年にアメリカを追放され、ロシアに強制送還された。本国に帰ったあとは、殺人容疑をかけられるも無罪となり、その後は目立った行動を控えていた。だが二〇〇九年七月、タイ料理店でランチをとったあと、車に向かおうとしたイヴァニコフは近くのビルの屋上から狙撃され、腹部を撃ち抜かれて死亡した。使われたのはスナイパーズ・ライフルで、犯人はわかっていない。

イヴァニコフの墓地は、モスクワ、ヴァガンコフ墓地の第二六区にある。葬儀にはかつての仲間である年老いたロシアンギャングたちが集まった。彼は母親の隣に埋葬されている。

時は経ち、二〇一一年。バラク・オバマが大統領を務める頃、FBIのエージェントたちは裁判所にいる人物の電話に対する盗聴の許可を求めていた。容疑者の名前はポーカープレイヤーのバディム・トリンチャー。彼には、自身が住むニューヨークの高級マンションを拠点に違法賭博の運営をしている疑いがかかっていた。

まず、トリンチャーの金回りのよさは疑いようがなかった。二〇〇九年にロシアの富豪オレグ・ボイコから五〇〇万ドルもするこの住居を現金で購入すると、大量の高級家具を買い込み、床にはシルクの絨毯を敷き詰めた。当局の調査の焦点はトリンチャーが定期的に開いているカード遊びの会合が、連邦法上の犯罪にあたるかどうかにあった。

盗聴した電話の内容から、FBIはトリンチャーの人脈の概略を把握しつつあった。そのなかには、ウズベキスタンのタシュケント出身で、ウズベク民族の大物犯罪者であるアリムジャン・トフマフノフや、レバノン系アメリカ人で、父親がニューヨークに設立した一流アートギャラリーのオーナー兼美術商であるヘリー・ナーマドがいた。

FBIは二年間にわたって、トリンチャーが所有する高級マンションの一室、63A号室で繰り広げられる活動を監視しつづけた。この部屋がどこにあるかおわかりだろうか？　そう、ここはトランプ・タワーの五一階なのだ。

トランプ・タワーはいまや重大犯罪の巣窟になっていた。トリンチャーの部屋の三フロア上には、トランプの住む、贅（ぜい）を尽くした三階建てのペントハウスがある。五一階の全フロアを二〇〇〇万ドルで購入したのはナーマドであり、彼は、トリンチャーの息子イリヤが賭博を運営するための資金も拠出していた。

ただ、連邦捜査員たちはトランプに盗聴を仕掛けようとしていたわけではなかった。狙いはあくまでもロシアンマフィアである。しかし、なぜか彼らは偶然にもトランプの隣人なのだ。

二〇一三年四月、FBIはトランプ・タワーで強制捜査を行い、三〇名を逮捕。トリンチャーには懲役五年が求刑された。罪状は、賭博行為によっておよそ一億ドルの収益を不正に得たうえに、キプロスにある複数のペーパー・カンパニーを使ってマネーロンダリングを行ったというものだった。現金はキプロス銀行を通して送金されたとされている。ナーマドは五カ月間、収監されることになり、共犯者であるもう一人のロシア人、アナトリー・ゴルブチクも同様の刑を受けた。

この捜査の網を逃れたのは、FBIがロシア人組織犯罪のキーマンとみなしていたトフマフノフだけであった。彼は忽然と消えていた。

トフマフノフは典型的な悪人の人生を送ってきた。ソビエト連邦で複数の刑務所で服役し、ヴェネツィアでも逮捕歴のある彼は、その後、ドイツやパリに移り住んだ。アメリカでは、二〇〇二年にソルトレイクシティで開催された冬季オリンピックの際に、アイススケートの審判団を買収したとの容疑がかかっている。ほかのマフィアのボスたちと強いつながりを持ち、プーチンを敬愛する。四〇年来の友人であったイヴァニコフは生前、彼のことを「伝説の男。読みが鋭く、非常に賢い」と評している。

二〇一三年一一月、それまで姿を消していたトフマフノフはモスクワに現れる。コメルサント紙の報じたところによると、トフマフノフはメジャーな国際イベントであるミス・ユニバースコンテストの会場で目撃された。彼がいたのは一階のVIP専用フロアで、そう遠くない席にアガラロフとトランプが座っていた。トフマフノフは人ごみに紛れていたが、そのなかにはその夜パフォーマンスを行ったエアロスミスのボーカル、スティーヴン・タイラーもいたという。

ＦＢＩの捜査の話には続きがある。このトランプ・タワーを中心とする賭博事件の強制捜査にゴーサインを出したのは、ニューヨーク州南部地方裁判所の検事、プリート・バララであった。インドのパンジャブ州に生まれ、ハーバード大学を卒業後、コロンビア大学ロースクールで学び、その後も輝かしいキャリアを歩んだバララだが、一方で敵も多く、最終的にはそのなかにアメリカとロシアの大統領も含まれることになる。

二〇〇九年、オバマによって現在のポストに任命されると、バララはすぐに腐敗撲滅に向けた大胆な捜査に乗り出した。その対象には銀行、ヘッジファンド、不正な投資家、両党派の政治家にくわえ、さらにロシア人も含まれていた。たとえ容疑者が遠く、外国に住んでいたとしても、追及の手を緩めないのが彼のやり方だった。

バララはマグニツキーの件で盗まれたとされている二億三〇〇〇万ドルの行方を追った。するとその一部が、ウォール街から数ブロックしか離れていないパイン・ストリートの二〇番地にある高級分譲マンションをはじめとする、ニューヨークの複数の不動産に使われていることがわかった。モスクワから消えた金はモルドバのペーパー・カンパニーを通って、キプロスの持株会社に流れていた。

その会社の名前はプレベゾンといい、オーナーはデニス・カツィーフという男だった。そしてこのカツィーフが、ニューヨークで自社の弁護をするために雇った弁護士はあのヴェセルニツカヤだった。ガーディアン紙が報じたところによれば、ここにもトランプ関連の人脈が存在するという。プレベゾン社はこのパイン・ストリートのマンションを、有名な宝石商で億万長者のレヴ・レヴィエフから購入したのだが、二〇一五年にレヴィエフはマンハッタンの四三丁目にある旧ニューヨーク・タイムズ・ビルの数フロアを二億九五〇〇万ドルで売却している。買い主はジャレッド・クシュナーであった。

バララの調査はクレムリンにとって面白いものではなかった。そのため、二〇一三年四月にロシア政府は、バララを含むアメリカ人一八人を入国禁止とする。だがバララはくじけることなく、その翌月には逆に、ロシアンマフィアのボスたちのたまり場になっていると噂されていたブルックリンにある「ラスプーチン」というレストランを閉鎖した。店のオーナーはその後、詐欺の容疑で逮捕されている。

だがトランプ政権のもとでは、バララのキャリアは明るいものにはなりそうになかった。二〇一六年一一月、この次期大統領はトランプ・タワーにバララを呼び出す。会談は一見なごやかに進行したように見えた。終了後、ロビーで待つ記者たちにバララが話したところによれば、トランプからマンハッタンの検事への留任を命じられた彼は、いままでと同じように誰に対しても恐怖を感じたり、えこひいきをしたりすることなく、独立して職務をまっとうします、と答えたという。

だが、この協力態勢が続いたのは翌年の三月までだった。セッションズが、オバマ政権下で任命された四六人の検事全員に辞任を求めたのである。これを拒否したバララだが、結局は罷免されてしまう。そしてその二カ月後、バララの後任検事は裁判の予定日の前日にこの事件の和解を成立させ、同社に五九〇万ドルの支払いを命じた。これを受けて、ヴェセルニツカヤは勝利を宣言した。支払いを命じられた金額が非常に少なかったために、「これはアメリカ政府からの謝罪の意思の表れではないか」と彼女は述べた。

だが、この和解は疑わしいものであったと言わざるをえないだろう。少なくともその後、民主党の上院議員一六名が司法省に対して、この件について説明を求める文書を送っている。議員たちは、ある憲法の専門家が「率直に言って常軌を逸している」と評したこの和解に関して、ホワイトハウスによる介入があったのかどうかをあきらかにしたかったのである。

フェリックス・サターと、トランプの顧問弁護士であるマイケル・コーエンは、一〇代の頃からの長い付き合いであった。二〇一五年に選挙活動を始めたばかりの頃、トランプはサターについて、「彼のことはよく知らない」と発言しているが、どうやらしばらく前から彼は、トランプの視界から姿を消しているようだった。

しかし、のちに議会に提出されたメールの内容から、この頃サターはまだ、トランプのために活発に働いていたことがわかる。元上司であるトランプを大統領にする構想を描いただけでなく、モスクワでのトランプ・タワー建設を現実にしようと動いていた。モスクワの協力はトランプの政治的なアドバンテージになるだろうし、交渉役としての手腕の高さの証明ともなるだろう、というのがサターの書いた筋書きだった。

サターにはことをうまく運ぶ自信があった。二〇一五年一一月三日、彼はコーエンに次のようなメールを送っている。

俺はプーチンをこの件に引き込む自信があるし、そうなればドナルドも当選できる。ヘマをしたり、欲をかくことなしに、この計画を進められるのが俺しかいないのは、お互いにわかっているだろう。やり方は知っている。うまくやれるはずだ。旦那（トランプのこと）はアメリカの大統領になれる。俺たちがそうさせてやる。プーチン陣営の全員から協力を取りつけるつもりだ。俺ならなんとかやれる。

これに対するコーエンの返信は入手できていない。しかし、公開されている一連のメールからは、モスクワのトランプ・タワー落成式でリボンカットが行われ、プーチンがトランプの比類無き手腕を褒めたたえるという輝かしい情景を、サターが思い浮かべていたことが伝わってくる。これを実現させるため、自分がコネクションを持つロシア人たちに、トランプがロシアの発展に賛辞を贈っている動画を見せるのもありだろうともサターは言っている。「もし彼（プーチン）がこの話に乗ってくれれば、この選挙は俺たちのものになる。アメリカの最も手強い敵が、ドナルドは話のわかる奴だと言ってくれるわけだからな」

なるほど。では、モスクワのトランプ・タワー建設には誰が金を出すのだろうか？　実はこれについてもサターにはあてがあった。サターのメールには、ロシアの国営銀行であるＶＴＢ（ロシア外国貿易銀行）が資金提供に合意したという記述があるのだ。これはまた、普通では考えられない話だ。ＶＴＢはアメリカの制裁対象になっていたうえに、ロシアの諜報界とも深いつながりを持つ機関だからである。

サターはさらに、「アメリカの大統領を自分たちの手でつくるなんてすごくクールだ」とも言っている。一方で、この偉業の報酬として彼が期待していた見返りは、バハマの大使になる、という非常にささやかなものだった。サターはコーエンに「彼が成功してくれさえすれば、俺の計画はまさにホームランだろう」とも言っている。

つまり、トランプが選挙戦の演説でプーチンを褒めちぎっているあいだに、側近たちは彼の長年の夢であったモスクワのビル計画に関して、ロシア政府の支援を取りつけようと必死だったわけだ。クレムリンのサポートなしにはトランプ・タワーの建設は不可能なことを、サターはちゃんと理解していた。

こうした活動はすべて非公式に行われたため、アメリカの有権者はサターによるロシア政府とのコネづくりについて何も知らない。だが、コーエンは知っていたし、トランプも知っていた。コーエンによれば、モスクワに建設予定のタワーについてトランプとは三度、話し合ったという。だが、同意書は交わしたものの、計画は途中で進まなくなった。そこでコーエンは、プーチンの報道官を務める大物、ドミトリー・ペスコフに直接コンタクトを試みるという大胆な行動に出る。低姿勢で助力を請うこのメールが送信されたのは二〇一六年の一月中旬である。

文面は次のようなものだった。

ここ数カ月にわたって、私は、モスクワ・シティでのトランプ・タワー建設に向けて、ロシアの企業と共同で仕事を進めてきました。しかしなかなか細部を詰めることができず、お互いに話し合いが進んでおりません。

このプロジェクトはいまが正念場なのです。ぜひお力を貸していただきたく思います。この件の詳細について相談し、しかるべき人物を紹介していただくため、職員の方とお話をさせていただけませんか？　もしあなたが直接会ってくださるなら、それに勝るものはありません。どうぞよろしくお願いいたします。お返事をお待ちしております。

コーエンはこのメールをペスコフの個人アドレスではなく、担当部署の一般アドレスに送信したという。だとしても、このメールはロシア政府によって詳細に検討されていてもおかしくないはずだ。メールの受け取り人であるペスコフは、長いあいだプーチンのスポークスマンを務めていただけではなく、スティール報告によればヒラリー・クリントン陣営への妨害活動についても指揮をとっており、さらにプーチン本人と毎日のように会うほどの人物である。

コーエンはロシアとの共謀はなかったと主張しているが、トランプ陣営からプーチンの側近に直接（しかも非公式に）助力を求めたこのメールは、まさに共謀の申し出ではないのか。ここでいう協力とは、政治のことなのかビジネスのことなのか、あるいはその両方なのか。トランプにとってはいつものことだが、その境目は非常に曖昧である。

のちに議会の調査委員会に対して、コーエンは、ペスコフからの回答はなかった——少なくともメールへの返信はなかったという旨の発言をしている。タワー建設計画は頓挫したという。サターからのメールについても、あれは自分を売り込むための手段であり、「大げさな表現」をしたにすぎないと説明している。

この一件があった一年後の二〇一七年一月、サターとコーエンは、今度はウクライナに関する裏工作を進めていた。トランプに会うためにホワイトハウスを訪れたコーエンは、当時まだ国家安全保障担当補佐官であったマイケル・フリンに計画の概要を手渡している（直後にフリンはニューヨーク・タイムズ紙の記事によって辞任することになる）。これは、ウクライナがロシアを相手に、クリミアを五〇年ないし一〇〇年のあいだ貸し出すことに合意するという計画で、サターはその概要をウクライナの代議士であるアンドレイ・アルテメンコと協力して作り上げた。結果としてこのコーエンとサターの計画は日の目を見なかったが、実行されればおそらくロシア政府を大いに喜ばせただろう。

過去四〇年間にわたって、トランプが築いた不動産の王国は、モスクワからのブラックマネーの洗濯場としての役割を果たしてきた。旧ソ連の資金が分譲マンションや邸宅に流れ込んでいただけでなく、トランプがアイオワやニューハンプシャーで選挙活動をやっていたときですら、側近たちは念願のモスクワでのタワー建設に向けて、認可と資金援助を得るためにロシア政府と交渉していたのである。

ロイター通信の調査で、ロシア国籍のパスポートを所持する、あるいはロシア国内に住所を持つ、合計六三人の人物が、フロリダにある七つのトランプブランドのビルから、これまでに九八四〇万ドル相当の物件を購入していることがあきらかになった。この数字は調べがついたものに限られるため、実際にはおそらくこれよりも数も金額も大きいはずだ。トランプが販売した全物件の約三分の一は有限責任会社が購入しており、実際の買い主が誰なのかはわからない。

また、トランプ・タワーはロシアンマフィアの避難所にもなっていた。ロシア本国では古いタイプのマフィアは、プーチンによって中央集権化した国家にテリトリーを奪われ、かつてシベリアの大地を闊歩していたマンモスがいなくなったのと同じように、徐々にその数を減らしつつあった。

だが、ニューヨークであれば、身の安全を確保したうえで、国際的なしのぎができたのである。

ロシアマネーがトランプの収益を押し上げてきたのは間違いない。だがそこには、国際的な金融危機によって事業が沈みかけたときにもつねにトランプを支えつづけた、もう一つの収入源がある。

それはドイツの銀行からのまっとうな資金提供であった、はずなのだが……

第11章
あるドイツの銀行の奇妙なケース

2011～2017年
モスクワ－ニューヨーク－フランクフルト

「さあ、パーティーだ
銀行の口座には金が山積み
両手を高く突き上げて、喚け、叫べ」
——ティマティ（ロシア人のラッパー）
『Welcome to St. Tropez（サントロペにようこそ）』より。

腹が立つと同時に、心底うんざりした。これは気まぐれで行儀の悪い子どもを見たときと同じような気持ちかもしれない。何かをすると約束しておきながらあっさりとそれを破り、開き直って、すぐに誰かのせいにする、乗っているベビーカーから泣きながらおもちゃを投げつけてくるような子どもだ。

ここでだだをこねている子どもとは、トランプのことだ。そして、うんざりしながらそれをなだめているのは、ニューヨークにおけるトランプのメインバンクであるドイツ銀行だった。問題になっているのは、シカゴの「トランプ・インターナショナル・ホテル・アンド・タワー」を建設するために、二〇〇五年に同銀行から借りた多額の資金についてである。このときトランプは、個人として六億四〇〇〇万ドルの返済を約束していた。

だがその後、世界金融危機が起こる。そして二〇〇八年一一月下旬、同行の顧問弁護士であったスティーブン・F・モロは略式裁判を申し立てる。金融危機の影響でトランプの支払いは滞っており、三億三〇〇〇万ドルが未払いのままになっていたからだ。ドイツ銀行は、四〇〇〇万ドルの即時返済に加え、利子、訴訟費用を含むその他のコストについて支払いを求めた。

これに対してトランプが見せた、人を喰ったような対応にはさすがに驚きを禁じえない。詭弁と裏切りが当たり前の彼のやり口のなかでも、これはまったくたいしたものだった。トランプは借金を返す代わりに、逆に銀行を訴えたのである。ニューヨークのクイーンズにある同州の最高裁判所に提出した訴状のなかで、トランプは未払いの金額を返済するつもりはないと主張した。世界金融危機は「一〇〇年に一度の金融の津波」であり、「予期せぬ事態」にあたる、と訴えたのである。トランプに言わせれば、これは契約上の不可抗力に該当するという。さらに彼は、ドイツ銀行にもこの危機を生み出した責任の一端があると主張した。彼の言葉を借りれば、「現在、我々が直面している経済の機能不全のおもな原因は一部の銀行にあるが、ドイツ銀行もそのうちの一つである」ゆえに、私には一切、金を返す義務はない。ゆえに、私の借金はドイツ銀行が負担すべきである。

加えて、トランプはドイツ銀行に三〇億ドルの損害賠償を求めた。

ドイツ銀行側の次の一手は、宣誓供述書の作成であった。モロ弁護士がニューヨーク州に提出した、相手をひるませるようなこの書類には、皮肉にも「保証人：トランプ」と題された項目があった。そこではモロ弁護士が、トランプの作成した、自分がいかに金持ちであるかを自慢しながら経歴について長々と書き連ねた軽薄な訴状に対して、非常に的確な指摘をしている。

その項目は次のように始まっている。

　トランプ氏は自身を「ビジネスマンの鑑であり、交渉の手腕においては唯一無二である」と称している。また、数十億ドルの資産を持っていると法廷で証言したこともある。彼の手元にはかなりの額の現金があるうえに、個人としても多額の投資をしており、ほかにも多くの有形資産を持っている。さらに、ニューヨークを中心とした国全体の数多くの並外れた不動産に、相当量の持ち分を有している。

アメリカ国内の七つの市にくわえ、メキシコ、ドミニカ共和国、ドバイ、カナダ、パナマにおけるホテル建設プロジェクトもこうした資産に含まれると、モロ弁護士は述べている。それ以外にもトランプは複数のカジノやゴルフコースを世界中に所有しており、直近では、スコットランドでゴルフリゾートの開発も進めていた。

事実、不況による問題解決について語ったのと同じ日、トランプはスコットランドの新聞スコッツマンのインタビューにも答えている。二年に及ぶ戦いを経て、トランプはようやくアバディーンシャーのバルミディ近辺に建設予定の新しいトランプ・ゴルフリゾートの認可を、スコットランド政府から受けていた。ゴルフコースの建設が砂丘を破壊し、海岸線の生態系にダメージを与えると考えていた環境問題の活動家たちは激怒していたが、この決定にトランプは大喜びだった。彼は浮かれていたのである。

「世界の金融の流れが変化し、すべての銀行は危機を迎えている。だが、よいニュースもある。我々の会社がうまくいっていることだ。いまでは我が社のキャッシュポジションは極めて高くなった」とトランプは同紙のインタビューに答えている。

さらにトランプは、自分は株式市場におけるリスクにはさらされていないと言ったうえで、このスコットランドの土地は現金で購入したと明かし、「世界で最も素晴らしいゴルフコース」をつくるのにうってつけの場所だと付け加えた。その二週間後には、トランプ・オーガナイゼーションの幹部ジョージ・ソリアルがスコッツマン紙において、トランプがこのゴルフコースに一〇億ドルを投入する予定であると明言している。銀行とのやりとりに慣れているソリアルは、その大金がどこにあるかについてはあきらかにしなかったが、「資金は確かにあるし、いつでも送金できる」と述べた。

もしこれでも証拠が足りないと言うなら、モロが宣誓供述書のなかで、トランプ自身の著書を引用している部分を見てみよう。そこではトランプが人に借りた金に無頓着であり、ときには返す必要さえないと思っていることがよくわかる。

モロ弁護士は以下のように指摘する。


トランプはこれまでに少なくとも半ダース以上発表している著書を通じて、ビジネスのやり方について幅広いアドバイスをしている。『金のつくり方は億万長者に聞け！』（扶桑社、二〇一六年）という本では読者に対して、裁判を「演出をもって戦略的に活用せよ」と説いている。また、『Think Big and Kick Ass in Business and in Life（大きく考え、ビジネスでも人生でも勝利をつかめ）』では、「相手を叩きのめして利益を得るのが大好き」だと自慢げに語っている。


一九九〇年代に貸し手との泥沼の罵り合いのなかで磨かれたトランプ一流の戦略とは、「銀行にそれを突き返してやることだ。（中略）それは銀行の問題であり、こちらの問題ではないと私は理解した」これはモロが引用した、未払いの借金についてのトランプの言葉である。

モロの供述書は、トランプは直ちに残額を支払うべきであるとの訴えで終わっており、そこには「今日に至るまで、彼は支払いをしていない」と書かれている。

ただ、トランプのドイツ銀行に対する常軌を逸した振る舞いは、ある意味では予想できたと言えるかもしれない。なぜなら、結局のところ彼は、いままでにも数多くの会社の倒産を経験してきた人間だからである。あのタージマハルを含むアトランティックシティの複数のカジノも、ニューヨークのプラザホテルもすべて、一九九〇年代の初期に連邦倒産法第一一章の申請をして、廃業している。

こうした失敗を見て、以前はトランプのビル建設プロジェクトを優良な投資先と考えて資金を提供していたアメリカの各銀行は融資をストップする。チェース・マンハッタンやシティバンクをはじめとする、これまでの取引で大きな損失を出したウォール街の各銀行は、それ以上の融資をやめ、トランプからの借り入れの申し出にも応じなかった。

それでも新世紀を迎えても、そんなトランプに進んで資金を提供しようという金融機関が一つあった。それがドイツ銀行である。

そして、トランプも同行をメインバンクにするようになる。だがトランプは、訴訟好きでつかみどころがなく、不誠実で口やかましいうえに狡猾な、まるでならず者のような顧客だった。彼は姑息で嫌がらせのような手段を使ってやろうと待ち構えており、そのために最後には泥沼の状況になってしまう。結局、トランプの同行に対する三〇億ドルの請求は、裁判官の合理的な判断によって退けられた。これでドイツ銀行はこれ以上トランプと付き合うつもりはなくなっただろう。未払い金を取り戻したあとは、トランプの情報が載った顧客ファイルを破り捨てるはずであった。

トランプがウォール・ストリート六〇番地にアメリカ現地法人の本社を構える銀行と取引することになったのは、ある種の必然だったのかもしれない。いまからさかのぼること一世紀、ドナルドの祖父でドイツ出身のフレデリック・トランプもこの土地で働いていた。一八六九年、ドイツ南西部の小さな村カルシュタットで生まれたフレデリックは一六歳のときにニューヨークに移住する。その後、シアトルとユーコンにホテルを建てて、ゴールドラッシュに乗じて金を稼ぐと、ふたたびロウアー・マンハッタンに戻った。

ウォール街に戻ったフレデリックが選んだ仕事は、飲食店の経営ではなく、彼がティーンエイジャーのときにやっていたのと同じ、理容師であった。妻のエリザベスがまだ幼い息子のフレッド（トランプの父）の面倒を見ているあいだに、フレデリックは株のブローカーや投資家たちの髪を切った。その後、フレデリックはホテルの経営者となったが、一九一八年に大流行したスペイン風邪で死亡している。

フレデリックがウォール街に開いた理髪店はいまはもう存在しない。その場所には一九八〇年代の後半に、ポストモダン様式を用いた五〇階建ての巨大なビルが建設されている。それがドイツ銀行のアメリカ本店であった。隣は、人工のヤシの木が並びスターバックスが併設されたオープンスペースのアトリウムになっており、そばには靴修理店のホワイル・ユー・ウェイトもある。ドイツ銀行の本社ビルの大きなロビーを出ると、イースト・リバーの灰色がかった流れが見える。

二〇一〇年、トランプは資金を借り入れることでドイツ銀行との不和を解消する。だが、その貸し手はなんと、またしてもドイツ銀行だったのである。

同銀行の不動産担当部署から締め出されたトランプは、今度は同じ銀行の違う部署に目を向けた。それは、おもに富裕層の顧客を相手にするプライベートウェルス部門であった。ここは通常であれば不動産は扱わないが、それでもこの部署はトランプに金を貸し、その後さらに、二五〇〇万ドルから五〇〇〇万ドルという与信枠を与えた。

これによってトランプの会社は支払い能力を回復した。

トランプに資金を提供しつづけるという判断は普通ではなく、むしろ奇妙とさえ言えるもので、ニューヨークにいるドイツ銀行の従業員は驚きを隠せなかった。私はドイツ銀行の元主任に、大きなクレジットリスクがあるうえに訴訟の相手方でもある顧客に、追加で融資をするのはよくあることなのですか、という質問をぶつけてみたが、返ってきた答えは「あなたは私を馬鹿にしているのか」というものだった。

匿名を条件に取材を受けてくれたこのバンカーによれば、個人保証を受け付けるのはプライベートウェルス部門だけであるという。「不動産部門は彼（トランプ）に金を貸すのを拒否した」と彼は言う。しかし、おそらくは上級リスクマネージャーとコンプライアンス部が、両部門の頭越しにこの決定を了承したのだろう。

普通ではまずありえないことだが、これでトランプはさらに大きな借り入れができるようになった。そして、マイアミにあるトランプ・ナショナル・ドラルについた二つの抵当を外し、一億七〇〇〇万ドルを借りて、ワシントンにある元郵便局の建物を利用したホテルを完成させた。この資金を貸し付けたのはプライベートウェルス部門である。ちなみにシカゴのときに借りたローンはまだ残っている。

ブルームバーグの分析によると、トランプが第四五代大統領になったとき、ドイツ銀行から三億ドル近い金額を借りていたという。残っている四つのローンすべては、二〇二三年と二〇二四年に返済期限を迎える。

これは大統領になる人間としては過去に類をみない額であり、ここからは利益相反というやっかいな問題も生まれてくる。仮にドイツ銀行に規制違反の疑いがかかった場合、捜査を担当するのは司法省であり、報告はトランプに対して行われる。同省がどれだけ公平な捜査をするのか、外から判断するのは困難だ。また、仮にトランプがふたたび支払い不能に陥ったとして、現職の大統領を相手にドイツ銀行はどのような法的措置をとればいいのだろうか。

これと時期を同じくして、ドイツ銀行はある異常な活動に手を染めていた。規制当局に目を付けられ、ひいては処罰を受けることにもなりかねないような活動だった。じつはこの銀行は、マネーロンダリングを行っていたのである。金の出どころはロシアだった。規模もけっして小さいものではなく、その額は数十億ドルにのぼった。モスクワからロンドンを経由してニューヨークに流れるこの不透明なマネーは、かつてフレデリック・トランプが働いていた場所に蓄えられ、その子孫に巨万の富へとつながる道を開いていた。

二〇〇五年、ドイツ銀行はその頃すでにモスクワで高い評判を獲得していたブティック型投資銀行、UFGを買収する。UFGの会長を務めていたのは、創業者の一人でもあり、リバタリアン的な思想を持つチャーミングなアメリカ人バンカー、チャーリー・ライアンだった。また、そのパートナーは、エリツィン時代に財務大臣を務めたボリス・フョードロフであった。西側諸国と東側諸国の両方でバランスよく事業を展開し、国際的であると同時に地域密着の活動も行ってきたこの投資銀行の買収は、ドイツ銀行のモスクワ進出の足がかりになるはずだった。

このときドイツ銀行の積極的な拡大戦略を主導していたのは、のちに共同最高経営責任者となる、アンシュー・ジェインであった。彼は、銀行にとどまるようライアンを説得したうえで、新しく設立されるドイツ銀行モスクワ支店のトップに据える。そして、大きなポテンシャルを持つロシアでの利益を手にするため、ジェインは賛否両論の戦略をとる。それは政府関係者とのコネクションをつくることであった。

ようするに、ジェインはロシア政府と親友になりがっていたのである。

これを実現させるための一つの方法は、コネを持つ人物を採用することだ。その頃、ロシアで最も力のあるバンカーはアンドレイ・コスティンであった。以前、シドニーやロンドンでソビエト連邦の外交官として活動していたコスティンは、諜報筋からはKGBのスパイであるとみなされていた。そして一九九〇年代に開発対外経済銀行（VEB）のトップに就任する。とある元CIA分析官が「クレムリンのクッキー缶（お金を隠しておく場所）」と評した機関である。さらにそのあと、コスティンはプーチンによって同じく国営の機関である外国貿易銀行（VTB）の会長に任命される。彼は海外進出を推し進め、VTBは一九の国で業務を展開するようになるが、その活動は現地当局の監視が最低限しか行き届かない場所で行われた。この監視の緩さは、ロシア政府がVTBを国をまたいだセンシティブな活動に利用できることを意味した。二〇〇五年、VTBは、旧ソ連時代にはおもにスパイ活動と西側諸国にいる共産主義勢力への送金に使われていたと言われる二つの銀行を合併、吸収している。一つはロンドンを拠点とするモスクワ・ナロードニキ銀行、もう一つはパリにあるユーロバンクであった。

ジェイン率いるドイツ銀行は、まだ二〇代だったコスティンの息子を雇うことにした（ちなみに息子の名前もアンドレイだが、コスティン自身が Andrey であるのに対し、息子は Andrei である）。

そして二〇〇七年の春、コスティン・ジュニアがロンドンからモスクワに転勤になると、直後から多くの仕事が舞い込みはじめる。ここにはおそらく父親の支援があったものと思われる。ドイツ銀行はVTBと数多くの取引をし、多額の利益を挙げた。

ある試算によれば、モスクワにおけるこのドイツ銀行の子会社は、一年あたり五億ドルから一〇億ドルほど利益を挙げており、全収入の五割から八割程度をVTBとの取引に依存していたという。こうした状況は、他の職場を求めて就職活動中のドイツ銀行の現役スタッフ複数名から得た情報によって判明したものだ。モスクワで活動するほかの投資銀行は、同行の驚異的な業績を見て、悔しがると同時にあやしんでもいた。

当時、ゴールドマン・サックスでモスクワの代表を務めていたクリス・バーターは、「彼らは非常に奇妙なことをやっていた。その事業を理解できる者は誰もいなかった」という。彼はさらにこう続けた。「彼らのビジネスとVTBのつながりは我々にとって非常に腹立たしいものだった。なにせ、彼らのほかには誰もVTBと接触できないのだから」

ドイツ銀行の成功が、新しく開拓したロシア政府関係者とのつながりによるものなのはあきらかだった。モスクワでは周知の事実だが、VTBはただの銀行ではなく、ロシアの諜報組織とつながっている。プーチン政権のFSB長官ニコライ・パトルシェフと、その後任のアレクサンドル・ボルトニコフは二人とも、自分の息子をVTBで働かせている。またVTBの副最高経営責任者であるヴァシリー・チトフは元はFSBの評議会で議長を務めていた。トランプとビジネス上のつき合いがあった人物によれば、フェリックス・サターはマイケル・コーエンに送ったメールのなかで、モスクワのトランプ・タワー建設についてVTBが融資に同意した、と述べている。

つまり、強いつながりを持つ人間たちが、ドイツ銀行を（少なくともそのモスクワにおける関連会社を）助けていたのは間違いなく、場合によってはトランプもその恩恵を受けていたかもしれないということだ。

これはたんなる親切心から出た行動だったのだろうか？　それとも彼らは何か見返りを期待していたのか？

モスクワは欧米の国外居住者、とくに若い独身の男性にとっては魅力的な移住先だ。なぜならそこには〈デヴーシュキ〉と呼ばれる、積極的に外国人との出会いを求め、英語の練習をしたがっている、長い脚をした魅力的なロシア人女性が大勢いるからだ。モスクワ生まれもいれば、地方から出てきたばかりの娘もいる。数多くあるナイトクラブやパーティーでは、乾杯のコールとともにウォッカの一気飲みがくり返され、大いに盛り上がる。モスクワでの友達付き合いは、自分の国にいるときよりもつねに濃密かつ深いものになる。

二〇〇〇年代に入ると、このロシアの首都はオイルマネーで沸き返り、多くのチャンスが生まれた。だがこの国の豊かさに引きつけられたある人物が発見したように、そこには負の側面もあった。

ティム・ウィズウェルは、ニューヨークから一六〇キロ北東に位置する、コネチカット州オールド・セイブルックで生まれ育った。父親がロシアのオイル・ガス業界で働いていたことから、彼は移住者というよりは「帰還者」と言える。ウィズウェルは一七歳のときにモスクワのアングロ・アメリカンスクールで一年を過ごし、その後、進学のためにアメリカに帰った。

二〇代半ばになってモスクワに戻ったウィズウェルは、オリガルヒであるミハイル・フリードマンが所有するアルファ銀行に就職する。その後、ドイツ銀行に移ると、二九歳のときにロシア株式を扱う部門のトップになる。また彼には、ナタリア・マコシーというロシア人のガールフレンドがいた。美術史の研究家である彼女とはモスクワのディナーパーティーで出会った。

だが、二〇〇八年に起きた金融危機の影響で、ドイツ銀行がロシア国内の事業から上げる利益は半減する。そのため、トレーダーたちはなんとかして収益を増やす必要に駆られていた。ゴールドマン・サックスのバーターによれば、ウィズウェルの時代にドイツ銀行で「何らかの不正な活動」が行われたのは間違いないという。

「それほど年のいっていないブローカーらしき男たち」が、大型ではあるが金額は未確定の取引をゴールドマン・サックスに持ちかけてきたときのことを、バーターはよく覚えている。彼らは複数の大物ロシア人の代理として来たようだったが、雇い主の名前については明かそうとしなかった。バーターいわく、大本のクライアントの正体は「複数のペーパー・カンパニーで」何重にも隠されており、取引に必要な調査は不可能だったという。そのため、彼はこの取引を「ものの五秒で」断った。

どうやら彼らはこれと同じ提案を、ウィズウェルにも持ち込んだようだ。そしてそこでは、よい返事を得る。その後、二〇一一年から二〇一五年二月までの五年にわたって、ウィズウェルはドイツ銀行モスクワ支店の株式デスクのトップとしての立場を利用して、マネーロンダリングを取り仕切った。ニューヨーク州金融サービス局（ＤＦＳ）の調べによれば、このスキームを通じてロシアから欧米に流れた金額は一〇〇億ドルを超えるという。

その手法は単純かつ強力だった。まずはロシア人のクライアントが、ガスプロムやロシア貯蓄銀行（ズベルバンク）といった優良株式をドイツ銀行のモスクワ支店から購入する。この支払いはルーブルで行われる。注文一つあたりの規模は、おおむね二〇〇万ドルから三〇〇万ドルといったところだ。その後しばらくして、今度は非ロシア人の「顧客」が、まったく同じ数の株式をロンドンにあるドイツ銀行に売却する。この支払いはドルである。

この「ミラートレード」はフェイクであり、そこに経済的な必然性はない。売り手が拠点を構えるのは、キプロスやイギリス領ヴァージン諸島などのオフショア地域である。買い手と売り手は、お互いに関係を持つオーナーやエージェントを介して裏でつながっている。少なくとも一二の企業がこの方法を使って、不正にルーブルをドルに替えていたようだ。金はオフショアの銀行口座に隠されていた。

こうして、モスクワ、サドヴニチェスカヤ・ストリート八二番地の第二ビルディングにある、ガラス張りの近代的なオフィスから、ウォール・ストリート六〇番地へと、二つのドイツ銀行の支店のあいだで数十億単位の資金が移動した。取引は全部で六〇〇〇回近く行われたという。ニューヨーク、ロンドン、フランクフルト、あるいはそれ以外の金融センターでも、誰一人としてこの仕組みを見破った者はいなかった。

ヨーロッパのある銀行を含め、何度か疑いの声は上がったものの、ウィズウェルは言下にそれを否定した。ニューヨークの規制当局によれば、彼はその欧州の銀行に対して、「心配する理由は何もない」と言ったという。ウィズウェルは取引相手のロシア人に対しては立場を認め、「仲間である」と考える一方で、自分の同僚に対しては、「作業が遅れて、取引が円滑に進まないとわかったときには」、怒鳴りつけたり脅したりすることがたびたびあったようだ。

モスクワのウィズウェル率いる株式デスクには二〇名の職員がおり、そのメンバーはロシア人とアメリカ人が入り交じっていた。そして、顧客を喜ばせるのもこの部署の役割の一つだった。これはつまり、スキー場や高級ナイトクラブでの接待、あるいは休日の付き合いなども業務に含まれることを意味する。ときにはクライアントの側がお返しをすることもあった。ウィズウェルのビジネスパートナー兼スキー仲間のなかには、ラントゥルノというモスクワを拠点とするファンドのオーナーであるドミトリー・ペレバロフもいた。

四〇歳の誕生日のとき、ペレバロフはゲストたちをプライベートジェットに乗せて、モーリシャスへと飛んだ。この飛行機はロシア正教会で最も位の高い聖職者であるモスクワ総主教キリル一世のものであったが、ペレバロフはそれを貸してもらったのだった。招待客のなかにはウィズウェルもいた。この週末旅行は「妻たちのために」というコンセプトだったため、ナタリアも一緒だった。

この旅行に参加したあるゲストはウィズウェルのことを、カリスマ性がありチャーミングであった、と評した。実際、背が高くてハンサムなウィズウェルは、典型的なアメリカの好男子だと言えるだろう。ただ、金融知識については「全然たいしたことがなかった」という。

「彼にはまともに語れるものが何もなかった。それにひどくロシア語が下手だったのを覚えている。私たちは、彼が普段まともに仕事をしているのか疑ってしまったよ」とその人物は言い、さらにウィズウェルの妻について、「みなとまったく打ち解けずに、その週末のあいだ自分の友達だけでかたまっていた」と付け加えた。

ゲストたちが泊まったのはこのインド洋に浮かぶ島の東海岸に位置する、フォーシーズンズホテル・アット・アナヒタという高級リゾートだった。

ペレバロフは自分のバースデーパーティーに華を添えるために、有名人も招待していた。ロシアのラッパー、ティマティである。ティマティはここでコンサートをした。満天の星空のもと、海とマングローブの森をバックに、ゲストたちはティマティの大ヒット曲「Welcome to St. Tropez（サントロペにようこそ）」に合わせて踊りまくった。

さあ、パーティーだ
銀行の口座には金が山積み
両手を高く突き上げて、喚け、叫べ

酒、貸し切りの別荘、ラグーンでの水上スキー……。ここにはすべてが用意されている。「一体誰があの金を払っているのか、私には疑問だった。あれはまったくクレイジーだった」そのゲストは私にそう語った。招待客のなかには、元バーテンダーであるペレバロフのことをほとんど知らない者もいたが、ウィズウェルをはじめとする本当の友人は、彼をジーマというあだ名で呼んでいた。

そして、たいした人物であったかどうかはともかくとして、ウィズウェルが裕福になっていったのは事実だ。彼は二〇一〇年にロードアイランド州ニューポートでナタリアと結婚式を挙げた。また、ちょうどミラートレードが行われていた時期に、ナタリアは二つのオフショア企業の実質的な所有者になっている。一つはイギリス領ヴァージン諸島、もう一つはキプロスの会社である。二〇一五年には、取引先から彼女の口座に二五万ドルが振り込まれている。名目は「金融コンサルティング料」であった。その後も似たような名目で、ベリーズにある二つの会社を通じて、合計三八〇万ドルが振り込まれた。

これらは「未申告の報酬」であり、ＤＦＳによって「賄賂」にあたると判断された。そしてこの送金を処理したのは、ニューヨークのドイツ銀行だったのである。

ザ・ニューヨーカー誌でドイツ銀行のスキャンダルについての長編記事を書いたエド・シーザーによれば、ウィズウェル夫妻は実際にはさらに多くの金を受け取っており、そのもとにはバッグに詰めた現金が届けられていたという。賄賂の目的は、「つなぎ止めておくためだ。金を受け取れば、妙なことはできなくなる」と、あるモスクワのブローカーはシーザーに語る。「土産を送るのが、奴らのいつもの手なんだ」

だが、二〇一五年の八月に終わりはやってくる。ドイツ銀行がウィズウェルを停職にし、すぐに解雇したのである。そして、彼は姿を消した。そのあとフェイスブックには東南アジアとバリ島で、子ども二人と一緒にいるウィズウェル夫妻の写真がアップされている。ただ、アメリカ当局に追われているとされるウィズウェルは、現在はモスクワに戻っていると見られる。友人の一人はザ・ニューヨーカー誌の記事の中で彼のことを「金融界のエドワード・スノーデン」と呼んだ。私は彼の担当弁護士であるエカテリーナ・デュキナにコメントを求めたものの、拒否された。ドイツ銀行の解雇を不当であると訴えた裁判のなかで、自分はスケープゴートにされたとウィズウェルは主張している。さらに、ロンドンにいる管理職二人を含む、二〇人近い職員がこのミラートレードを知っていたはずだとも彼は述べた。

この事件はドイツ銀行の信用をひどく傷つけただけでなく、非常に高くついた。ニューヨークにある支店であれば、どの銀行に対しても営業停止処分を下す権限を持つＤＦＳが、ドイツ銀行に四億七五〇〇万ドルの罰金を科したのである。同様に、ロンドンの金融行動監視機構（FCA）は一億六三〇〇万ポンドの支払いを命じた。この一件についてドイツ銀行は、プロジェクト・スクエアと呼ばれる内部調査を行っている。

だが、この調査では計画の裏にいたロシア人たちを突き止めることはできなかった。誰が関与していたのか。数十億ドルという金はどこに行ったのか。その金はどこから来たのか。すべてはわからないままだ。ただ、数多くの大物やクレムリンのインサイダーとのつながりを利用して、事実上ドイツ銀行はこの不正な資本逃避を助けていた。

ちなみに前述の罰金が科されたのはトランプが大統領に就任した一〇日後のことである。広い視点で見ると、ここからは不穏な絵が浮かび上がってくる。どうやらドイツ銀行のモスクワ現地法人は、FSBの代理と言えるロシア国営銀行VTBの手の内にあったようだ。しかも、ロンドンやニューヨークの支店までがこの仕組みの恩恵を受けていた。そしてこの企みが進行しているさなかに、ニューヨークのドイツ銀行は将来のアメリカ大統領に数億ドルの資金を貸し付けていた。

民主党の議員たちが解明したいのは次の一点であった。すなわち、ここにつながりはあったのか？

いい質問だ。

私は、ドイツ銀行がトランプに貸した金についての情報を集めようとしたが、うまくいかなかった。また、民主党の議員たちも同じであるようだった。

しかし、ここには問われて当然の疑問がいくつも存在する。以下に列挙してみよう。

ドイツ銀行は過去に、トランプの債権を海外の事業体に販売したことがあるのか？

また、ドイツ銀行とトランプ政権のあいだではどのような話し合いがなされているのか？　トランプ本人やその家族を優遇したことはあるのか？　二〇〇八年にトランプが支払い不能に陥ったあと、追加で融資をしようと決めたのは誰なのか？　ロシアに登記されたあるいはロシア人がオーナーを務める団体が、その費用の一部を負担しているということはないか？　司法省によるミラートレードへの調査が進行中であるために、ドイツ銀行は大統領の関与を隠蔽しようとしているのではないか？

しかしすべての疑問は、それがいかなる形で行われようとも、最後には壁に突き当たってしまう。ロンドンとフランクフルトにあるドイツ銀行の広報室はコメントを拒否している。どうやら、納税申告書すら公開していないこの大統領に関する情報を、一切出さないつもりのようだ。ドイツ銀行のこうした非協力的な態度は理解に苦しむ。何かを隠しているのか？　それとも、トランプ率いるホワイトハウスが何かをするのを恐れているのだろうか？

一方その頃、私は、ロシアでのもう一つマネーロンダリングスキームの全貌をつかみつつあった。そしてそこにもドイツ銀行が関与していたのである。モスクワの一部の銀行は、グローバル・ローンドロマット（セルフサービスのコインランドリーのこと）と呼ばれるこの仕組みを使ってミラートレードとは異なるルートで現金を海外に運び出しており、プーチン大統領のいとこであるイーゴリ・プーチンもそうした銀行の役員の一人だった。ローンドロマットは二〇一〇年から二〇一四年にかけて行われており、この方法で洗浄された資金は最低でも二〇〇億ドル、実際には八〇〇億ドルにのぼると思われる。

じつは、私とガーディアン紙の同僚であるニック・ホプキンズが、二〇一六年一二月にロンドンのパブシェイクスピアでクリストファー・スティールと会ったのは、この件の調査を進めるためだったのだ。

ロ－ンドロマットには、イギリスに登記された複数のペーパー・カンパニーが関与している。まずはこれらの会社同士で、（少なくとも帳簿上）金の貸し付けをする。次にロシアの企業がこの「借金」の保証人となる。その後、Ａ社はＢ社への返済を怠るが、通常、関係者はモルドバ国籍の人物である。そのため、両社は紛争をモルドバの裁判所に持ち込み、判決を得て、保証人であるロシア企業に支払いを求める。

すると、あら不思議！　ロシアの企業から数億ドルもの資金が合法的にモルドバの首都キシナウに移転する。その後、この金はラトビアのトラスタ商業銀行に移されると、そこから世界九二カ国にばらまかれて、その大半がオフショアに消えていく。モルドバの裁判所を使うというのは見事なアイデアだった。

ただ、ここではラトビアのトラスタ商業銀行は、ドル建ての取引を欧米の銀行に処理してもらう必要がある。しかし、ＪＰモルガン・チェースをはじめとするアメリカの銀行のほとんどは、ヨーロッパのマネーロンダリングのハブとして悪名高いリガ（ラトビアの首都）へのサービス提供を拒否する。この取引に乗った銀行は二つだけで、ともにドイツの銀行であった。一つはドイツ銀行、もう一つはコメルツ銀行だ。

つまり、ここでもドイツ銀行は、ロシアのブラックマネーを世界の金融システムに送り込む入り口になっていたのである（ドイツ銀行とトラスタ商業銀行の付き合いは、同行がマネーロンダリングの容疑で二〇一六年にラトビア当局によって閉鎖される直前まで続いた）。ＤＦＳによれば、当初ドイツ銀行はロシアを「ハイリスク」な国に分類するのを嫌がっており、協力関係にあるほかの銀行が基準を厳しくしたあとに、ようやく評価を変えたという。

　このドイツ最大の銀行は全体として多くの問題を抱えていた。職員の士気は低く、膨大な損失を計上しているうえに、記録的な額の罰金を科されている。二〇〇五年には、ロンドン銀行間取引の金利であるＬＩＢＯＲの不正操作をしたとしてＤＦＳから懲戒処分を受けた。また、制裁の対象となっていたイラン、リビア、シリア、ミャンマー、スーダンの企業の代わりにドル建ての取引を処理するという、制裁破りに関しても罰金を科されている。さらに、二〇〇八年金融危機の以前にハイリスクなモーゲージ債を販売していたことについても、七二億ドルを支払っている。

　ドイツ銀行への直接の取材は拒否されてしまったため、私たちは違う方法でアプローチを試みた。同行の現役、あるいは元職員に話を聞くことにしたのである。アジアとニューヨークの株式を扱う部門で働く、ある幹部職員は、ドイツ銀行の問題はこうした不正行為だけにはとどまらないと言い、次のような話を続けた。

　二〇〇八年の金融危機によってドイツ銀行は大きなダメージを受けた。そして、バランスシートに空いた穴を隠すため、一部の職員が「ヘアー（髪の毛）」と形容される――つまり、複雑で、裁量の余地が大きく、場合によっては違法行為になる可能性のある金融処理を始める。こうした黒い手法は組織内に広がっていった。そしてそのなかには、「マニュアルには載っていない」仕組みを利用して、銀行の外部にいる関係者に高リスクのローンを担保させるための斬新かつ不透明な方法が含まれていた可能性がある、とこの幹部職員は言う。

　トランプは、この時期にロシアからの資金提供を受けていたのだろうか？　この問題は大統領の頭から離れないはずだと、元ＭＩ６長官のリチャード・ディアラブは述べる。彼はプロスペクト誌の取材に対して次のように答えている。「トランプに関する疑惑は、二〇〇八年の金融危機のあと、欧米の金融機関から融資を受けられなかった時期に、ロシアから金を借りるため、彼がどのような取引をどのような条件でやっていたかという点だろう」（ディアラブは、トランプ陣営とモスクワの不正なつながりに関する疑惑を、「史上類を見ない」ものであるとも評している）。

また、ドイツ銀行と深い付き合いがあったのはトランプ本人だけではない。この銀行は彼の家族全員の面倒を見ていた。ジャレッド・クシュナー、イヴァンカ、さらにクシュナーの母セリル・シュタットマウアーも全員がドイツ銀行の顧客だ。クシュナー一家とドイツ銀行との関係があきらかになったのは、二〇一三年にクシュナーが義父の資産運用アドバイザーであるローズマリー・ブラブリックに、トランプの信用情報（プロフィール）を脚色するよう依頼したときのことだ。ちなみにこのプロフィールは、クシュナーが所有する不動産情報サイト、コマーシャル・オブザーバーに掲載された。

ブラブリックはシティバンクの元職員で、二〇〇六年にドイツ銀行に入行した。そして二〇一四年、ニューヨークのフリック美術館においてフェルメールやゴヤの作品が並ぶなかで開かれた晩餐会で、クシュナーと知りあった。トランプはマスコミの前で彼女のことをドイツ銀行の「ボス」と呼び（これは誤りである）、大統領就任式にも招待したとニューヨーク・タイムズ紙は報じている。

我々に情報を提供してくれたドイツ銀行の関係者によれば、大統領になるべく行動を開始したことでトランプはＰＥＰ（公的地位を有する人物）になった。一般に、銀行はＰＥＰに関して注意深く調査を行う義務がある。そのため、ドイツ銀行はトランプとその親戚への貸し出しについて詳細な調査をした。目的はロシア人とのコネクションと、トランプへの融資とのあいだに関係があるかどうかをあきらかにすることであった。ＤＦＳはこの調査結果の提出も求めている。

ただ、情報関係者によれば、調査の結果はシロであり、モスクワとのつながりは見つからなかったという。だがそれにもかかわらず、ドイツ銀行は公式発表もしなければ、この内部調査の詳細を議会に提供することもなかった。上院議員たちは、ドイツ銀行はプライバシーを盾に協力を拒んでいると抗議している。議会はミラートレードについても知りたがっているが、ドイツ銀行は同様に曖昧な言い逃れをしている。

上院議員のクリス・ヴァン・ホーレンは、ドイツ銀行アメリカ法人のＣＥＯ、ビル・ウッドリーに宛てた手紙のなかで、同行のクシュナーへの融資に懸念を表明している。以前より存在した二五〇〇万ドルの信用供与に加え、クシュナーは二〇一六年一〇月には二億八五〇〇万ドルの融資を受けている。この資金は、前年にクシュナーがロシア人のレブ・レヴィエフから購入した、旧ニューヨーク・タイムズ・ビルのローンに充当された。

この融資が実行されたのは、ロシア政府の関係者がクシュナーの注意を引こうと躍起になっていた頃とだいたい同じ時期である。クシュナーがセルゲイ・キスリャクと初めて会ったのは、四月にトランプがワシントンにあるメイフラワー・ホテルで自身の外交指針についてのスピーチを行ったときのことだった。本人いわく、握手とあいさつをしただけだという。そしてあのナタリア・ヴェセルニツカヤとの会合が終わったあと、一一月一六日にふたたびキスリャクから会いたいとの連絡を受けている。この時点でクシュナーが将来、大統領の上級顧問になるのは決まっていた。

クシュナーとキスリャクの会合は一二月一日にトランプ・タワーで行われた。その場にはマイケル・フリンもいた。そこでクシュナーは普通ならありえないような提案をする。彼はキスリャクに、可能ならトランプの政権移行チームとロシア政府とのあいだで、極秘かつ安全な通信ルートを構築しないかと持ちかけたのだ。目的はどうやら、現行のオバマ政権やアメリカの諜報機関に知られないように連絡を取り合うことのようだった。ようするに裏ルートである。

クシュナーはこれをアメリカにあるロシアの外交施設を使って実現できないかと考えたのだった。だが、この提案はあまりにウブだと言える。もしクシュナーやフリンがロシア大使館を理由なく訪れれば、アメリカの諜報機関は確実にそれに気づくだろう。

FBIはこの会話を盗聴してはいなかったが、のちにキスリャクがモスクワに戻って上司に報告した際に、この会合の存在に気づいた。FBIが傍受したところでは、キスリャクはこのクシュナーの異常な提案に驚いていたようだった。モスクワが自国が持つ暗号化ネットワークをアメリカ人に使わせることはまずありえないからだ。トランプの政権移行チームはこの密談については何も発表していない。事情を知ったある人物が驚いて、この件の詳細を匿名でワシントン・ポストに送ったのである。

また、どうやらロシア側からすると、トランプの側近たちに近づく努力をする必要はあまりなかったようだ。そこでキスリャクはある提案を思いついた。おそらくクシュナーはプーチン大統領ともっと「直接的なつながり」を持つモスクワ関係者と会いたがっているのではないか?

この提案の詳細は一二月一二日に、キスリャクと、クシュナーのアシスタントであるアヴィ・バーコウィッツとのあいだで合意される。プーチンが送る使者は銀行員、いや、より正確にいえば、銀行のスパイであった。名をセルゲイ・ゴルコフという。ゴルコフはロシア国営の開発銀行、VEBのトップであった。かつてコスティンが運営し、首相を務めていた四年間のあいだにプーチンが取締役に名を連ねていた組織である。

ロシアの諜報機関とカーター・ペイジとの関係において、おもな役割を果たしていたのもVEBだ。マンハッタンにあるVEBのオフィスはスパイの前線基地だった。カーター・ペイジについて話し合っていた（彼を「やつはちょっとバカなんだと思う」と評した）ロシア対外情報庁（SVR）の二人の職員は、VEBの職員という名目で働いていたエフゲニー・ブリヤコフとともに動いていた（ブリヤコフは不運にも、登録をせずに海外エージェントとして活動していたとの罪で二〇一五年に投獄されている）。

中堅レベルの諜報員であったブリヤコフやアメリカに派遣された二人のSVR職員よりも、ゴルコフは格上で、そのキャリアは輝かしいものだった。彼は一九九〇年代にロシア連邦保安庁アカデミーで訓練を受けたあと、ユコスや国営銀行のズベルバンクで働いた。VEBと同じく、ズベルバンクはロシア政府の機能の一部を担っている。この銀行は、トランプが出席しアガラロフが主催した、モスクワ開催の二〇一三年ミス・ユニバースコンテストの公式スポンサーだった。コンテストの八日後、ズベルバンクはアガラロフの新しいプロジェクトに五五〇億ルーブル（一三億ドル）を融資すると発表する。そしてそのプロジェクトにはモスクワのトランプ・タワー建設も検討事項として含まれていた。二〇一六年二月、プーチンはゴルコフをVEBのトップに昇進させている。

VEBの役割はモスクワの政策実行を支援することである。ソチオリンピックの設備建設費用を用立て、ウクライナ東部の分離主義者たちに資金を提供する。だが、こうしたトップダウンの投資によって、VEBは資金を失い、大きな赤字を抱えていた。二〇一四年、アメリカはVEB、VTB、ズベルバンクを制裁対象のリストに加えている。これはプーチンが最初にアメリカの家族とロシア人の子どもの養子縁組を禁止してから二年後のことだった。VEBの資産を取り戻すのがゴルコフの使命であった。

KGBの時代にはジェルジンスキー・ハイスクールとして知られていた学校の卒業生にふさわしく、ゴルコフはクシュナーとの会合に向けて入念な準備をした。そして彼はモスクワを出発する。飛行機のなかには贈り物が用意してあった。それは美術品と、ベラルーシの北西部にあるナヴァフルダク（Novogrudok）という街から丁寧に掘り出して取り寄せた土だった。

クシュナーの父方の祖母であるレイ・クシュナーが育ったこの街は、一九四一年にドイツ軍の侵攻を受けている。一斉に検挙されたユダヤ系の住人は、農業施設に入れられて強制労働を余儀なくされる。約半数は処刑された。生き残った者たちはトンネルを掘り、一九四三年の九月に施設から這いだし、森へと逃れた。

FSB所有のクシュナーに関する分厚い情報ファイルには、こうしたエピソードをはじめ、多くのデータが含まれていた。ゴルコフが選んだプレゼントには、クシュナーに、祖先がかつてソビエト連邦の一部であった場所に住んでいたことを思い出させ、精神的なルーツに思いを馳せてもらおうという狙いがあった。だがこの細やかな配慮は無意味であった。事実、クシュナーはのちに、プーチンの使者は「土の入った袋」をよこした、と報告している。しかもそのなかで、それは「ナヴゴロッド（Nvgorod）」のものだったと、祖母の誕生の地の綴りを間違えている。

会合が行われたのは一二月一三日だ。クシュナーによれば、ゴルコフは自己紹介をしたあと、「ロシアの経済について意見を述べた」という。この銀行員は、自分はプーチンと親しいとことわったうえで、オバマ政権下におけるアメリカとロシアの関係には失望していると述べ、さらに「よい関係を築きたいとの考え」を表明した、とクシュナーは議会の委員会で証言している。

また、制裁措置の撤廃についての話は出なかったし、こちらから商業的な取引を持ちかけることもしなかったと彼は言う。

クシュナーはこの会合は短く、あまり意味のないものだったと説明したが、公式の記録は残っていないため、それを証明するのは困難だ。結局のところ、ロシア経済の話をするのに当時の不況について触れないのは難しいだろう。その後ゴルコフは、ニューヨークから直接、プーチンがサミットに出席中の日本に飛んだ。この銀行員が会合についてボスに報告したのはおそらく間違いない。

自分とロシア政府関係者とのやりとりに関して、クシュナーが発表した公式声明は一一ページに及ぶものだが、内容は平板かつ無味乾燥であり、誰かの手が入っているのはあきらかだ。この文章では何も不正はなかったとされている。忙しい選挙戦の最中に、取るに足りない会合に何度も出席したのが事実だというわけだ。キスリャクの名前は覚えていないと彼は言う。秘密の通信手段もなければ、ビジネスをするうえで「ロシアのファンド」に頼ったこともない。ようするに、やましいことなど何もない。

ただ、こうした主張にもかかわらず、ロシアの諜報機関にとってトランプの関係者への接触はずいぶんと容易だったようだ。外交官、弁護士、土の入った袋を持った銀行員……、彼らはみな、二〇一六年のあいだにトランプ・タワーにたどり着き、歓迎を受け、話を聞いてもらっている。ゴルコフは多人数による接触戦略の一例に過ぎない。この舞台の裏では、キスリャク、ヴェセルニツカヤ、アガラロフ親子に加え、他にも知られていない多くの人物が動いている。

クシュナーが標的になったのには合理的な理由がある。彼はその後すぐに連邦政府の職員になる予定だったし、税制から、銀行業務、軍事、国際関係にいたる幅広い分野に関わってきた。また、誰が解雇されてもおかしくない、移ろいやすいホワイトハウスにおいて、大統領の義理の息子という地位はまさに揺るぎないものだった。

ロシア人たちとの会合で、クシュナーはモスクワによるアメリカ民主主義への攻撃については何も触れなかった。

そしてその後も、彼らと会ったことを黙っていた。これはトランプ政権も同じだ。自身の個人情報証明書に、クシュナーはゴルコフやキスリャクについては何も記載していない(クシュナーいわく、これは部下による手続き上のミスであるという。また、外国人とのすべての会合の詳細を記載しているわけではない、とも説明した)。国民がこのことを知ったのはリークがあったからにすぎない。

二〇一七年の秋までに、私たちをスティールに引き合わせた疑問はより明確な形をとっていた。すなわち、モスクワはトランプを脅していたのか? もしそうだとすれば、どんなやり方で? 大統領候補であったとき、トランプはつねにプーチンを称賛しつづけた。そして、ホワイトハウスに入ってからも、他の世界の指導者たちをこき下ろし、側近や協力者たちに突っかかり、FBIの長官を解任し、司法長官を怒鳴りつけ、自身のイデオロギーの中心をなす人物であったスティーヴン・バノンを放り出したにもかかわらず、ロシアの大統領に対する忠誠は変わらなかった。

トランプが、珍しくロシアに対しては一貫した態度をとっていることについて、スティールの報告書には非常に説得力に富む説明がある。まず第一に、モスクワはトランプのコンプロマート入手作戦を、クリュチコフの時代から三〇年かけて行ってきた。もしトランプが何らかの醜聞を招くような行動をとったとすれば、プーチンはそれを知っているはずだ。

第二に、そこには金がからんでいる。ロシアから出発した現金がトランプの不動産事業に流れ込んでいるのである。トランプが候補者として熱狂的な支持者たちを前に演説を行っているとき、モスクワにホテルやタワーを建てるという大きな儲けが見込める計画は交渉の最中であった。

さらに、融資の問題もある。二〇〇八年のあとに、トランプを救ったあの融資だ。その金は当時、数十億ドルに及ぶロシアマネーを洗浄していた銀行から出たものだった。

そして最後に、まだあきらかにはなっていないが、この大統領は他の形でもモスクワと金銭面でつながっている可能性がある。おそらくは彼の消えた納税申告書のなかに手がかりがあるはずだ。

こうした要素をすべて合わせると、トランプは何らかの義務を果たすために行動していたのではないかと思える。ハンブルクでの大統領のプーチンへの求愛行動は、その一例なのかもしれない。もう一つは、トランプの選挙対策チームならびに政府の（とくに最初期の）構成だろう。そこでは、どこを見てもロシアとのつながりが出てくる。

トランプが選んだ国務長官は誰だったか？　モスクワでの知名度が高く、信用もあり、友好勲章を受章しているレックス・ティラーソンである。国家安全保障担当補佐官は誰か？　プーチンのディナーに同席し、申告なしにロシアからの報酬を受け取っていたマイケル・フリンだ。選対本部長は？　旧ソ連のオリガルヒたちと長いあいだ交友関係にあったポール・マナフォートだ。外交顧問は？　モスクワへの内通者であるとされ、プーチンのスパイに資料を提供していたカーター・ペイジだ。商務長官は？　ロシアがらみの投資を行っている実業家、ウィルバー・ロスだ。顧問弁護士は？　プーチンの報道官にメールを送ったマイケル・コーエンだ。ビジネスパートナーは？　ロシア系アメリカ人マフィアのボスの息子、フェリックス・サターである。そして、ロシアとつながりのある人物はほかにも大勢いる。

これではまるで、プーチンがトランプ内閣のメンバーを指名したかのようだ。もちろん、実際に選んだのはあのアメリカの大統領である。しかし、選ばれたメンバーの配置と、一人残らずロシアとのつながりを持っているというその特徴からは、澄んだ夜空に浮かぶ星々と同じように、一つの絵が見えてくる。すなわち、『共謀』だ。

もしトランプが、モスクワへの訪問や、ロシア、ソビエトの使者たちとの付き合い、あるいはそのからまり合った金銭をめぐる関係について真実を話しているというなら、何も恐れるものはないはずだ。しかしこれはまず考えられない。

もし彼が嘘をついているとすれば、状況は深刻だ。遅かれ早かれ、真実の波が彼を大統領の座から流し去ることになるだろう。

エピローグ

2017年〜？
ワシントン－モスクワ

「馬鹿なイカサマ師は、馬鹿なイカサマをして、この宇宙でいちばん賢いやつだと思ってやがる。だが、きさまなんかただのクズだ。わかったか！」

――ジョン・ル・カレ
『スパイたちの遺産』

大統領に就任して一年目を迎えようとしているいま、トランプの業績と言えるものはほとんどない。実際、何も思いつかない。移民対策や税制改革に関するツイート、支持層に向けた演説、北朝鮮の独裁者、金正恩に投げかけた個人的な侮辱など、無意味なたわ言はたくさんあった。だが、アメリカの傷を癒やすとか、共通の価値観を取り戻すとか、痛ましい人種格差・文化格差を軽減するといった業績は一つもない。

トランプ政権は数々の問題に苦しんでいる。だがその大半は、自ら生み出したものだ。トランプの盟友であるべき人たちでさえ、不満を訴えている。共和党上院議員で上院多数党院内総務を務めるミッチ・マコーネルとトランプとの関係は、もはや話もできないほど悪化している。大統領側からも、連邦議会を非難する声がたびたび聞こえる。

トランプ政権下で、共和党は上院・下院双方の支配権を握っているが、それでもトランプ大統領が、現代史上もっとも力のない大統領であることは間違いない。そのエネルギーの大半は、何の利益にもならない闘いに費やされている。ホワイトハウスのスタッフ、大企業、ナショナル・フットボール・リーグ、各種諜報コミュニティーと反目しているためだ。この諜報コミュニティーにはＦＢＩも含まれる。

トランプの最大の脅威となっているのが、最後に挙げたＦＢＩである。モラーは積極的に調査を進めている。二〇一七年前半の話題をさらったリーク合戦は、すっかり鳴りを潜めてしまった。確かなところはわからないが、モラーが断固たる決意で調査を実施しているからだろう。大統領にとっては悪い兆候である。この事件の解明には、ほかならぬＦＢＩの威信がかかっている。

実際、トランプの側近の旗色は芳しくない。現段階での主要ターゲットは、間違いなくマナフォートとフリンだ。モラーはおそらく、二人の気力を奪う戦略を立てているのだろう。伝えられるところによれば、元首席補佐官フリンの息子のマイケル・フリン・ジュニアを召喚して取り調べを行っている。これは、息子を責めて父親への圧力を強めるという、容赦のない検察の古典的な戦術だ。

その目的は、フリンを協力させることにあるらしい。フリンが訴追を免れたければ、指揮系統の上にいる人物に対する訴訟を大きく進展させる情報を提供するほかないだろう。つまりはトランプである。もちろんトランプが、何らかの理由をつけて（あるいは何の理由もなく）フリンに恩赦を与える可能性もある。だが、憲法学者も指摘しているように、不適切な理由、もしくは司法を妨害する目的で恩赦を与えることはできない。

一方、マナフォートの苦悩も募るばかりだ。ウクライナ問題で協力関係にあった弁護士やワシントンの有力ロビー会社に召喚状が出されただけではない。夜明け前にＦＢＩがマナフォートの自宅の家宅捜索を行い、そのときの屈辱的な情報が明るみに出た。ＣＮＮの報道によれば、捜査員が錠を開け、武器を抜いて中に押し入り、寝ぼけまなこのマナフォートの妻キャスリーンのボディチェックまでしたという。通常これほど乱暴な扱いは、組織犯罪や反逆行為の場合に限られる。

モラーのターゲットになったもう一人の人物、カーター・ペイジは、黙秘権を行使すると宣言した。余計なことを話したくないという気持ちはよくわかる。議会で証言したりすれば、密談の記録とは食い違うことを言ってしまうかもしれない。密談はＦＢＩにより盗聴され、その記録は現在、政府の手中にある。

その間、トランプ政権の立法関係の業績はほとんどなかった。一つ重要な法律が制定されたが、それもトランプが強く反対していた法律である。二〇一七年八月二日、上院と下院のほぼ全会一致に近い採決を受け、大統領はロシアに対する新たな制裁法に署名せざるをえなくなった。この法を取り消すには、議会の承認が必要になる。トランプ政権がロシアに対する制裁を解除できる見込みはまずない。

プーチンにとって、これは大きな誤算だった。ロシア政府がトランプの大統領選勝利を支援した第一の目的は、アメリカによる経済制裁を終わらせることにあったからだ（第二の目的は、以前からアメリカに存在する社会の傷、イデオロギーの傷を引っかきまわすことにあったが、こちらは十分に成功した）。

プーチンの作戦は大胆で、身のほど知らずとさえ言えなくもない。その手段は、サイバー攻撃、フェイスブックの偽アカウントによる活動、計略や教化といったＫＧＢ時代からの古典的テクニックなどさまざまだ。しかし今回は裏目に出たようだ。ロシア政府の当局者は、アメリカもロシアも同じだと考えている場合が多い。アメリカの制度化された政治に関する理解が乏しい。三権が分立していること、どんな大統領にも制約があることを理解していない。

ロシア政府の中にも賢明な声はある。解雇された大統領府長官セルゲイ・イワノフや、現在はモスクワに呼び戻されている駐アメリカ大使セルゲイ・キスリャクの意見は正しかった。二〇一四年のウクライナ侵攻同様、プーチンによる二〇一六年のアメリカ大統領選への干渉は、戦術的には成功したが、戦略的には大失敗だった。ロシア経済に対する制裁の影響は続いており、西欧の低利の融資からいまだ締め出されたままだ。

スティールの考えでは、自分の報告がなければ、トランプは制裁を解除し、ロシアと新たな同盟関係を結んでいたに違いないという。まさに彼の友人が言うように、「クリスはプーチンの鼻先から戦略的な大勝利を盗み取った」のだ。スティールの活動は、政治のためでも自分のためでもない。むしろ、真実や公務の実態を暴くためだと友人は言う。いずれスティールが、自らの物語を語ってくれるときが来るかもしれない。

スティールが友人に語ったところによれば、自分の報告がいつ「完全に証明」されるかはわからないらしい。ロシア政府には、この作戦のあらゆる痕跡を隠す時間が一年もあったため、完璧に隠蔽された。それにアメリカと違い、ロシアの当局者はリークしない。これまでもモスクワで活動するジャーナリストは、独自のネタを見つけようと懸命に努力してきた。実際、重要な情報を握っている「いまだ元気な」人はかなりいる。だが、彼らが「近いうちに」名乗り出ることはないだろう。たとえば、歴史的な陰謀について知っているKGBの元幹部などがそうだ。ルーズリーフ式のバインダーに年代順に収められた資料など、書面による記録もあるだろう。その中に、トランプのファイルはまだ存在するのか？　モスクワでの噂によれば、プーチンは疑心暗鬼になり、自分に不利な資料はすべて破棄するか、安全なところに隠してしまったという。スティールが大使館勤務のスパイだった当時にまとめられた、彼に関するソ連時代のファイルは、いまではかなり厚みを増しているることだろう。

ロシアの内側からの変化は望めそうにない。二〇一七年には、プーチンが権力の座にいる期間（首相時代も含む。当時もプーチンは政権を掌握していた）が、レオニード・ブレジネフの記録的長さを超えた。プーチン自身が二〇一八年の大統領選後も政権の座に居座り続けるつもりでいるのは間違いない。さらに六年となると、二〇二四年まで続く。そうなれば、トランプより長く生き延びることになるかもしれない。プーチンが退場したとしても、プーチン主義が新たな形で続く可能性もある。

それでもいつか、ロシア政府によるトランプ作戦の詳細が漏れ出す可能性がないわけではない。政権交代、亡命者、危険人物――いずれも、深く埋もれた秘密が表に現れるきっかけになる。実際、ソ連の共産主義体制が崩壊したあとには、スターリンの国家政治保安部顧問が回想録を公表した。また、戦後の極秘作戦に関する対外情報記録も、その頃にはKGBの管理が行き届かなくなったために、結局MI6の手に渡ってしまった。現在、この記録はケンブリッジで閲覧できる。

だがいまのところ、この共謀作戦のロシア側の部分は、モラーの手の届かないところにある。そのためモラーは、アメリカ側に的を絞っている。こちらはまだ情報を入手しやすいからだ。アメリカ側の調査でわかっていることだけでも、その実態はかなりひどい。

最初の起訴は、一〇月下旬に行われた。その対象となった二人は、意外でも何でもない。マナフォートとその仲間のリック・ゲイツだ。マナフォートがトランプの選挙対策本部長だったころ、ゲイツはその代理を務めていた。起訴内容は、二〇〇六年から二〇一六年までの期間に及ぶ。つまり、二人がウクライナでヤヌコヴィチのために働くようになった頃から始まる。

二人の容疑は驚くべきものだ。アメリカに対する陰謀、マネーロンダリング、外国銀行口座の申告漏れ、未登録の外国代理人としての活動、さらに「虚偽、不正、嘘の」供述など、全部で一二項目に及ぶ。二人は、ヤヌコヴィチ政権のためにアメリカ国内で「数百万ドル規模のロビー活動」を行ったと言われており、起訴状によれば、これを隠蔽しようとしているという。

マナフォートは、キエフでの活動で高額の報酬を得たことが知られている。FBIが突き止めたとされる金額は、目まいがするような額だ。マナフォートのオフショア口座に七五〇〇万ドル以上が流れ込んでいたという。マナフォートは、適当な名義人を立て、海外にダミー会社をいくつも設立していた。キプロスやセントビンセント・グレナディーン、セイシェルにあるこれらの会社が、数多くの銀行口座を管理していた。

マナフォートはこの現金をどうしたのか？　FBIによれば、「一八〇〇万ドル以上」をマネーロンダリングしていたという。その金は、オリガルヒのような豪勢な生活の資金となった。アンティークの絨毯、高価な服、芸術作品、車（メルセデスベンツ一台にレンジローバー三台）などの贅沢品のほか、ニューヨークで不動産を購入している（その一つであるソーホーのマンションはエアビーアンドビーに登録され、「週数千ドル」で貸し出されていた）。

以前のマナフォートは、トランプの選挙対策チームの中でもっとも雄弁な人物だったに違いない。だが起訴のニュースが流れると、そんな彼も口をつぐんだ。そしてゲイツとともにFBIに出頭し、ワシントンの連邦裁判所に姿を見せると、あらゆる容疑について無罪を主張した。マナフォートはその後、一〇〇〇万ドルの保釈金を支払って釈放され、現在は「自宅軟禁」中の身である。この裁判で彼の運命がどうなるかはわからない。

ところで、トランプは元側近の起訴に対してどんな反応をしたのだろう？　ほんの少しばかりツイートしただけだ。マナフォートを守るのは、本人の弁護士に任せているのだろう。弁護士のケヴイン・ダウニングは、法廷外の場で発言し、マナフォートにかけられている容疑を馬鹿げていると一蹴している。マナフォートを含め、トランプの選対チームがロシアと共謀した証拠はないという。確かに、ホワイトハウスも指摘しているように、容疑はマナフォートがトランプのもとで働く前のものだ。

それでも、トランプ政権が嫌な予感にとらわれているのは間違いない。事件が思わぬ展開を見せ、トランプの選対チームのメンバーがまた一人起訴されたからだ。ロンドン在住の若いギリシャ系アメリカ人、ジョージ・パパドプロスである。この人物は、二〇一六年三月、二九歳のときに選対チームに参加した。トランプは同月、パパドプロスを外交政策顧問として紹介する際に、「優秀な男」だと述べている。

ＦＢＩの起訴状には、ある秘密の策謀に関する説明がある。その大部分は、スティールのすぐそばで起きた。登場するのは、殺人ミステリー・ボードゲーム『クルード』からそのまま出てきたかのような人物たちだ。イギリスに拠点を置く謎の「大学教授」、ロシア国籍の女性、そして、ロシア外務省に強力なコネを持つモスクワのある「人物」である。

一四ページに及ぶＦＢＩの「罪状報告書」は、マナフォートとゲイツが法廷に出頭したのと同じ日に公表された。そこには、パパドプロスがプーチン側とトランプ陣営のハイレベル会談を実現させようとしていたことが、論理的かつ冷静な文体で述べられている。モスクワでの折衝(せっしょう)は、二〇一六年の春から夏にかけて秘密裏に行われ、トランプも選対チーム幹部もそれを知っていた。

報告書によれば、パパドプロスは二〇一六年四月下旬、ロシア政府が民主党のメールを盗み取った事実を知らされたという。この時点では民主党はまだ、ハッキングがあったことを知らない。公表されたのは六週間後だ。この時系列が正しいのなら、ドナルド・トランプ・ジュニアがロシアの弁護士ヴェセルニツカヤと会おうとしていた理由や、ヒラリーの「失われた」三万通のメールを探してくれとトランプが公の場でロシアに訴えた事実に、新たな光を当てることになる。

パパドプロスはまず、二〇一六年三月、旅行先のイタリアで大学教授に会った。この教授（ワシントン・ポスト紙の調査で、ジョゼフ・ミフスドという人物だと判明した）は当初、パパドプロスに興味を示さなかったが、彼とトランプとの関係を知ると態度を変え、ロンドンで再会すると、「ロシア国籍の女性」を紹介した。パパドプロスは、選対チームに送ったメールの中で、彼女を「プーチンの姪（めい）」と呼んでいるが、実際にはそうではない（ミフスドは、ロシア政府とはいかなる関係もないと述べている）。

彼らはいったい何の話をしたのか？　ＦＢＩによれば、アメリカとロシアの関係を改善する方法だという。もっと具体的に言えば、「私たち」（トランプの選対チーム）とロシア政府首脳との会談の準備である。一週間後、パパドプロスはワシントンに飛んだ。そのときに撮影した、トランプやその将来の国家安全保障チームとテーブルを囲むパパドプロスの写真がある。彼はその場で自己紹介し、大胆な提案をした。自分の「コネ」を使えば、トランプ＝プーチン会談を手配できる、と。

パパドプロスは次いで、新たな仲間とともにその実現に奔走した。ロシア国籍の女性にメールを送ると、向こうからも乗り気の返事が来た。モスクワにいる教授からは、ロシア外務省やその北アメリカ局とコネがある有力な「人物」にパパドプロスを紹介したという連絡を受け取った。その間パパドプロスは、自分の活動やロシア政府との接触について、選対チームに情報を提供し続けた。ある「選対チームの責任者」はそれに対し、「素晴らしい仕事ぶりだ」と答えている。

こうして会談の準備は着々と進んだ。ある日、パパドプロスはロンドンのホテルでミフスドと朝食をともにした。モスクワから戻ってきたばかりのミフスドは、モスクワ「ロシア政府高官」と会い、実に興味深いニュースを持ち帰っていた。ロシアが、クリントンに関する貴重な「ネタ」を入手したらしい。「あいつらはクリントンのメールを何千通も持っている」という。この会話のあとも、パパドプロスは「トランプの選対チーム幹部との連絡」を続けた。ロンドンを、ロシア＝トランプ会談の舞台にしようと考えていたのかもしれない。

パパドプロスの熱心さは誰にも否定できまい。二〇一六年の五月、六月、八月には、さらに多くのメールや情報が飛び交った。選対チームに転送されたメールの中には、「トランプ氏との会談に関するロシアからの要望」というあからさまな件名がついたものまである。こうした情報の一部は、マナフォートやゲイツにも届いている。パパドプロスは、トランプが行けないなら自分がモスクワに飛んでもいいとさえ主張したが、結局この会談は、それほどの努力にもかかわらず実現しなかった。

上記すべてが、ＦＢＩによる共謀事件捜査の核心につながっている。二〇一七年一月のトランプ大統領就任式から一週間後、連邦捜査員が初めてパパドプロスに尋問した。そのときパパドプロスは、メールのハッキングを知った日時、ロシア政府やその仲介者と複数回接触した事実について、偽証した。捜査員は二月にまた尋問を行った。するとその翌日、パパドプロスはフェイスブックのアカウントを削除し、携帯電話の番号を変えた。

結局、パパドプロスが卑劣な陰謀家であることに間違いはなかった。二〇一七年七月、ＦＢＩはワシントン・ダレス国際空港でこの男を逮捕した。どうやらそれまでに、パパドプロスが消し去ったデータを回収していたらしい。その時点から彼は、協力する姿勢を見せるようになった。パパドプロスは「何度も」当局者と会い、質問に答え、情報を提供した。一〇月には、ＦＢＩに対して虚偽の供述をしたことを認めた。

この三人の起訴は、最初の一歩にすぎない。起訴はさらに続くだろう。『共謀』などなかったというトランプの主張は、徐々に真実味を失っている。いまや共謀の証拠がある。冷徹な経験的事実に基づくこれらの法律文書について、ほかの読み方ができるとは思えない。

モラーの調査は、まだ終わりにはほど遠い。ドナルド・トランプの苦悩は始まったばかりだ。

情報の出所について

本書執筆にあたり、多くの情報提供者に取材した。場所はさまざまだった。たとえば、ロンドンのタクシーの車内で。ワシントンの中心街にあるバーで。テムズ川を見渡す公園のベンチで（そう、ジョン・ル・カレの小説みたいに）。アメリカ東海岸にある大学の教員親睦ディナーで。

また、コーヒー・バー（何回もある）やパブ（かなり多い）、有名シェフのレストラン（ランチで何度も）、それに、ニューヨークにある大手テレビ局の控え室や、有名五つ星ホテルでも話を聞いた。さらに、今世紀最大級の国際ニュースに幾度か登場した建物の上階の部屋でも。

機密情報を快く提供してくれる人は、時間とともに増えていった。少数だが、定期的に会った人もいる。逆に、まったく顔を合わせなかった人もいる。そういう人とは暗号化したメッセージでやり取りすることが多かった。ある人から教わったソ連時代の背景事情は参考になった。そうした人たちは何時間も時差がある場所にいて、連絡にはタイムラグがつきものだった。このほか、ガーディアン紙の同僚であるステファニー・カーチギャスナーとニック・ホプキンズは、寛大にも自身の情報提供者と私をつないでくれた。

モスクワで四年暮らし、一〇年にわたってウラジーミル・プーチンが支配するロシア政府について書いてきた私には、ロシア人の友人や同僚がたくさんいる。彼らは本書を形にするために力になってくれた。それに、メモも役に立った。私は昔の記者たちのメモ帳を何冊もモスクワからこっそり持ち出し、保管している。アラス・アガラロフ、ポール・マナフォートとのインタビューの記録は、ずっと忘れていた食器棚の上の隠し場所から出てきた。まるで、埃の積もった屋根裏部屋で見つけた宝物のように。

安全保障と諜報の世界はまだ圧倒的に男社会で、取材相手の大半が男性だった。なかには、アメリカの二つの政権で国家安全保障会議（NSC）の上席補佐官を務めた人たちや、CIAとNSAの元長官、元諜報員、亡命者、歴史家、法学講師、元外交官、数人の名誉教授もいた。また、多くの記者にも話を聞いた。

共謀疑惑の調査に最も大きな貢献をしてくれたのは、その記者たちだ。ワシントン・ポスト紙やニューヨーク・タイムズ紙などのアメリカの新聞やウェブサイトは、現職大統領から絶え間ない敵意を示されながら、勇敢な報道をしてきた。彼らは十分な称賛に値する。なお、私以外の人々の手であきらかになった事実に関しては、本文中に可能な限り出所を明記した。

ルーク・ハーディング

二〇一七年一一月

謝辞
本書のために力を貸してくれた、実名・匿名を問わず、すべての情報提供者のみなさんに感謝する。

解説 「共謀」の向こう側にあるもの

前嶋和弘（上智大学教授）

ロシア疑惑とは一体何だったのだろうか──。

本書『共謀』（原著はCollusion: How Russia Helped Trump Win the White House）を読みながら、改めてこの大きな闇の深さを感じる。

本書の著者でベテランジャーナリストであるルーク・ハーディングは、自身のモスクワ駐在時の人的ネットワークを最大限に使って、丹念にこの闇に鋭く切り込んでいく。

ハーディングは、ロシア疑惑に登場するすべての主要人物をおさえながら、さらにロシアからの資金の動きに迫っていく。特にそもそもの疑惑の発端となった「ロシア疑惑文書」の筆者であり、本書の主人公ともいえる、元英情報機関員のクリストファー・スティールに直接接触するくだりは、どの部分でもページをめくっていて胸の高まりを抑えきれない。

ハーディングが原著を欧米で上梓したのが二〇一七年秋。トランプ氏が当選してからちょうど一年後である。ロシア疑惑について整理しながら、本書、日本語訳刊行の二〇一八年三月までの間に、どんな進展があったのか、また、今後弾劾への動きが始まるとしたらどういうプロセスになるのかなどをまとめてみたい。

二つの疑惑

ロシア疑惑は具体的には二つの問題に分けることができる。一つ目は選挙妨害の可能性である。本著で入念に論じられた二〇一六年の大統領選挙戦におけるロシアによる介入である。民主党全国本部などに対するサイバー攻撃などに対し、どれだけトランプ陣営が組織的に関わっていたかが焦点となっている。

二つ目の疑惑は、トランプ氏が大統領就任後、上述のロシアの選挙戦介入疑惑に対する一連の捜査を妨害しようとしたのではないかという司法妨害（捜査妨害）の疑いである。一連の捜査をしていたコミーFBI長官に対し、トランプ大統領は二〇一七年二月、当時大統領補佐官だったフリン氏に対する捜査を中止するよう要請したが、コミー長官は拒否。その後も捜査を続けたため、五月九日にトランプ氏に更迭された。この一連の解任劇が司法妨害ではないかという見方である。

二つの疑惑解明ルート

ロシア疑惑については二つの解明ルートがある。

一つはロシア疑惑の真相解明のためだけに二〇一七年五月に任命されたロバート・モラー特別検察官による捜査である。特別検察官は政権から独立した権限を持っており、疑惑全体の捜査とともに、大統領以外の疑惑に関係する容疑者の訴追などを行うのがその役割である。

これに対し、大統領が有罪か無罪か審議し弾劾するのが議会の役割である。国家への反逆罪、収賄罪、およびそのほかの重大な罪を犯していると議会が判断し、有罪とした場合、大統領は解任される。この弾劾については、下院（四三五人）が単純過半数の賛成に基づいて訴追し、上院（一〇〇人）が弾劾裁判を行うことになる。上院では出席議員の三分の二以上の賛成で弾劾を決定する。議会独自に関係者を公聴会に招集する形で証言を積み重ねていく。

特別検察官と議会はそれぞれ独自に疑惑解明を進め、特別検察官は適宜議会に状況を報告する形で協力していく。

時間がかかる特別検察官の捜査

それでは二〇一七年秋以降、ロシア疑惑を巡ってどのような動きがあったのか。まず、モラー特別検察官の捜査は着実に進んでいる。一〇月にトランプ陣営の選対本部長を一時期務めたマナフォート氏を訴追したほか、一二月にはフリン前大統領補佐官（国家安全保障問題担当）に、罪を減じる代わりに捜査協力する司法取引に応じさせている。このフリン氏の証言が鍵であり、娘婿のクシュナー大統領上級顧問や息子のドナルド・トランプ・ジュニア氏が次のターゲットとなるとみられている。いずれも本書で疑惑が詳細に論じられている。

一方で、二〇一七年秋以降、モラー特別検察官に対して、トランプ大統領は「不当な捜査だ」とことあるごとに牽制してきた。もし、トランプ氏が司法副長官らに圧力をかけてモラー特別検察官を解任するようなことがあれば、ウォーターゲート事件の明暗を分けた一大スキャンダルとなった一九七三年のコックス特別検察官の解任劇の再現となり、国民世論が黙っておかない可能性もある。

「モラー対トランプ」という構図は次第に鮮明になりつつある。モラー特別検察官の度々の事情聴取要請に対し、二〇一八年に入ってからトランプ氏は急に出頭する意向を明らかにしている。モラー氏と直接対決して「濡れ衣」を晴らしたいというのがその意図のようである。ただ、宣誓した上でいつものアドリブで発言した内容が虚偽であるとされた場合、偽証罪に問われる可能性がある。実際にアメリカの歴史で、弾劾裁判にかけられた二人の大統領のうち、一九九八年のクリントン大統領の場合は、まさにこの偽証が原因だった（不倫偽証をめぐる司法妨害、有罪は成立せず）。クリントン氏の例があるため、ホワイトハウスの弁護士団は二〇一八年三月末現在、トランプ氏に証言を踏みとどまらせている。

ただ、このような動きがあっても、真相解明のためにはそもそも時間がかかる。そもそも一九七〇年代のウォーターゲート事件の場合には、特別検察官の任命からニクソン氏の辞任までに一年以上の時間がかかった。

現時点ではまだトランプ大統領の共謀が確認されるような状況ではなく、「共謀」の全容はまだ見えていないといえる。

分極化の中で動かない弾劾

さらに、議会での弾劾の動きはさらに遅い。というのも、その背後にはトランプ大統領をめぐる世論の分極化がある。

少し説明したい。上述のように弾劾が始まるのが下院であり、過半数で弾劾訴追となるが、下院では共和党が四五もの議席をリードしている（二〇一八年二月末現在。欠員は四）。それもあって、共和党議員の判断がまずは注目されるものの、共和党の支持層は圧倒的にトランプ氏を支援しているため、反トランプの動きを明確に示すことが極めて難しい。

保守層のトランプ熱は全く治まらない。調査会社ギャラップによると、現在（二〇一八年二月五日から一一日の調査）トランプ大統領の支持率は全体で見れば四〇％と政権発足時四五％からわずかに下がりつつあり歴代大統領としては最低レベルだ。しかし、共和党支持者に限ってはトランプ大統領の支持率は何と八六％に跳ね上がる。まさに鉄板である(就任時の八九％からほとんど落ちていない)。これに対し民主党支持者の支持率はわずか七％であり、その差は七九ポイントもある。

そもそも、トランプ大統領そのものが分極化の象徴的存在である。ロシア疑惑だけでなく、パリ協定の離脱、「便所のような国」発言などで批判が殺到しているため、民主党支持者にとってトランプ大統領は「とんでもない人物」である。だが共和党支持者にとってみれば「既存の政治をぶっ壊す英雄」である。規制緩和はとりあえず「一つ作ったら二つ減らす」という内容よりも削減数を優先する稚拙なものだが、それでも支持者にとっては「胸がすく」成果なのであろう。

ロシア疑惑の解明に対する議会の動きも党派的である。疑惑の捜査がトランプ大統領に反対する立場に偏向して行われているとしてＦＢＩと司法省を非難した機密文書について、共和党側は二〇一八年二月、公開を容認することを決めた。この文書はトランプ氏に近い下院情報特別委員会の同党のニューネス委員長が中心になって作成したもので、ＦＢＩの捜査令状捜査が政治的に行われたと印象づけている。公開された文書には本書で取り上げている人物名が続く。トランプ陣営にいたカーター・ペイジ氏の令状を取得するため裁判所に示した情報提供者がスティール氏であり、そのスティール氏が民主党全国委員会や同党のクリントン元国務長官の陣営から多額の資金を受け取った事実を隠していたと指摘した。つまり、疑惑の大元であるスティール氏の報告そのものに対する疑義である。これに対して、民主党側は「あまりにも党派的な文書」と大きく反発している。

急展開の可能性

盤石な支持に支えられているようにみえるトランプ大統領だが、それでもロシア疑惑が今後、急展開していく可能性も捨てきれない。というのも、二〇一八年一一月には中間選挙があり、もし、民主党が下院で多数派となった場合、弾劾が一気に進んでいく可能性があるためだ。

連邦議会下院は上述のように四五議席の差があるほか、下院の現職の再選率は九割を超えているため、二〇一七年夏ごろまでは共和党の多数派は安泰であるとみられていた。

しかし、同年秋から、引退や、上院や知事選への転出を決めた共和党の下院議員が相次いでおり、合わせるとすでに例年よりもかなり多く三〇人を超えている。辞める議員をみると穏健派の共和党議員が中心であり、外交や金融などの主要委員会の委員長も相次ぎ引退を決めている。トランプ政権の強硬な姿勢に強く反発しているもののの、保守層からの厚い支持を見ると弾劾までは言い出しにくい。そのため、反トランプの意思表示のために引退を選んだと考えられている。

この動きに乗じて民主党側は「トランプ弾劾」を大きな争点に掲げて選挙を戦っていくであろう。

疑惑の全容が見える日

大統領の弾劾は、国家としては一大事である。日本の場合、日本国憲法下で過去に四回内閣不信任が可決されているが、こちらは衆議院の単純過半数で可能となる。それに比べると、上下両院、しかも上院の場合は三分の二の賛成票が必要となるため、アメリカの大統領弾劾のハードルは非常に高い。

実際にアメリカの歴史で、弾劾裁判にかけられた大統領は一八六八年のアンドルー・ジョンソン大統領（南部再建問題での議会との対立）と上述のクリントン大統領の二人だけであり、いずれも有罪は成立しなかった。一九七〇年代のウォーターゲート事件に関与したニクソン大統領の場合、権力の乱用などの理由で下院司法委員会が下院に弾劾を勧告した段階で、辞任している。

ただ、弾劾のプロセスがもし進むとすれば、本著で論じられた疑惑が事実であるかどうか、少なくともかなり解明されていくであろう。

もし、実際にトランプ陣営がロシアと共謀していたとするなら、アメリカという国家が誕生して以来の一大疑獄となる。ロシアという外国がアメリカの選挙や政権運営に不正に関与したということだけではない。世界の超大国であるアメリカの大統領が当選するために国を裏切ったということとなり、大統領の正統性そのものが根本から崩れ去ってしまう。

「共謀」の向こう側にある姿はあまりにも醜悪だ。

このような疑念こそ、ロシア疑惑の本質といえる。

ロシア疑惑とは一体何だったのだろうか――。醜悪な事実か。トランプ氏が主張するような「全くのでっち上げ」か。

その答えがもしかしたら見えてくるのもそんなに遠い先ではないかもしれない。

COLLUSION
How Russia Helped Trump Win The White House
by
Luke Harding

共謀(きょうぼう)
トランプとロシアをつなぐ黒(くろ)い人脈(じんみゃく)とカネ

2018年3月31日　第1刷発行

著　者　ルーク・ハーディング

訳　者　高取芳彦(たかとりよしひこ)　米津篤八(よねづとくや)　井上大剛(いのうえひろたか)

発行者　茨木政彦
発行所　株式会社　集英社
〒101-8050 東京都千代田区一ツ橋2-5-10
電話　編集部　03-3230-6141
読者係　03-3230-6080
販売部　03-3230-6393（書店専用）

印刷所　凸版印刷株式会社
製本所　ナショナル製本協同組合

Printed in Japan　ISBN978-4-08-781658-7　C0098